CHOD

LES LIAISONS DANGEREUSES

ROMAN ÉPISTOLAIRE

« J'ai vu les mœurs de mon temps et j'ai publié ces lettres. »
J.-J. Rousseau
Préface de *La Nouvelle Héloïse*

Hachette

EXTRAITS SUIVIS
(CONSERVANT LA CONTINUITÉ DE L'ACTION
ET CELLE DU TISSU ÉPISTOLAIRE)

Texte conforme à l'édition de 1782.

*Notes explicatives, questionnaires, bilans,
documents et parcours thématique*

établis par

Bernard COMBEAUD,
Professeur de Lettres supérieures.

Classiques

La couverture de cet ouvrage a été réalisée avec l'aimable collaboration de la Comédie-Française.
Photographie : Philippe Sohiez.

Les mots suivis d'une puce ronde (•) renvoient au lexique du roman, pp. 346-347, et ceux suivis d'un astérisque (*), au lexique littéraire, pp. 348 à 350

AVERTISSEMENT

• Le patronyme complet de l'auteur des *Liaisons dangereuses* était CHODER-LOS de LACLOS, mais, par simplification, la postérité n'en a retenu que le dernier élément, usage que nous avons conservé ici.

• Faute de place, nous n'avons pu reproduire ni la totalité des lettres ni l'intégralité de celles que nous avons retenues : mais nous avons, dans nos choix, veillé à conserver la continuité de l'action et celle du tissu épistolaire. Nous ne mentionnons, dans le sommaire, que celles que nous avons, en tout ou en partie, reproduites.

• Enfin, certains de nos questionnaires peuvent exceptionnellement concerner des lettres que nous n'avons pas du tout ou pas intégralement reproduites : le lecteur pourra en prendre connaissance dans une édition intégrale au format de poche.

Crédits photographiques :
pp. 4, 8, 10 (*La Vertu chancelante* de Greuze, Bibliothèque Nationale de France), **119, 142, 152, 285** (Gérard Philipe, Valmont, et Jeanne Moreau, Mme de Merteuil, dans le film de Roger Vadim), **336, 350, 352** : photographies Hachette.
p. 12 (Gérard Philipe, dans le rôle de Valmont, et, de dos, Jeanne Moreau, dans le rôle de Mme de Merteuil, dans l'adaptation de Roger Vadim), **196, 201, 345** : photographies Édimédia.
pp. 17 (Glenn Close, John Malkovich et Michelle Pfeiffer, interprètes du film de Stephen Frears), **33, 54, 69, 84, 264** : photographies Kipa.
p. 18 (Meg Tilly, Mme de Tourvel, dans le film Valmont de Milos Forman), **53** (photographie de J. Komarec), **63** (photographie R. Melloul), **150** (photographie R. Melloul), **153** (Fairuza Balk, Cécile Volanges, dans le film de Milos Forman. Photographie de R. Melloul), **192** (photographie de J. Komarec), **197** (photographie de R. Melloul), **212** (photographie de R. Melloul), **267** (photographie de J. Komarec) : photographies Sygma.
p. 58, 149, 230, 312 : photographies Kobal Collection.
p. 70 (Jeanne Moreau dans le film de Roger Vadim, sur un scénario de Roger Vailland) : photographie Film Monceau Cocinor.
pp. 85 (Caroline Cellier, Mme de Merteuil, écoutant les confidences de sa pupille, Coraly Zahonero, Théâtre Édouard VII, Paris), **91, 140, 163, 245** : photographies Bernand.

www. hachette-education.com.

*Pierre-Ambroise François Choderlos de Laclos,
gravure de Morel d'après Louis Carrogis,
Paris, Bibliothèque Nationale de France, Estampes.*

Choderlos de Laclos est le romancier
d'un unique roman. Chose plus étonnante,
son roman est un pur chef-d'œuvre.
Capitaine d'artillerie, il ne rêvait que de s'illustrer par
les armes. De ses généraux, le ministère exigeait quatre
quartiers de noblesse. Laclos n'en offrait que trois, et
des plus récents. Le dieu des batailles le boudait :
confiné dans l'île d'Aix, cet homme d'épée, qui voulait
s'embarquer pour libérer l'Amérique, n'espéra bientôt
plus la gloire que de sa plume.
Au printemps 1782, parut sous son nom un ouvrage
scandaleux. Une libertine et son complice y étalaient
dans leur correspondance les mœurs les plus infâmes.
Succès immédiat : tout Paris s'arrache Les Liaisons
dangereuses. Des «clés» circulent. Chacun croit
reconnaître les modèles du vicomte de Valmont et de la
marquise de Merteuil. Succès paradoxal aussi. Plus
bourgeois que noble, futur membre du Club des
Jacobins sous la Révolution, émule de Rousseau, l'auteur
est bon père, bon époux et bonne âme. Pourtant,
l'officier d'artillerie avait pointé ses batteries sans rien
laisser au hasard. Huit ans après le livre qui l'avait
rendu célèbre, devenu secrétaire du duc d'Orléans,
Laclos accompagne son maître à Londres. Un aventurier
qu'il y rencontre, le comte de Tilly, s'étonne qu'un
officier ait fait un roman. «Mon métier ne devant me
mener ni à un grand avancement ni à une grande
considération, lui réplique Laclos, j'avais résolu de faire
un ouvrage qui sortît de la route ordinaire,
qui fît du bruit, et qui retentît encore sur la terre
quand j'y serais passé.»
Désireux de réussir, Laclos ne prétendait nullement faire
œuvre originale : l'épigraphe situe son livre dans la
lignée de La Nouvelle Héloïse, l'un des plus grands
succès du temps. Il puise amplement dans la tradition
du roman libertin et du roman par lettres. Mais il a
voulu extraire le meilleur de l'héritage et le porter
méthodiquement à sa perfection.
Tout indique que Laclos a réussi : deux siècles après sa
parution, son roman, longtemps maudit, fait aujourd'hui
figure de chef-d'œuvre incontesté.

SOURCES	INFLUENCES
Le roman par lettres, exotique puis sentimental, très répandu au XVIIIe. Citons les *Lettres persanes* de Montesquieu (1721), les *Lettres d'une Péruvienne* de Mme de Grafigny (1747), les romans de Mme Riccoboni : *Lettres de Mistress Fanni Butler* (1757), *Lettres de Milady Catesby* (1759) ; ceux de Crébillon : *Lettres de la Duchesse de*** au Duc de **** (1768), *Lettres athéniennes* (1771). L'engouement pour cette forme tient surtout au succès considérable des œuvres de Richardson : *Paméla* (trad. en 1742), *Lettres anglaises ou Histoire de Clarisse Harlow* (1756), et, plus encore, à celui, foudroyant, de *La Nouvelle Héloïse* de Rousseau (1761).	Laclos emprunte à cette tradition la forme épistolaire de son roman. Il la porte à son point de perfection le plus absolu.
Le roman libertin, très en vogue lui aussi, avec les œuvres de Crébillon, Duclos, ou Nerciat, entre bien d'autres.	Laclos y puise des scènes types (ex. la lettre écrite sur le dos d'une courtisane), un style fondé sur la litote (dire le moins pour suggérer le plus), et la typologie de ses personnages (le roué, la perverse, l'ingénue, le petit-maître, la prude dévote…)
Le roman sentimental, dont la mode commence à se faire jour dans la seconde moitié du siècle, où la sensibilité tend à prévaloir sur la raison. Les modèles sont encore une fois *Clarisse Harlow* de Richardson et *La Nouvelle Héloïse* de Rousseau.	Laclos reçoit de cette tradition ses personnages sensibles, comme Danceny, le goût des scènes de larmes, et surtout l'art de dépeindre les ravages de la passion, avec Mme de Tourvel, ou la marquise, que perd la rage de se venger.
Le roman noir (Restif de La Bretonne, Sade…).	Laclos en conserve les lieux clos : châteaux, salons, couvents ou *« petites maisons »* ; l'atmosphère ténébreuse (mais il s'agit ici de ténèbres intérieures) ; le motif de la machination ou du complot des méchants ; le viol (Cécile, Tourvel) ; la folie (Tourvel).
Le théâtre, genre on ne peut plus prisé au siècle des Lumières.	Laclos lui emprunte la situation de communication (seuls les personnages parlent), le temps court d'une crise, l'espace clos, les jeux de masques des hypocrites, les méprises des naïfs, le quadrille à deux couples venu de la comédie, les scènes pathétiques héritées du drame bourgeois à la Diderot. Il y puise aussi des métaphores essentielles, assimilant la vie mondaine où se meuvent ses personnages à un *« grand théâtre »* (lettre CVI).
L'opéra, très à la mode lui aussi, comme tous les arts du spectacle.	Lieu de la sociabilité mondaine, il fournit le décor de scènes essentielles, une source de métaphores importantes, et suggère la distribution des emplois (Danceny, ténor ; Valmont, baryton ; etc.) et des tours de parole (duos, monologues lyriques…).
La peinture : gravures libertines, scènes de genre ou tableaux larmoyants à la Greuze, mais aussi peintures religieuses baroques.	Laclos s'en inspire pour certaines mises en scène : Émilie servant de pupitre ; la famille pauvre secourue ou l'aumône au village ; les scènes de tourment ou d'extase (lettre XXII) doivent beaucoup à la peinture baroque, qui peint souvent des états extrêmes.
Le discours religieux : manuels de piété, sermons et oraisons funèbres de Bossuet, de Bourdaloue ou de Massillon.	Omniprésent dans le roman, il est employé avec sincérité par les victimes, sur un mode parodique par les roués. Le titre même vient du vocabulaire dévot. L'éloquence, pathétique, de Mme de Tourvel, intéressée chez Valmont, emprunte ses tours à la rhétorique des orateurs de la chaire.

Laclos : un des plus grands romanciers du XXe siècle...
Comme tout paradoxe, celui-ci enferme sa part de vérité.
Condamné sous la Restauration et le Second Empire pour
outrage aux bonnes mœurs, l'unique roman de Laclos reste
enseveli plus d'un siècle dans l'«enfer» des bibliothèques,
circulant sous le manteau, lu seulement par quelques
amateurs avertis. Lorsqu'ils adaptent les Liaisons *au*
cinéma, en 1960, Roger Vadim et son scénariste, le
romancier Roger Vailland, croient bon de marier Valmont à
sa complice, née Merteuil, ce qui en dit long sur la
pruderie qui subsiste alors.
La réhabilitation des Liaisons dangereuses *date de la fin des*
années 1960. En 1966, Tzvetan Todorov y puise les
exemples de sa thèse de troisième cycle, dirigée par Roland
Barthes. Deux ans plus tard paraît la grande thèse d'État
de Laurent Versini, auquel on doit également d'avoir fait
entrer les œuvres complètes de Laclos dans la «Bibliothèque
de la Pléiade» en 1979. À l'occasion de son bicentenaire,
en 1982, l'œuvre fut pour la première fois inscrite au
programme de l'agrégation des Lettres. En 1985, une page
du roman entrait enfin dans l'anthologie de Lagarde
et Michard. À leur cœur défendant, les éditeurs
se voyaient contraints de céder aux pressions
de la concurrence et de la mode...
Les raisons de cette réhabilitation ne sont pas à chercher
dans le laxisme moral de notre époque, mais dans le
renouveau de la critique. L'essor de la linguistique, la plus
exacte des sciences humaines, a marqué notre siècle.
Comment n'aurait-elle pas entraîné dans son sillage
l'ensemble des études littéraires? L'attention des chercheurs
s'est donc portée avec élection sur l'examen des structures
formelles. En bon officier artilleur, Laclos avait eu le
mérite de porter à leur point de perfection toutes les
stratégies de signification utilisables dans un roman
épistolaire, lesquelles sont légion... Il n'en fallait pas plus
pour faire de son ouvrage l'un des plus étudiés de cette fin
de siècle, d'autant qu'autour de ce chef-d'œuvre du roman
libertin flotte encore le soufre des anciens anathèmes :
aujourd'hui, Valmont a pris rang parmi les figures
archétypales du séducteur libertin, aux côtés de Don Juan
ou de Casanova.

La Voluptueuse, *gravure de Greuze.*

Les Liaisons• dangereuses

ou

Lettres

recueillies dans une société et publiées pour l'instruction de quelques autres

> «J'ai vu les mœurs de mon temps et
> j'ai publié ces lettres.»
>
> J.-J. ROUSSEAU.
> Préface de *La Nouvelle Héloïse*[1].

---

1. La Nouvelle Héloïse : voici le titre complet de cette œuvre maîtresse de Rousseau : *Julie ou La Nouvelle Héloïse. Lettres de deux amants habitants d'une petite ville au pied des Alpes, recueillies et publiées par Jean-Jacques Rousseau.* La préface commence par ces mots : *«Il faut des spectacles dans les grandes villes, et des romans aux peuples corrompus. J'ai vu les mœurs de mon temps et j'ai publié ces lettres. Que n'ai-je vécu dans un siècle où je dusse les jeter au feu! Quoique je ne porte ici que le titre d'éditeur, j'ai travaillé moi-même à ce livre, et je m'en cache pas. Ai-je fait le tout, et la correspondance entière est-elle une fiction? Gens du monde, que vous importe? C'est sûrement une fiction pour vous.»*

AVERTISSEMENT DE L'ÉDITEUR

Nous croyons devoir prévenir le Public, que, malgré le titre de cet Ouvrage et ce qu'en dit le Rédacteur dans sa Préface, nous ne garantissons pas l'authenticité de ce Recueil, et que nous avons même de fortes raisons de penser que ce n'est qu'un Roman.

Il nous semble de plus que l'Auteur, qui paraît pourtant avoir cherché la vraisemblance, l'a détruite lui-même et bien maladroitement, par l'époque où il a placé les événements qu'il publie. En effet, plusieurs des personnages qu'il met en scène ont de si mauvaises mœurs, qu'il est impossible de supposer qu'ils aient vécu dans notre siècle ; dans ce siècle de philosophie, où les lumières[1], répandues de toutes parts, ont rendu, comme chacun sait, tous les hommes si honnêtes et toutes les femmes si modestes et si réservées.

Notre avis est donc que si les aventures rapportées dans cet Ouvrage ont un fond de vérité, elles n'ont pu arriver que dans d'autres lieux ou dans d'autres temps ; et nous blâmons beaucoup l'Auteur, qui, séduit apparemment par l'espoir d'intéresser davantage en se rapprochant plus de son siècle et de son pays, a osé faire paraître sous notre costume et avec nos usages, des mœurs qui nous sont si étrangères.

Pour préserver au moins, autant qu'il est en nous[2], le Lecteur trop crédule de toute surprise à ce sujet, nous appuierons notre opinion d'un raisonnement que nous lui proposons avec confiance, parce qu'il nous paraît victorieux et sans réplique ; c'est que sans doute les mêmes causes ne manqueraient pas de produire les mêmes effets, et que cependant nous ne voyons point aujourd'hui de Demoiselle, avec soixante mille livres de rente, se faire Religieuse, ni de Présidente•, jeune et jolie, mourir de chagrin.

---

1. *lumières* : connaissances (lumières de la raison).
2. *autant qu'il est en nous* : autant que nous le pouvons.

PRÉFACE DU RÉDACTEUR

Cet ouvrage, ou plutôt ce Recueil, que le Public trouvera peut-être encore trop volumineux, ne contient pourtant que le plus petit nombre des Lettres qui composaient la totalité de la correspondance dont il est extrait. Chargé de la mettre en ordre par les personnes à qui elle était parvenue[1], et que je savais dans l'intention de la publier, je n'ai demandé, pour prix de mes soins, que la permission d'éla-guer[2] tout ce qui me paraîtrait inutile ; et j'ai tâché de ne conserver en effet que les Lettres qui m'ont paru néces-saires, soit à l'intelligence[3] des événements, soit au déve-loppement des caractères. Si l'on ajoute à ce léger travail, celui de replacer par ordre les Lettres que j'ai laissé subsis-ter, ordre pour lequel j'ai même presque toujours suivi celui des dates, et enfin quelques notes courtes et rares, et qui, pour la plupart, n'ont d'autre objet que d'indiquer la source de quelques citations, ou de motiver quelques-uns des retranchements que je me suis permis, on saura toute la part que j'ai eue à cet Ouvrage. Ma mission ne s'étendait pas plus loin*.

J'avais proposé des changements plus considérables, et presque tous relatifs à la pureté de diction ou de style, contre laquelle on trouvera beaucoup de fautes. J'aurais désiré aussi être autorisé à couper quelques Lettres trop longues, et dont plusieurs traitent séparément, et presque sans transition, d'objets tout à fait étrangers l'un à l'autre. Ce travail, qui n'a pas été accepté, n'aurait pas suffi sans doute pour donner du mérite à l'Ouvrage, mais en aurait au moins ôté une partie des défauts.

On m'a objecté que c'étaient les Lettres mêmes qu'on

---

* Je dois prévenir aussi que j'ai supprimé ou changé tous les noms des personnes dont il est question dans ces Lettres ; et que si dans le nombre de ceux que je leur ai substitués, il s'en trouvait qui appartinssent à quelqu'un, ce serait seulement une erreur de ma part, et dont il ne faudrait tirer aucune conséquence.

---

1. *les personnes à qui elle était parvenue* : cf. Lettre CLXIX.
2. *élaguer* : supprimer, retrancher.
3. *l'intelligence* : la compréhension.

30 voulait faire connaître, et non pas seulement un Ouvrage
fait d'après ces Lettres ; qu'il serait autant contre la vraisemblance que contre la vérité, que de huit à dix personnes
qui ont concouru à cette correspondance, toutes eussent
écrit avec une égale pureté. Et sur ce que j'ai représenté
35 que, loin de là, il n'y en avait au contraire aucune qui n'eût
fait des fautes graves, et qu'on ne manquerait pas de criti-
quer, on m'a répondu que tout Lecteur raisonnable s'attend-
drait sûrement à trouver des fautes dans un Recueil de
Lettres de quelques Particuliers, puisque dans tous ceux
40 publiés jusqu'ici de différents Auteurs estimés, et même de
quelques Académiciens[1], on n'en trouvait aucun totalement
à l'abri de ce reproche. Ces raisons ne m'ont pas persuadé,
et je les ai trouvées, comme je les trouve encore, plus faciles
à donner qu'à recevoir ; mais je n'étais pas le maître, et je
45 me suis soumis. Seulement je me suis réservé de protester[2]
contre, et de déclarer que ce n'était pas mon avis ; ce que je
fais en ce moment.

　　Quant au mérite que cet Ouvrage peut avoir, peut-être ne
m'appartient-il pas de m'en expliquer, mon opinion ne
50 devant ni ne pouvant influer sur celle de personne. Cependant ceux qui, avant de commencer une lecture, sont bien
aises• de savoir à peu près sur quoi compter ; ceux-là,
dis-je, peuvent continuer : les autres feront mieux de passer
tout de suite à l'Ouvrage même ; ils en savent assez.

55 　　Ce que je puis dire d'abord, c'est que si mon avis a été,
comme j'en conviens, de faire paraître ces Lettres, je suis
pourtant bien loin d'en espérer le succès : et qu'on ne
prenne pas cette sincérité de ma part pour la modestie
jouée• d'un Auteur ; car je déclare avec la même franchise,
60 que si ce Recueil ne m'avait pas paru digne d'être offert au

---

1. *Académiciens* : il avait été de mode, au XVIIe siècle, de proposer, sous le titre de
« Secrétaires », des recueils de modèles de lettres, composés par les meilleurs écrivains du temps, comme Racine, Guez de Balzac, Mme de Sévigné ou Benserade. Ces
épîtres, souvent rhétoriques, n'étaient guère « naturelles », mais elles sont l'une des
origines du roman épistolaire.
2. *je me suis réservé de protester* : je me suis réservé [le droit] de protester [le
moment venu].

Public, je ne m'en serais pas occupé. Tâchons de concilier cette apparente contradiction.

Le mérite d'un Ouvrage se compose de son utilité ou de son agrément[1], et même de tous deux, quand il en est sus-
65 ceptible : mais le succès, qui ne prouve pas toujours le mérite, tient souvent davantage au choix du sujet qu'à son exécution, à l'ensemble des objets qu'il présente, qu'à la manière dont ils sont traités. Or ce Recueil contenant, comme son titre l'annonce, les Lettres de toute une société,
70 il y règne une diversité d'intérêt qui affaiblit celui du Lec-teur. De plus, presque tous les sentiments qu'on y exprime, étant feints ou dissimulés, ne peuvent même exciter qu'un intérêt de curiosité toujours bien au-dessous de celui de sentiment, qui, surtout, porte moins à l'indulgence, et laisse
75 d'autant plus apercevoir les fautes qui s'y trouvent dans les détails, que ceux-ci s'opposent sans cesse au seul désir qu'on veuille satisfaire.

Ces défauts sont peut-être rachetés, en partie, par une qualité qui tient de même à la nature de l'Ouvrage : c'est la
80 variété des styles ; mérite qu'un Auteur atteint difficilement, mais qui se présentait ici de lui-même, et qui sauve au moins l'ennui de l'uniformité. Plusieurs personnes pourront compter encore pour quelque chose un assez grand nombre d'observations, ou nouvelles, ou peu connues, et qui se
85 trouvent éparses dans ces Lettres. C'est aussi là, je crois, tout ce qu'on peut espérer d'agréments, en les jugeant même avec la plus grande faveur.

L'utilité de l'Ouvrage, qui peut-être sera encore plus contestée, me paraît pourtant plus facile à établir. Il me
90 semble au moins que c'est rendre un service aux mœurs, que de dévoiler les moyens qu'emploient ceux qui en ont de mauvaises pour corrompre ceux qui en ont de bonnes, et je crois que ces Lettres pourront concourir efficacement à ce but. On y trouvera aussi la preuve et l'exemple de deux
95 vérités importantes qu'on pourrait croire méconnues, en voyant combien peu elles sont pratiquées : l'une, que toute

---

1. *de son utilité ou de son agrément* : division classique d'un *topos* rhétorique, le fameux « instruire et plaire ».

15

femme qui consent à recevoir dans sa société un homme sans mœurs, finit par en devenir la victime ; l'autre, que toute mère est au moins imprudente, qui souffre• qu'un
100 autre qu'elle ait la confiance de sa fille. Les jeunes gens de l'un et de l'autre sexe pourraient encore y apprendre que l'amitié que les personnes de mauvaises mœurs paraissent leur accorder si facilement n'est jamais qu'un piège dangereux, et aussi fatal à leur bonheur qu'à leur vertu. Cepen-
105 dant l'abus, toujours si près du bien, me paraît ici trop à craindre ; et, loin de conseiller cette lecture à la jeunesse, il me paraît très important d'éloigner d'elle toutes celles de ce genre. L'époque où celle-ci peut cesser d'être dangereuse et devenir utile me paraît avoir été très bien saisie, pour son
110 sexe[1], par une bonne mère[2] qui non seulement a de l'esprit, mais qui a du bon esprit. « Je croirais », me disait-elle, après avoir lu le manuscrit de cette Correspondance, « rendre un vrai service à ma fille, en lui donnant ce Livre le jour de son mariage. » Si toutes les mères de famille en pensent ainsi, je
115 me féliciterai éternellement de l'avoir publié.

Mais, en partant encore de cette supposition favorable, il me semble toujours que ce Recueil doit plaire à peu de monde. Les hommes et les femmes dépravés• auront intérêt à décrier un Ouvrage• qui peut leur nuire ; et comme ils
120 ne manquent pas d'adresse, peut-être auront-ils celle de mettre dans leur parti les Rigoristes[3], alarmés par le tableau des mauvaises mœurs qu'on n'a pas craint de présenter.

Les prétendus esprits forts[4] ne s'intéresseront point à une femme dévote•, que par cela même ils regarderont comme
125 une femmelette[5], tandis que les dévots se fâcheront de voir succomber la vertu, et se plaindront que la Religion se montre avec trop peu de puissance.

D'un autre côté, les personnes d'un goût délicat seront dégoûtées par le style trop simple et trop fautif de plusieurs

1. *pour son sexe* : pour les personnes de son sexe.
2. *bonne mère* : mère digne de ce nom.
3. *Rigoristes* : personnes moralement intransigeantes.
4. *esprits forts* : personnes qui se placent au-dessus des opinions reçues dans le milieu social où elles vivent, et notamment en matière de religion.
5. *femmelette* : femme faible et craintive.

130   de ces Lettres, tandis que le commun des Lecteurs, séduit par l'idée que tout ce qui est imprimé est le fruit d'un travail, croira voir dans quelques autres la manière peinée d'un Auteur qui se montre derrière le personnage qu'il fait parler.

135   Enfin, on dira peut-être assez généralement, que chaque chose ne vaut qu'à sa place ; et que si d'ordinaire le style trop châtié[1] des Auteurs ôte en effet de la grâce aux Lettres de société, les négligences de celles-ci deviennent de véritables fautes, et les rendent insupportables, quand on les
140   livre à l'impression.

    J'avoue avec sincérité que tous ces reproches peuvent être fondés : je crois aussi qu'il me serait possible d'y répondre, et même sans excéder la longueur d'une Préface. Mais on doit sentir que pour qu'il fût nécessaire de
145   répondre à tout, il faudrait que l'Ouvrage* ne pût répondre à rien ; et que si j'en avais jugé ainsi, j'aurais supprimé à la fois la Préface et le Livre.

---

1. *châtié* : corrigé, amélioré.

PREMIÈRE PARTIE

LETTRE PREMIÈRE

CÉCILE VOLANGES À SOPHIE CARNAY
aux Ursulines[1] *de...*

Tu vois, ma bonne amie, que je te tiens parole et que les bonnets et les pompons ne prennent pas tout mon temps ; il m'en restera toujours pour toi. J'ai pourtant vu plus de parures dans cette seule journée que dans les quatre ans
5 que nous avons passés ensemble ; et je crois que la superbe Tanville* aura plus de chagrin à ma première visite, où je compte bien la demander, qu'elle n'a cru nous en faire toutes les fois qu'elle est venue nous voir *in fiocchi*[2]. Maman m'a consultée sur tout ; elle me traite beaucoup moins en
10 pensionnaire que par le passé. J'ai une Femme de chambre à moi ; j'ai une chambre et un cabinet dont je dispose, et je t'écris à un Secrétaire très joli, dont on m'a remis la clef, et où je peux renfermer tout ce que je veux. Maman m'a dit que je la verrais tous les jours à son lever ; qu'il suffisait que
15 je fusse coiffée pour dîner•, parce que nous serions toujours seules, et qu'alors elle me dirait chaque jour l'heure où je devrais l'aller joindre l'après-midi. Le reste du temps est à ma disposition, et j'ai ma harpe, mon dessin et des livres comme au Couvent ; si ce n'est que la Mère Perpétue• n'est
20 pas là pour me gronder, et qu'il ne tiendrait qu'à moi d'être toujours à rien faire : mais comme je n'ai pas ma Sophie pour causer et pour rire, j'aime autant m'occuper.

Il n'est pas encore cinq heures ; je ne dois aller retrouver Maman qu'à sept : voilà bien du temps, si j'avais quelque
25 chose à te dire ! Mais on ne m'a encore parlé de rien ; et sans les apprêts que je vois faire, et la quantité d'Ouvrières

---

* Pensionnaire du même Couvent.

---

1. Ursulines : Religieuses vouées à l'enseignement des jeunes filles. Les mœurs de ce couvent passaient pour fort libres...
2. in fiocchi : en grande toilette. Le couvent ne développerait-il que la coquetterie ?

qui viennent toutes pour moi, je croirais qu'on ne songe pas à me marier, et que c'est un radotage• de plus de la bonne Joséphine*. Cependant Maman m'a dit si souvent qu'une
30 Demoiselle devait rester au Couvent jusqu'à ce qu'elle se mariât, que puisqu'elle m'en fait sortir, il faut bien que Joséphine ait raison.

Il vient d'arrêter[1] un carrosse à la porte, et Maman me fait dire de passer chez elle tout de suite. Si c'était le Mon-
35 sieur ? Je ne suis pas habillée, la main me tremble et le cœur me bat. J'ai demandé à la Femme de chambre, si elle savait qui était chez ma mère : « Vraiment, m'a-t-elle dit, c'est M. C***. » Et elle riait. Oh ! je crois que c'est lui. Je reviendrai sûrement te raconter ce qui se sera passé.
40 Voilà toujours son nom. Il ne faut pas se faire attendre. Adieu, jusqu'à un petit moment.

Comme tu vas te moquer de la pauvre Cécile ! Oh ! j'ai été bien honteuse ! Mais tu y aurais été attrapée comme moi. En entrant chez Maman, j'ai vu un Monsieur en noir,
45 debout près d'elle. Je l'ai salué du mieux que j'ai pu, et suis restée sans pouvoir bouger de ma place. Tu juges combien je l'examinais ! « Madame », a-t-il dit à ma mère, en me saluant, « voilà une charmante Demoiselle, et je sens mieux que jamais le prix de vos bontés. » À ce propos si positif, il
50 m'a pris un tremblement tel, que je ne pouvais me soutenir. J'ai trouvé un fauteuil, et je m'y suis assise, bien rouge et bien déconcertée. J'y étais à peine, que voilà cet homme à mes genoux. Ta pauvre Cécile alors a perdu la tête ; j'étais, comme a dit Maman, tout effarouchée. Je me suis levée en
55 jetant un cri perçant ; ... tiens, comme ce jour du tonnerre. Maman est partie d'un éclat de rire, en me disant : « Eh bien ! qu'avez-vous ? Asseyez-vous et donnez votre pied à Monsieur. » En effet, ma chère amie, le Monsieur était un Cordonnier[2]. Je ne peux te rendre combien j'ai été hon-
60 teuse : par bonheur il n'y avait que Maman. Je crois

* Tourière[3] du Couvent.

1. *d'arrêter* : de s'arrêter.
2. *Cordonnier* : ouvrier qui fabrique des chaussures en cuir.
3. *Tourière* : religieuse non cloîtrée, chargée des relations avec l'extérieur.

que, quand je serai mariée, je ne me servirai plus de ce Cordonnier-là.

Conviens que nous voilà bien savantes! Adieu. Il est près de six heures, et ma Femme de chambre dit qu'il faut que je
65 m'habille. Adieu, ma chère Sophie; je t'aime comme si j'étais encore au Couvent.

P.-S. – Je ne sais par qui envoyer ma Lettre : ainsi j'attendrai que Joséphine vienne.

Paris, ce 3 août 17**.

LETTRE II

LA MARQUISE• DE MERTEUIL
AU VICOMTE• DE VALMONT
au Château de...

Revenez, mon cher Vicomte, revenez : que faites-vous, que pouvez-vous faire chez une vieille tante dont tous les biens vous sont substitués[1]? Partez sur-le-champ; j'ai besoin de vous. Il m'est venu une excellente idée, et je veux
5 bien vous en confier l'exécution. Ce peu de mots devrait suffire; et, trop honoré de mon choix, vous devriez venir, avec empressement, prendre mes ordres à genoux : mais vous abusez de mes bontés, même depuis que vous n'en usez plus; et dans l'alternative d'une haine éternelle ou
10 d'une excessive indulgence, votre bonheur veut que ma bonté l'emporte. Je veux donc bien vous instruire• de mes projets• : mais jurez-moi qu'en fidèle Chevalier• vous ne courrez aucune aventure que vous n'ayez mis celle-ci à fin. Elle est digne d'un Héros : vous servirez l'amour et la

---

1. *dont tous les biens vous sont substitués* : la «substitution», aujourd'hui prohibée par le Code civil, faisait que, juridiquement, Mme de Rosemonde ne pouvait ni vendre ni léguer les biens dont elle avait hérité, ceux-ci devant, à sa mort, revenir à Valmont.

15 vengeance ; ce sera enfin une *rouerie**[1] de plus à mettre
dans vos Mémoires[2] : oui, dans vos Mémoires, car je veux
qu'ils soient imprimés un jour, et je me charge de les écrire.
Mais laissons cela, et revenons à ce qui m'occupe.

Madame de Volanges marie sa fille : c'est encore un
20 secret ; mais elle m'en a fait part hier. Et qui croyez-vous
qu'elle ait choisi pour gendre ? Le Comte• de Gercourt. Qui
m'aurait dit que je deviendrais la cousine de Gercourt ? J'en
suis dans une fureur !... Eh bien ! vous ne devinez pas
encore ? oh ! l'esprit lourd ! Lui avez-vous donc pardonné
25 l'aventure de l'Intendante• ? Et moi, n'ai-je pas encore plus
à me plaindre de lui, monstre que vous êtes** ? Mais je
m'apaise, et l'espoir de me venger rassérène[3] mon âme.

Vous avez été ennuyé cent fois, ainsi que moi, de l'importance que met Gercourt à la femme qu'il aura, et de la
30 sotte présomption qui lui fait croire qu'il évitera le sort
inévitable. Vous connaissez sa ridicule prévention pour les
éducations cloîtrées, et son préjugé, plus ridicule encore, en
faveur de la retenue des blondes[4]. En effet, je gagerais que,
malgré les soixante mille livres de rente de la petite
35 Volanges, il n'aurait jamais fait ce mariage, si elle eût été
brune, ou si elle n'eût pas été au Couvent. Prouvons-lui
donc qu'il n'est qu'un sot : il le sera sans doute un jour ;
ce n'est pas là ce qui m'embarrasse : mais le plaisant serait
qu'il débutât par là. Comme nous nous amuserions le len-
40 demain en l'entendant se vanter ! car il se vantera ; et puis,
si une fois vous formez cette petite fille, il y aura bien du

---

* Ces mots *roué* et *rouerie*, dont heureusement la bonne compagnie[5] commence à se
défaire, étaient fort en usage à l'époque où ces Lettres ont été écrites.
** Pour entendre• ce passage, il faut savoir que le Comte de Gercourt avait quitté la
Marquise• de Merteuil pour l'Intendante de ***, qui lui avait sacrifié le Vicomte• de
Valmont, et que c'est alors que la Marquise et le Vicomte s'attachèrent l'un à l'autre.
Comme cette aventure est fort antérieure aux événements dont il est question dans
ces Lettres, on a cru devoir en supprimer toute la Correspondance.

---

1. rouerie : malhonnêteté, grave tromperie comme aiment à en commettre les
roués (qui mériteraient donc le supplice de la roue).
2. *Mémoires* : souvenirs rédigés (le mot est masculin).
3. *rassérène* : rend son calme, sa sérénité à.
4. *la retenue des blondes* : la modération, la pudeur qu'on prête aux blondes (contre
la coquetterie prétendue des brunes).
5. *la bonne compagnie* : les gens de bonne éducation.

malheur si le Gercourt ne devient pas, comme un autre, la fable[1] de Paris.

Au reste, l'Héroïne de ce nouveau Roman mérite tous vos
45 soins : elle est vraiment jolie ; cela[2] n'a que quinze ans, c'est le bouton de rose ; gauche, à la vérité, comme on ne l'est point, et nullement maniérée : mais, vous autres hommes, vous ne craignez pas cela ; de plus, un certain regard langoureux qui promet beaucoup en vérité :
50 ajoutez-y que je vous la recommande ; vous n'avez plus qu'à me remercier et m'obéir.

Vous recevrez cette Lettre demain matin. J'exige que demain à sept heures du soir, vous soyez chez moi. Je ne recevrai personne qu'à huit, pas même le régnant Cheva-
55 lier[3] : il n'a pas assez de tête pour une aussi grande affaire. Vous voyez que l'amour ne m'aveugle pas. À huit heures je vous rendrai votre liberté, et vous reviendrez à dix souper avec le bel objet : car la mère et la fille souperont chez moi. Adieu, il est midi passé : bientôt je ne m'occuperai plus de
60 vous.

Paris, ce 4 août 17**.

LETTRE III

CÉCILE VOLANGES À SOPHIE CARNAY

Je ne sais encore rien, ma bonne amie. Maman avait hier beaucoup de monde à souper. Malgré l'intérêt que j'avais à examiner, les hommes surtout, je me suis fort ennuyée. Hommes et femmes, tout le monde m'a beaucoup regardée,
5 et puis on se parlait à l'oreille ; et je voyais bien qu'on parlait de moi : cela me faisait rougir ; je ne pouvais m'en empêcher. Je l'aurais bien voulu, car j'ai remarqué que quand on regardait les autres femmes, elles ne rougissaient

---

1. *fable* : risée.
2. *cela* : elle.
3. *régnant Chevalier* : chevalier servant du moment.

pas ; ou bien c'est le rouge qu'elles mettent, qui empêche
10 de voir celui que l'embarras leur cause ; car il doit être bien
difficile de ne pas rougir quand un homme vous regarde
fixement.

   Ce qui m'inquiétait le plus était de ne pas savoir ce qu'on
pensait sur mon compte. Je crois avoir entendu pourtant
15 deux ou trois fois le mot de *jolie* : mais j'ai entendu bien
distinctement celui de *gauche* ; et il faut que cela soit bien
vrai, car la femme qui le disait est parente et amie de ma
mère ; elle paraît même avoir pris tout de suite de l'amitié
pour moi. C'est la seule personne qui m'ait un peu parlé
20 dans la soirée. Nous souperons• demain chez elle. [...]
   [...]

                                        Paris, ce 4 août 17**.

LETTRE IV

LE VICOMTE• DE VALMONT
À LA MARQUISE• DE MERTEUIL
à Paris.

   Vos ordres sont charmants ; votre façon de les donner est
plus aimable encore ; vous feriez chérir le despotisme[1]. Ce
n'est pas la première fois, comme vous savez, que je
regrette de ne plus être votre esclave ; et tout *monstre* que
5 vous dites que je suis, je ne me rappelle jamais sans plaisir
le temps où vous m'honoriez de noms plus doux. Souvent
même je désire de• les mériter de nouveau, et de finir par
donner, avec vous, un exemple de constance au monde.
Mais de plus grands intérêts nous appellent ; conquérir est
10 notre destin ; il faut le suivre : peut-être au bout de la carrière nous rencontrerons-nous encore ; car, soit dit sans
vous fâcher, ma très belle Marquise, vous me suivez au
moins d'un pas égal ; et depuis que, nous séparant pour le

---

1. *despotisme* : pouvoir absolu et arbitraire, tyrannie.

bonheur du monde, nous prêchons la foi[1] chacun de notre
15   côté, il me semble que dans cette mission d'amour, vous
avez fait plus de prosélytes[2] que moi. Je connais votre zèle•,
votre ardente ferveur; et si ce Dieu-là nous jugeait sur nos
œuvres, vous seriez un jour la Patronne[3] de quelque grande
ville, tandis que votre ami serait au plus un Saint de village.
20   Ce langage vous étonne, n'est-il pas vrai? Mais depuis huit
jours, je n'en entends•, je n'en parle pas d'autre; et c'est
pour m'y perfectionner, que je me vois forcé de vous
désobéir.

Ne vous fâchez pas et écoutez-moi. Dépositaire de tous
25   les secrets de mon cœur, je vais vous confier le plus grand
projet• que j'aie jamais formé. Que me proposez-vous? de
séduire une jeune fille qui n'a rien vu, ne connaît rien; qui,
pour ainsi dire, me serait livrée sans défense; qu'un premier hommage ne manquera pas d'enivrer, et que la curio-
30   sité mènera peut-être plus vite que l'amour. Vingt autres
peuvent y réussir comme moi. Il n'en est pas ainsi de l'entreprise qui m'occupe; son succès m'assure autant de gloire
que de plaisir. L'amour qui prépare ma couronne hésite
lui-même entre le myrte et le laurier[4], ou plutôt il les réu-
35   nira pour honorer mon triomphe. Vous-même, ma belle
amie, vous serez saisie d'un saint respect, et vous direz avec
enthousiasme: «Voilà l'homme selon mon cœur.»

Vous connaissez la Présidente• Tourvel, sa dévotion•,
son amour conjugal, ses principes austères[5]. Voilà ce que
40   j'attaque; voilà l'ennemi digne de moi; voilà le but où je
prétends atteindre:

>   *Et si de l'obtenir je n'emporte le prix,*
>   *J'aurai du moins l'honneur de l'avoir entrepris.*

---

1. *nous prêchons la foi* : nous répandons notre bonne parole (libertine).
2. *prosélytes* : adeptes.
3. *Patronne* : sainte sous la protection de laquelle on se place.
4. *le myrte et le laurier* : ces feuillages symbolisent la gloire; le myrte était consacré
à Aphrodite (l'Amour), le laurier à Apollon (l'Intelligence).
5. *austères* : sévères, sans agrément ni fantaisie.

On peut citer de mauvais vers, quand ils sont d'un grand
45 Poète*.

Vous saurez donc que le Président• est en Bourgogne, à
la suite d'un grand procès (j'espère lui en faire perdre un
plus important). Son inconsolable moitié doit passer ici tout
le temps de cet affligeant veuvage[1]•. Une messe chaque
50 jour, quelques visites aux Pauvres du canton, des prières du
matin et du soir, des promenades solitaires, de pieux[2]
entretiens avec ma vieille tante, et quelquefois un triste
Wisk[3], devaient être ses seules distractions. Je lui en prépare de plus efficaces. Mon bon Ange m'a conduit ici, pour
55 son bonheur et pour le mien. Insensé ! je regrettais vingt-
quatre heures que je sacrifiais à des égards d'usage.
Combien on me punirait, en me forçant de retourner à
Paris ! Heureusement, il faut être quatre pour jouer au
Wisk ; et comme il n'y a ici que le Curé du lieu, mon éter-
60 nelle tante m'a beaucoup pressé de lui sacrifier quelques
jours. Vous devinez que j'ai consenti. Vous n'imaginez pas
combien elle me cajole• depuis ce moment, combien surtout elle est édifiée de me voir régulièrement à ses prières et
à sa Messe. Elle ne se doute pas de la Divinité que j'y adore.
65 Me voilà donc, depuis quatre jours, livré à une passion
forte. Vous savez si je désire vivement, si je dévore les obstacles : mais ce que vous ignorez, c'est combien la solitude
ajoute à l'ardeur du désir. Je n'ai plus qu'une idée ; j'y
pense le jour, et j'y rêve la nuit. J'ai bien besoin d'avoir
70 cette femme, pour me sauver du ridicule d'en être amoureux : car où ne mène pas un désir contrarié ? Ô délicieuse
jouissance ! Je t'implore pour mon bonheur et surtout pour
mon repos. Que nous sommes heureux que les femmes se
défendent si mal ! nous ne serions auprès d'elles que de

* La Fontaine[4].

1. *cet affligeant veuvage* : ce désolant état de quasi-veuve.
2. *pieux* : respectueux de la religion.
3. *Wisk* : whist, jeu de cartes ancêtre du bridge, qui se joue à deux contre deux.
4. *La Fontaine* : le premier des deux vers cités, qui concluent (vers 15-16) l'épître
dédicatoire « À Monseigneur le Dauphin » du premier recueil des *Fables* (1668), a été
modifié par Laclos, puisque La Fontaine avait écrit : « *Et si de t'agréer je n'emporte le
prix* [...] »

75 timides esclaves. J'ai dans ce moment un sentiment de reconnaissance pour les femmes faciles, qui m'amène naturellement à vos pieds. Je m'y prosterne pour obtenir mon pardon, et j'y finis cette trop longue Lettre. Adieu, ma très belle amie : sans rancune.

Du Château de..., ce 5 août 17**.

LETTRE V

LA MARQUISE• DE MERTEUIL
AU VICOMTE• DE VALMONT

Savez-vous, Vicomte, que votre Lettre est d'une insolence rare, et qu'il ne tiendrait qu'à moi de m'en fâcher ? mais elle m'a prouvé clairement que vous aviez perdu la tête, et cela seul vous a sauvé de mon indignation. Amie
5 généreuse et sensible, j'oublie mon injure pour ne m'occuper que de votre danger, et quelque ennuyeux qu'il soit de raisonner, je cède au besoin que vous en avez dans ce moment.

Vous, avoir la Présidente• Tourvel ! mais quel ridicule
10 caprice ! Je reconnais bien là votre mauvaise tête qui ne sait désirer que ce qu'elle croit ne pas pouvoir obtenir. Qu'est-ce donc que cette femme ? des traits réguliers si vous voulez, mais nulle expression : passablement faite, mais sans grâces : toujours mise[1] à faire rire ! avec ses paquets de
15 fichus[2] sur la gorge, et son corps qui remonte au menton ! Je vous le dis en amie, il ne vous faudrait pas deux femmes comme celle-là, pour vous faire perdre toute votre considération. Rappelez-vous donc ce jour où elle quêtait à Saint-Roch[3], et où vous me remerciâtes tant de vous avoir procuré
20 ce spectacle. Je crois la voir encore, donnant la main à ce

---

1. *mise* : habillée.
2. *fichus* : étoffes dont les femmes s'entourent les épaules et le cou.
3. *Saint-Roch* : église située rue Saint-Honoré, dans l'actuel premier arrondissement de Paris.

grand échalas[1] en cheveux longs, prête à tomber à chaque pas, ayant toujours son panier de quatre aunes[2] sur la tête de quelqu'un, et rougissant à chaque révérence. Qui vous eût dit alors : vous désirerez cette femme? Allons,
25 Vicomte•, rougissez vous-même, et revenez à vous. Je vous promets le secret.

Et puis, voyez donc les désagréments qui vous attendent! quel rival avez-vous à combattre? un mari! Ne vous sentez-vous pas humilié à ce seul mot? Quelle honte si vous
30 échouez! et même combien peu de gloire dans le succès! Je dis plus; n'en espérez aucun plaisir. En est-il avec les prudes•? j'entends• celles de bonne foi : réservées au sein même du plaisir, elles ne vous offrent que des demi-jouissances. Cet entier abandon de soi-même, ce délire de
35 la volupté où le plaisir s'épure par son excès, ces biens de l'amour, ne sont pas connus d'elles. Je vous le prédis; dans la plus heureuse supposition, votre Présidente• croira avoir tout fait pour vous en vous traitant comme son mari, et dans le tête-à-tête conjugal le plus tendre, on reste toujours
40 deux. Ici c'est bien pis encore; votre prude est dévote•, et de cette dévotion• de bonne femme qui condamne à une éternelle enfance. Peut-être surmonterez-vous cet obstacle, mais ne vous flattez pas de le détruire : vainqueur de l'amour de Dieu, vous ne le serez pas de la peur du Diable;
45 et quand, tenant votre Maîtresse dans vos bras, vous senti-rez palpiter son cœur, ce sera de crainte et non d'amour. Peut-être, si vous eussiez connu cette femme plus tôt, en eussiez-vous pu faire quelque chose; mais cela a vingt-deux ans, et il y en a près de deux qu'elle est mariée. Croyez-
50 moi, Vicomte, quand une femme s'est *encroûtée* à ce point, il faut l'abandonner à son sort; ce ne sera jamais qu'une *espèce*[3].

---

1. *échalas* : personne grande et maigre, comme la perche servant à soutenir un cep de vigne (sens propre du mot).
2. *son panier de quatre aunes* : il ne peut s'agir du panier pour la quête, quatre aunes faisant plus de 4,5 mètres, mesure de Paris. L'exagération caricaturale ne peut viser que la robe à panier de Mme de Tourvel.
3. *espèce* : être qui, « *n'ayant plus le mérite de son état, se prête encore de lui-même à son avilissement* » (Duclos, *Considérations sur les mœurs de ce siècle*). L'espèce s'oppose à l'individualité.

C'est pourtant pour ce bel objet que vous refusez de
m'obéir, que vous vous enterrez dans le tombeau de votre
55 tante, et que vous renoncez à l'aventure la plus délicieuse et
la plus faite pour vous faire honneur. Par quelle fatalité
faut-il donc que Gercourt garde toujours quelque avantage
sur vous ? Tenez, je vous en parle sans humeur• : mais,
dans ce moment, je suis tentée de croire que vous ne méri-
60 tez pas votre réputation ; je suis tentée surtout de vous retirer ma confiance. Je ne m'accoutumerai jamais à dire mes
secrets à l'amant de Madame de Tourvel.

Sachez pourtant que la petite Volanges a déjà fait tourner
une tête. Le jeune Danceny en raffole. Il a chanté avec elle ; et
65 en effet elle chante mieux qu'à une Pensionnaire n'appartient[1]. Ils doivent répéter beaucoup de Duos, et je crois
qu'elle se mettrait volontiers à l'unisson : mais ce Danceny
est un enfant qui perdra son temps à faire l'amour[2], et ne
finira rien. La petite personne de son côté est assez farouche ;
70 et, à tout événement[3], cela sera toujours beaucoup moins
plaisant que vous n'auriez pu le rendre : aussi j'ai de l'humeur, et sûrement je querellerai le Chevalier• à son arrivée. Je
lui conseille d'être doux ; car, dans ce moment, il ne m'en
coûterait rien de rompre avec lui. Je suis sûre que si j'avais le
75 bon esprit de le quitter à présent, il en serait au désespoir ; et
rien ne m'amuse comme un désespoir amoureux. Il m'appel-
lerait perfide[4], et ce mot de perfide m'a toujours fait plaisir ;
c'est, après celui de cruelle, le plus doux à l'oreille d'une
femme, et il est moins pénible à mériter. Sérieusement, je vais
80 m'occuper de cette rupture. Voilà pourtant de quoi vous êtes
cause ! aussi je le mets sur votre conscience. Adieu.
Recommandez-moi aux prières de votre Présidente•.

*Paris, ce 7 août 17**.*

---

1. *n'appartient* : ne convient, n'est habituel.
2. *faire l'amour* : faire la cour.
3. *à tout événement* : quoi qu'il arrive.
4. *perfide* : qui manque de loyauté, qui trahit.

Questions

Compréhension

• L'univers fictif

1. *Dressez la «liste des personnages»: quels «caractères» décou-vrons-nous au seuil de l'histoire? Quelles relations existent entre ces premiers personnages? De quel univers relèvent-ils? Que savons-nous d'eux au juste?*

2. *Quels sont les divers «projets•» qui se dessinent dans ces trois premières lettres du roman?*

3. *Quels lieux sont jusqu'ici impliqués par l'action? Quelle pro-priété ont-ils, indispensable au fonctionnement même d'un roman épistolaire?*

4. *Quel genre de détails ou d'objets l'auteur fait-il mentionner par Cécile dans la première lettre? Dans quel but? Rapprochez cette lettre d'ouverture de la lettre CLXX: quelle observation pouvez-vous faire concernant la composition du roman? Connaissons-nous bien le détail des lieux? Pourquoi?*

5. *En quelle saison débute l'action? Consultez la date de la troisième lettre: sur quelle durée s'étend l'action? Comment le cadre temporel est-il évoqué dans le texte?*

6. *À quoi décèle-t-on d'emblée, dès la toute première lettre de Mme de Merteuil à Valmont (lettre II), que leurs relations sont un mélange de complicité et de rivalité?*

• Lettre IV

7. *De quels nouveaux fils l'intrigue vient-elle ici de se compli-quer? Lequel d'entre eux est le fil conducteur de tout le roman?*

8. *L'«exposition» se poursuit: quels «acteurs» viennent d'être introduits? Quels sont les traits apparents de leur caractère? Un nouveau lieu apparaît: lequel?*

9. *Rétablissez la chronologie des événements. Comment le texte permet-il de l'établir? Cette chronologie est-elle dense? Que permet-elle de déduire quant à la disposition des lieux? Quelle vous semble être l'action la plus importante jusqu'ici?*

• Lettre V

10. *La victoire de Valmont: par l'analyse de certains éléments de cette lettre, démontrez qu'il a touché juste et marqué un point contre la marquise•.*

11. *La prude• dévote• : quel est le contenu précis de la distinction qu'établit ici Mme de Merteuil entre «prude» et «dévote»?*
L'art et le ton du portrait sous la plume de Mme de Merteuil : «[...] et quelque ennuyeux qu'il soit de raisonner, je cède au besoin que vous en avez dans ce moment.» *Dans quelle mesure les éléments du portrait de la prude dévote sont-ils rigoureusement subordonnés à la stratégie d'argumentation dont Valmont est la cible?*

12. *Certains personnages déjà mentionnés sortent de l'ombre : lesquels? Qu'en savait-on déjà? Qu'apprend-on de plus à leur sujet? L'«exposition» est-elle terminée?*

13. *Un lieu apparaît fugitivement, étranger à l'action immédiate : lequel? Qu'est-ce qui justifie cette évocation descriptive sous la plume de la marquise•?*

• Le libertinage

14. *Quelles expressions peignent implicitement le libertin•, sa vocation, sa tactique, et les «valeurs» qu'il cultive?*

• L'éducation des femmes

15. *Laclos critique-t-il implicitement l'éducation des jeunes filles au couvent? À cet égard, rapprochez ces premières lettres d'une réflexion que fait Danceny dans la lettre CLXXIV, adressée à Mme de Rosemonde.*

Écriture

• Polyphonie* énonciative* et polyscopie* : rotation des points de vue

16. *Comparez la succession des lettres I, II et III à celle des lettres IV et V : laquelle semble, à première vue, la mieux justifiée? Pourrait-on modifier l'ordre de succession des trois premières lettres? Pourquoi? Qui est responsable de cet ordre? Comment est-il justifié par le contenu des textes? Quelle est, en fait, sa véritable raison d'être?*

• Problèmes du narrateur

17. *Dans la préface, le «Rédacteur» écrit : «Le mérite d'un Ouvrage se compose de son utilité ou de son agrément, et même de tous deux, quand il en est susceptible [...].» En écrivant cela, cependant, Laclos laisse de côté une troisième finalité importante du même topos* littéraire : laquelle? Et comment cette absence se justifie-t-elle ou pas?*

18. *Relevez dans la page les mots qui ne sont pas écrits par l'un ou l'autre des correspondants. Par quelle main sont-ils introduits dans le texte?*

19. *Précisez, d'après vos réponses précédentes, quelles fonctions l'auteur délègue au «Rédacteur», personnage chargé de le représenter à l'intérieur de l'histoire.*

20. *Comparez ces fonctions du «Rédacteur» avec celles qu'assume ordinairement le narrateur explicite (romans à la première personne) ou implicite (romans à la troisième personne). Du simple point de vue formel, en quoi un roman épistolaire ressemble-t-il davantage à une pièce de théâtre qu'à un roman à la première ou à la troisième personne? En quoi, cependant, un roman épistolaire diffère-t-il d'une pièce de théâtre? Et, dès lors, dans quelle mesure peut-on dire que le roman épistolaire est la seule forme littéraire où l'«illusion réaliste» peut être parfaite et absolue?*

• **Écriture et style des personnages épistoliers***

21. *Le «Rédacteur» (Laclos, donc) déclare dans sa préface : «Ces défauts [leur manque d'intérêt surtout] sont peut-être rachetés, en partie, par une qualité qui tient de même à la nature de l'Ouvrage : c'est la variété des styles; mérite qu'un Auteur atteint difficilement, mais qui se présentait ici de lui-même, et qui sauve au moins l'ennui de l'uniformité.» Ainsi donc, à peine dissimulé derrière le statut de «Rédacteur», Laclos confesse ingénument ne pas être mécontent de son aptitude à adapter le ton de chaque lettre à l'énonciateur de celle-ci. À la lumière de cet aveu, comparez, dans les deux premières lettres, les termes qui désignent l'énonciateur, le destinataire, le moment de la rédaction des lettres, les tiers. Relevez les passages ironiques. Comparez la syntaxe des phrases de Cécile et de Mme de Merteuil. Qu'en concluez-vous quant au style de Cécile Volanges d'une part, de la marquise*• de Merteuil d'autre part? Comment pourriez-vous qualifier sommairement chacun de ces deux styles? En quoi ces deux styles, dès lors, vous semblent-ils illustrer la célèbre phrase de Buffon : «Le style, c'est l'homme même»? En quoi vous semblent-ils justifier (ou non) la satisfaction affichée par le «Rédacteur» dans la citation de sa préface reproduite ci-dessus?*

• **L'italique***

22. *Relevez, dans les cinq premières lettres, les expressions mises en italique. Quelles sont les diverses fonctions de ce caractère typographique? Ont-elles un point commun? Qui souligne?*

• **Lettre IV**

23. Le narrateur ménage des effets d'écho par rapport à la lettre II : lesquels ?

24. Essayez d'analyser soigneusement le persiflage du vicomte• et sa progression dans le texte : signaux et mécanismes de l'ironie, signification cachée, portée argumentative, variation des cibles visées... Vous essaierez de dire, à partir de cette analyse de l'ironie, s'il est possible, pour les lecteurs de la lettre (la marquise• et le public), de déterminer avec exactitude ce que sont les sentiments de Valmont envers la marquise et Mme de Tourvel. Par ailleurs, l'ironie fait de cette lettre un acte : de quelle nature, à votre avis ?*

Glenn Close (Madame de Merteuil)
dans l'adaptation cinématographique de Stephen Frears, 1988.

LETTRE VI

LE VICOMTE* DE VALMONT
À LA MARQUISE* DE MERTEUIL

Il n'est donc point de femme qui n'abuse de l'empire*
qu'elle a su prendre ! Et vous-même, vous que je nommai si
souvent mon indulgente amie, vous cessez enfin de l'être,
et vous ne craignez pas de m'attaquer dans l'objet de mes
5 affections ! De quels traits vous osez peindre Madame de
Tourvel !... quel homme n'eût point payé de sa vie cette
insolente audace ? à quelle autre femme qu'à vous n'eût-elle
valu au moins une noirceur* ? De grâce, ne me mettez plus
à d'aussi rudes épreuves ; je ne répondrais pas[1] de les soute-
10 nir. Au nom de l'amitié, attendez que j'aie eu cette femme,
si vous voulez en médire. Ne savez-vous pas que la seule
volupté a le droit de détacher le bandeau de l'amour ?
Mais que dis-je ? Madame de Tourvel a-t-elle besoin d'illusion ? non ; pour être adorable il lui suffit d'être elle-même.
15 Vous lui reprochez de se mettre mal[2] ; je le crois bien : toute
parure lui nuit ; tout ce qui la cache la dépare : c'est dans
l'abandon du négligé qu'elle est vraiment ravissante. Grâce
aux chaleurs accablantes que nous éprouvons, un déshabillé
de simple toile me laisse voir sa taille ronde et souple. Une
20 seule mousseline couvre sa gorge ; et mes regards furtifs[3],
mais pénétrants, en ont déjà saisi les formes enchanteresses.
Sa figure, dites-vous, n'a nulle expression. Et qu'exprime-
rait-elle, dans les moments où rien ne parle à son cœur ?
Non, sans doute, elle n'a point, comme nos femmes
25 coquettes, ce regard menteur qui séduit quelquefois et nous
trompe toujours. Elle ne sait pas couvrir le vide d'une phrase
par un sourire étudié ; et quoiqu'elle ait les plus belles dents
du monde, elle ne rit que de ce qui l'amuse. Mais il faut voir
comme, dans les folâtres* jeux, elle offre l'image d'une
30 gaieté naïve et franche ! comme, auprès d'un malheureux

---

1. *je ne répondrais pas* : je ne garantirais pas.
2. *se mettre mal* : s'habiller mal.
3. *furtifs* : rapides, lancés comme en cachette.

qu'elle s'empresse de secourir, son regard annonce la joie pure et la bonté compatissante ! Il faut voir, surtout au moindre mot d'éloge ou de cajolerie, se peindre, sur sa figure céleste•, ce touchant embarras d'une modestie• qui n'est
35 point jouée !... Elle est prude• et dévote•, et de là vous la jugez froide et inanimée ? Je pense bien différemment. Quelle étonnante sensibilité ne faut-il pas avoir pour la répandre jusque sur son mari, et pour aimer toujours un être toujours absent ? Quelle preuve plus forte pourriez-vous
40 désirer ? J'ai su pourtant m'en procurer une autre.
      J'ai dirigé sa promenade de manière qu'il s'est trouvé un fossé à franchir ; et, quoique fort leste[1], elle est encore plus timide : vous jugez bien qu'une prude craint de sauter le fossé*. Il a fallu se confier à moi. J'ai tenu dans mes bras
45 cette femme modeste. Nos préparatifs et le passage de ma vieille tante avaient fait rire aux éclats la folâtre• Dévote : mais, dès que je me fus emparé d'elle, par une adroite gau- cherie•, nos bras s'enlacèrent mutuellement. Je pressai son sein contre le mien ; et, dans ce court intervalle, je sentis
50 son cœur battre plus vite. L'aimable rougeur vint colorer son visage, et son modeste embarras m'apprit assez *que son cœur avait palpité d'amour et non de crainte*. Ma tante cepen- dant s'y trompa comme vous, et se mit à dire : « l'enfant a eu peur » ; mais la charmante candeur• de *l'enfant* ne lui
55 permit pas le mensonge, et elle répondit naïvement : « Oh non, mais... » Ce seul mot m'a éclairé. Dès ce moment, le doux espoir a remplacé la cruelle inquiétude. J'aurai cette femme ; je l'enlèverai au mari qui la profane• : j'oserai la ravir au Dieu même qu'elle adore. Quel délice d'être tour à
60 tour l'objet et le vainqueur de ses remords ! Loin de moi l'idée de détruire les préjugés qui l'assiègent ! ils ajouteront à mon bonheur et à ma gloire. Qu'elle croie à la vertu, mais qu'elle me la sacrifie ; que ses fautes l'épouvantent sans pouvoir l'arrêter ; et qu'agitée de mille terreurs, elle ne
65 puisse les oublier, les vaincre que dans mes bras. Qu'alors

* On reconnaît ici le mauvais goût des calembours, qui commençait à prendre, et qui depuis a fait tant de progrès.

1. *leste* : légère dans ses mouvements.

j'y consens, elle me dise : « Je t'adore » ; elle seule, entre toutes les femmes, sera digne de prononcer ce mot. Je serai vraiment le Dieu qu'elle aura préféré.

Soyons de bonne foi ; dans nos arrangements, aussi froids que faciles, ce que nous appelons bonheur est à peine un plaisir. Vous le dirai-je ? je croyais mon cœur flétri, et ne me trouvant plus que des sens, je me plaignais d'une vieillesse prématurée. Madame de Tourvel m'a rendu les charmantes illusions de la jeunesse. Auprès d'elle, je n'ai pas besoin de jouir pour être heureux. La seule chose qui m'effraie, est le temps que va me prendre cette aventure ; car je n'ose rien donner au hasard. J'ai beau me rappeler mes heureuses témérités[1], je ne puis me résoudre à les mettre en usage. Pour que je sois vraiment heureux, il faut qu'elle se donne ; et ce n'est pas une petite affaire.

Je suis sûr que vous admireriez ma prudence. Je n'ai pas encore prononcé le mot d'amour ; mais déjà nous en sommes à ceux de confiance et d'intérêt. Pour la tromper le moins possible, et surtout pour prévenir l'effet des propos qui pourraient lui revenir, je lui ai raconté moi-même, et comme en m'accusant, quelques-uns de mes traits les plus connus. Vous ririez de voir avec quelle candeur• elle me prêche•. Elle veut, dit-elle, me convertir. Elle ne se doute pas encore de ce qu'il lui en coûtera pour le tenter. Elle est loin de penser qu'*en plaidant,* pour parler comme elle, *pour les infortunées que j'ai perdues,* elle parle d'avance dans sa propre cause. Cette idée me vint hier au milieu d'un de ses sermons•, et je ne pus me refuser au plaisir de l'interrompre, pour l'assurer qu'elle parlait comme un prophète[2]. Adieu, ma très belle amie. Vous voyez que je ne suis pas perdu sans ressource.

P.-S. – À propos, ce pauvre Chevalier•, s'est-il tué de désespoir ? En vérité, vous êtes cent fois plus mauvais sujet que moi, et vous m'humilieriez si j'avais de l'amour-propre.

*Du Château de..., ce 9 août 17**.*

---

1. *témérités* : audaces.
2. *prophète* : homme qui annonce la parole divine.

Questions

Compréhension

1. *Essayez de tracer le portrait psychologique de Valmont d'après la lettre VI. Se réduit-il à celui d'un simple libertin•?*

2. *Observez les réalités auxquelles le texte fait successivement référence ainsi que les formules de transition : quelle est la composition de cette lettre? Selon quel procédé tout le portrait de Mme de Tourvel est-il structuré? Pourquoi?*

3. *Dans quel cadre spatial et temporel se déroule cette anecdote? Pourquoi ce choix de la part de Laclos? Ce cadre est-il évoqué avec précision?*

4. *Quel est l'intérêt de ce second portrait de Mme de Tourvel? Dans quelle mesure peut-on dire que le personnage qui le trace s'y peint lui-même?*

Écriture

5. *Les avantages d'une écriture au présent : écrire, c'est agir. En comparant les lettres IV, V et VI, notamment le ton de leurs attaques, montrez que l'écriture rend à elle seule sensible l'évolution qui se produit en Valmont, essentiellement par rapport à son destinataire. Quelle est la valeur des passages en italique*? Ce procédé est-il déjà apparu dans le roman?*

6. *Valmont écrit autant pour son plaisir que pour provoquer certaines réactions de la marquise• : quelle est l'importance de cette double destination de la lettre, tant dans la présentation des réalités que dans les commentaires?*

7. *Quelle raison peut avoir l'auteur (Laclos) de faire écrire à son personnage (Valmont) le post-scriptum qui termine la lettre VI? Et, quant à Valmont lui-même, pour quelle raison, selon vous, en tenant compte du thème et du contenu de ce post-scriptum, a-t-il écrit celui-ci?*

8. *Laclos et Rousseau : rapprochez le portrait qui nous est ici donné de Mme de Tourvel avec celui de Julie par Saint-Preux (I, VIII, 23 : sur la gorge de Julie; et 38).*

37

LETTRE VII

CÉCILE VOLANGES À SOPHIE CARNAY*

   Si je ne t'ai rien dit de mon mariage, c'est que je ne suis pas plus instruite• que le premier jour, Je m'accoutume à n'y plus penser et je me trouve assez bien de mon genre de vie. J'étudie beaucoup mon chant et ma harpe ; il me semble que je les aime mieux depuis que je n'ai plus de Maîtres, ou plutôt c'est que j'en ai un meilleur. M. le Chevalier• Danceny, ce Monsieur dont je t'ai parlé, et avec qui j'ai chanté chez Madame de Merteuil, a la complaisance de venir ici tous les jours, et de chanter avec moi des heures entières. Il est extrêmement aimable. Il chante comme un Ange, et compose de très jolis airs dont il fait aussi les paroles. C'est bien dommage qu'il soit Chevalier de Malte¹ ! Il me semble que s'il se mariait, sa femme serait bien heureuse... Il a une douceur charmante. Il n'a jamais l'air de faire un compliment, et pourtant tout ce qu'il dit flatte. Il me reprend sans cesse, tant sur la musique que sur autre chose : mais il mêle à ses critiques tant d'intérêt et de gaieté, qu'il est impossible de ne pas lui en savoir gré. Seulement quand il vous regarde, il a l'air de vous dire quelque chose d'obligeant. Il joint à tout cela d'être très complaisant. Par exemple, hier, il était prié² d'un grand concert ; il a préféré de• rester toute la soirée chez Maman. Cela m'a fait bien plaisir ; car quand il n'y est pas, personne ne me parle, et je m'ennuie : au lieu que quand il y est, nous chantons et nous causons ensemble. Il a toujours quelque

* Pour ne pas abuser de la patience du Lecteur, on supprime beaucoup de Lettres de cette Correspondance journalière ; on ne donne que celles qui ont paru nécessaires à l'intelligence des événements de cette société. C'est par le même motif qu'on supprime aussi toutes les Lettres de Sophie Carnay et plusieurs de celles des autres Acteurs de ces aventures.

1. *Chevalier de Malte* : Membre de l'ordre de Malte, issu d'un ordre religieux et militaire fondé lors des Croisades (xiie-xiiie siècles).
2. *prié* (de) : invité à.

chose à me dire. Lui et Madame de Merteuil sont les deux seules personnes que je trouve aimables. [...]

De..., ce 7 août 17**

LETTRE VIII

LA PRÉSIDENTE° DE TOURVEL À MADAME DE VOLANGES

On ne peut être plus sensible que je le suis, Madame, à la confiance que vous me témoignez, ni prendre plus d'intérêt que moi à l'établissement¹ de Mademoiselle de Volanges. C'est bien de toute mon âme que je lui souhaite une félicité² dont je ne doute pas qu'elle ne soit digne, et sur laquelle je
5 m'en rapporte bien à votre prudence. Je ne connais point M. le Comte° de Gercourt ; mais, honoré de votre choix, je ne puis prendre de lui qu'une idée très avantageuse. Je me borne, Madame, à souhaiter à ce mariage un succès aussi heureux qu'au mien, qui est pareillement votre ouvrage, et
10 pour lequel chaque jour ajoute à ma reconnaissance. Que le bonheur de Mademoiselle votre fille soit la récompense de celui que vous m'avez procuré ; et puisse la meilleure des amies être aussi la plus heureuse des mères !
Je suis vraiment peinée de ne pouvoir vous offrir de vive
15 voix l'hommage de ce vœu sincère, et faire, aussi tôt que je le désirerais, connaissance avec Mademoiselle de Volanges. Après avoir éprouvé vos bontés vraiment maternelles, j'ai droit³ d'espérer d'elle l'amitié tendre d'une sœur. Je vous prie, Madame, de vouloir bien la lui demander de ma part,
20 en attendant que je me trouve à portée⁴ de la mériter.
Je compte rester à la campagne tout le temps de l'absence de M. de Tourvel. J'ai pris ce temps pour jouir et profiter de la société de la respectable Madame de

1. *l'établissement* : la situation sociale.
2. *une félicité* : un bonheur.
3. *droit* : raison.
4. *à portée* : en situation.

39

Rosemonde. Cette femme est toujours charmante : son
25 grand âge ne lui fait rien perdre ; elle conserve toute sa
mémoire et sa gaieté. Son corps seul a quatre-vingt-quatre
ans ; son esprit n'en a que vingt.

Notre retraite est égayée par son neveu le Vicomte• de
Valmont, qui a bien voulu nous sacrifier quelques jours. Je
30 ne le connaissais que de réputation, et elle me faisait peu
désirer de le connaître davantage : mais il me semble qu'il
vaut mieux qu'elle. Ici, où le tourbillon du monde ne le gâte
pas, il parle raison[1] avec une facilité étonnante, et il s'accuse de ses torts avec une candeur• rare. Il me parle avec
35 beaucoup de confiance, et je le prêche• avec beaucoup de
sévérité. Vous qui le connaissez, vous conviendrez que ce
serait une belle conversion à faire : mais je ne doute pas,
malgré ses promesses, que huit jours de Paris ne lui fassent
oublier tous mes sermons•. Le séjour qu'il fera ici sera au
40 moins autant de retranché sur sa conduite ordinaire : et je
crois que, d'après sa façon de vivre, ce qu'il peut faire de
mieux est de ne rien faire du tout. Il sait que je suis occupée
à vous écrire, et il m'a chargée de vous présenter ses respectueux hommages. Recevez aussi le mien avec la bonté
45 que je vous connais, et ne doutez jamais des sentiments
sincères avec lesquels j'ai l'honneur d'être, etc.

*Du Château de..., ce 9 août 17**.*

LETTRE IX

MADAME DE VOLANGES À LA PRÉSIDENTE•
DE TOURVEL

Je n'ai jamais douté, ma jeune et belle amie, ni de l'amitié que vous avez pour moi, ni de l'intérêt sincère que vous
prenez à tout ce qui me regarde. Ce n'est pas pour éclaircir
ce point, que j'espère convenu à jamais entre nous, que je
5 réponds à votre *Réponse* : mais je ne crois pas pouvoir me

---

1. *parle raison* : raisonne, argumente.

dispenser de causer avec vous au sujet du Vicomte• de Valmont.

Je ne m'attendais pas, je l'avoue, à trouver jamais ce nom-là dans vos Lettres. En effet, que peut-il y avoir de
10 commun entre vous et lui ? Vous ne connaissez pas cet homme ; où auriez-vous pris l'idée de l'âme d'un libertin• ? Vous me parlez de sa *rare candeur* : oh ! oui ; la candeur de Valmont doit être en effet très rare. Encore plus faux et dangereux qu'il n'est aimable et séduisant, jamais, depuis sa
15 plus grande jeunesse, il n'a fait un pas ou dit une parole sans avoir un projet•, et jamais il n'eut un projet qui ne fût malhonnête ou criminel. Mon amie, vous me connaissez ; vous savez si, des vertus que je tâche d'acquérir, l'indulgence n'est pas celle que je chéris le plus. Aussi, si Valmont était
20 entraîné par des passions fougueuses ; si, comme mille autres, il était séduit par les erreurs de son âge, blâmant sa conduite je plaindrais sa personne, et j'attendrais, en silence, le temps où un retour heureux lui rendrait l'estime des gens honnêtes. Mais Valmont n'est pas cela : sa conduite
25 est le résultat de ses principes. Il sait calculer tout ce qu'un homme peut se permettre d'horreurs sans se compromettre ; et pour être cruel et méchant sans danger, il a choisi les femmes pour victimes. Je ne m'arrête pas à compter celles qu'il a séduites : mais combien n'en a-t-il pas perdues ?

30 Dans la vie sage et retirée que vous menez, ces scandaleuses aventures ne parviennent pas jusqu'à vous. Je pourrais vous en raconter qui vous feraient frémir ; mais vos regards, purs comme votre âme, seraient souillés par de semblables tableaux : sûre que Valmont ne sera jamais dan-
35 gereux pour vous vous n'avez pas besoin de pareilles armes pour vous défendre. La seule chose que j'ai à vous dire, c'est que, de toutes les femmes auxquelles il a rendu des soins, succès ou non, il n'en est point qui n'aient eu à s'en plaindre. La seule Marquise• de Merteuil fait l'exception à cette règle
40 générale ; seule, elle a su lui résister et enchaîner sa méchanceté. J'avoue que ce trait de sa vie est celui qui lui fait le plus d'honneur à mes yeux : aussi a-t-il suffi pour la justifier pleinement aux yeux de tous, de quelques inconséquences qu'on avait à lui reprocher dans le début de son veuvage*•.

---

* L'erreur où est Madame de Volanges nous fait voir qu'ainsi que les autres scélérats• Valmont ne décelait pas ses complices.

45   Quoi qu'il en soit, ma belle amie, ce que l'âge, l'expérience et surtout l'amitié, m'autorisent à vous représenter, c'est qu'on commence à s'apercevoir dans le monde de l'absence de Valmont ; et que si on sait qu'il soit resté quelque temps en tiers[1] entre sa tante et vous, votre réputation
50 sera entre ses mains ; malheur le plus grand qui puisse arriver à une femme. Je vous conseille donc d'engager sa tante à ne pas le retenir davantage ; et s'il s'obstine à rester, je crois que vous ne devez pas hésiter à lui céder la place. Mais pourquoi resterait-il ? que fait-il donc à cette cam-
55 pagne ? Si vous faisiez épier ses démarches, je suis sûre que vous découvririez qu'il n'a fait que prendre un asile• plus commode, pour quelque noirceur• qu'il médite dans les environs. Mais, dans l'impossibilité de remédier au mal, contentons-nous de nous en garantir.

60   Adieu, ma belle amie ; voilà le mariage de ma fille un peu retardé. Le Comte• de Gercourt, que nous attendions d'un jour à l'autre, me mande• que son Régiment passe en Corse[2] ; et comme il y a encore des mouvements de guerre, il lui sera impossible de s'absenter avant l'hiver. Cela me
65 contrarie ; mais cela me fait espérer que nous aurons le plaisir de vous voir à la noce, et j'étais fâchée qu'elle se fît sans vous. Adieu ; je suis, sans compliment comme sans réserve, entièrement à vous.

    P.-S. – Rappelez-moi au souvenir de Madame de Rose-
70 monde, que j'aime toujours autant qu'elle le mérite.
De..., ce 11 août 17**.

---

1. *en tiers* : en intrus entre deux autres.
2. *son Régiment passe en Corse* : la Corse a été vendue par Gênes à la France en 1768 ; la résistance de Paoli prend fin avec la défaite de Ponte-Novo, en mai 1769.

LETTRE X

LA MARQUISE• DE MERTEUIL
AU VICOMTE• DE VALMONT

Me boudez-vous, Vicomte ? ou bien êtes-vous mort ? ou, ce qui y ressemblerait beaucoup, ne vivez-vous plus que pour votre Présidente• ? Cette femme, qui vous a rendu *les illusions de la jeunesse,* vous en rendra bientôt aussi les ridi-
5 cules préjugés. Déjà vous voilà timide et esclave ; autant vaudrait être amoureux. Vous renoncez *à vos heureuses témérités.* Vous voilà donc vous conduisant sans principes, et donnant tout au hasard, ou plutôt au caprice. Ne vous souvient-il plus que l'amour est, comme la médecine, *seule-*
10 *ment l'art d'aider à la Nature ?* Vous voyez que je vous bats avec vos armes : mais je n'en prendrai pas d'orgueil ; car c'est bien battre un homme à terre. *Il faut qu'elle se donne,* me dites-vous : eh ! sans doute, il le faut ; aussi se donnera-t-elle comme les autres, avec cette différence que ce sera de
15 mauvaise grâce. Mais, pour qu'elle finisse par se donner, le vrai moyen est de commencer par la prendre. Que cette ridicule distinction est bien un vrai déraisonnement[1] de l'amour ! Je dis l'amour ; car vous êtes amoureux. Vous parler autrement, ce serait vous trahir ; ce serait vous cacher
20 votre mal. Dites-moi donc, amant langoureux•, ces femmes que vous avez eues, croyez-vous les avoir violées ?[2] Mais, quelque envie qu'on ait de se donner, quelque pressée que l'on en soit, encore faut-il un prétexte ; et y en a-t-il de plus commode pour nous, que celui qui nous donne l'air de
25 céder à la force ? Pour moi, je l'avoue, une des choses qui me flattent le plus, est une attaque vive et bien faite, où tout se succède avec ordre quoique avec rapidité ; qui ne nous met jamais dans ce pénible embarras de réparer nous-mêmes une gaucherie• dont au contraire nous aurions dû
30 profiter ; qui sait garder l'air de la violence jusque dans les choses que nous accordons, et flatter avec adresse nos deux

---

1. *un [...] déraisonnement* : une façon de penser contraire à la raison.
2. *croyez-vous les avoir violées ?* : croyez-vous qu'elles n'étaient pas consentantes ?

passions favorites, la gloire de la défense et le plaisir de la défaite. Je conviens que ce talent, plus rare que l'on ne croit, m'a toujours fait plaisir, même alors qu'il ne m'a pas
35 séduite, et que quelquefois il m'est arrivé de me rendre, uniquement comme récompense. Telle dans nos anciens Tournois, la Beauté donnait le prix de la valeur et de l'adresse.

Mais vous, vous qui n'êtes plus vous, vous vous conduisez
40 comme si vous aviez peur de réussir. Eh! depuis quand voyagez-vous à petites journées et par des chemins de traverse ? Mon ami, quand on veut arriver, des chevaux de poste et la grande route ! Mais laissons ce sujet, qui me donne d'autant plus d'humeur•, qu'il me prive du plaisir de
45 vous voir. Au moins écrivez-moi plus souvent que vous ne faites, et mettez-moi au courant de vos progrès. Savez-vous que voilà plus de quinze jours que cette ridicule aventure vous occupe, et que vous négligez tout le monde ?

À propos de négligence, vous ressemblez aux gens qui
50 envoient régulièrement savoir des nouvelles de leurs amis malades, mais qui ne se font jamais rendre la réponse. Vous finissez votre dernière Lettre par me demander si le Chevalier• est mort. Je ne réponds pas, et vous ne vous en inquiétez pas davantage. Ne savez-vous plus que mon amant est
55 votre ami-né ? Mais rassurez-vous, il n'est point mort ; ou s'il l'était, ce serait de l'excès de sa joie. Ce pauvre Chevalier, comme il est tendre ! comme il est fait pour l'amour ! comme il sait sentir vivement ! la tête m'en tourne. Sérieusement, le bonheur parfait qu'il trouve à être aimé de moi
60 m'attache véritablement à lui.

Ce même jour, où je vous écrivais que j'allais travailler à notre rupture, combien je le rendis heureux ! Je m'occupais pourtant tout de bon des moyens de le désespérer, quand on me l'annonça. Soit caprice ou raison, jamais il ne me
65 parut si bien. Je le reçus cependant avec humeur. Il espérait passer deux heures avec moi, avant celle où ma porte serait ouverte à tout le monde. Je lui dis que j'allais sortir : il me demanda où j'allais ; je refusai de le lui apprendre. Il insista ; *où vous ne serez pas,* repris-je, avec aigreur. Heu-
70 reusement pour lui, il resta pétrifié de cette réponse ; car, s'il eût dit un mot, il s'ensuivait immanquablement une scène qui eût amené la rupture que j'avais projetée.

Étonnée de son silence, je jetai les yeux sur lui sans autre projet•, je vous jure, que de voir la mine qu'il faisait. Je
75 retrouvai sur cette charmante figure, cette tristesse, à la fois profonde et tendre, à laquelle vous-même êtes convenu qu'il était si difficile de résister. La même cause produisit le même effet ; je fus vaincue une seconde fois. Dès ce moment, je ne m'occupai plus que des moyens d'éviter
80 qu'il pût me trouver un tort. « Je sors pour affaire, lui dis-je avec un air un peu plus doux, et même cette affaire vous regarde ; mais ne m'interrogez pas. Je souperai• chez moi ; revenez, et vous serez instruit•. » Alors il retrouva la parole ; mais je ne lui permis pas d'en faire usage. « Je suis très
85 pressée, continuai-je. Laissez-moi ; à ce soir. » Il baisa ma main et sortit.

Aussitôt, pour le dédommager, peut-être pour me dédommager moi-même, je me décide à lui faire connaître ma petite maison dont il ne se doutait pas. J'appelle ma
90 fidèle Victoire. J'ai ma migraine[1] ; je me couche pour[2] tous mes gens ; et, restée enfin seule avec la véritable, tandis qu'elle se travestit en Laquais, je fais une toilette de Femme de chambre. Elle fait ensuite venir un fiacre à la porte de mon jardin, et nous voilà parties. Arrivée dans ce temple de
95 l'amour, je choisis le déshabillé le plus galant. Celui-ci est délicieux ; il est de mon invention : il ne laisse rien voir, et pourtant fait tout deviner. Je vous en promets un modèle pour votre Présidente•, quand vous l'aurez rendue digne de le porter.
100 Après ces préparatifs, pendant que Victoire s'occupe des autres détails, je lis un chapitre du Sopha[3], une lettre d'Héloïse[4] et deux Contes[5] de La Fontaine, pour recorder[6]

---

1. J'ai ma migraine : je fais croire que j'ai une migraine.
2. je me couche pour : je fais croire à [mes gens] que je me couche.
3. Sopha : roman libertin de Crébillon fils (1740).
4. Héloïse : peut-être s'agit-il des lettres d'Héloïse à Abélard (XIIᵉ siècle), grand succès de librairie à l'époque des Liaisons dangereuses. En ce cas, cette lecture n'aurait rien à voir avec La Nouvelle Héloïse de Rousseau, souvent citée, modèle de Laclos, mais presque toujours citée par son titre complet. On ne peut exclure cependant que cette allusion puisse viser le roman de Rousseau.
5. Contes : ici, œuvres grivoises en vers.
6. recorder : répéter pour savoir par cœur.

les différents tons que je voulais prendre. Cependant mon
Chevalier• arrive à ma porte, avec l'empressement qu'il a
105 toujours. Mon Suisse la lui refuse, et lui apprend que je suis
malade : premier incident. Il lui remet en même temps un
billet de moi, mais non de mon écriture, suivant ma prudente règle. Il l'ouvre, et y trouve de la main de Victoire :
«À neuf heures précises, au Boulevard, devant les Cafés.» Il
110 s'y rend ; et là, un petit Laquais qu'il ne connaît pas, qu'il
croit au moins ne pas connaître, car c'était toujours Victoire, vient lui annoncer qu'il faut renvoyer sa voiture et le
suivre. Toute cette marche romanesque lui échauffait la tête
d'autant, et la tête échauffée ne nuit à rien. Il arrive enfin,
115 et la surprise et l'amour causaient en lui un véritable
enchantement. Pour lui donner le temps de se remettre,
nous nous promenons un moment dans le bosquet ; puis je
le ramène vers la maison. Il voit d'abord deux couverts
mis ; ensuite un lit fait. Nous passons jusqu'au boudoir, qui
120 était dans toute sa parure. Là, moitié réflexion, moitié sentiment, je passai mes bras autour de lui et me laissai tomber à
ses genoux. «Ô mon ami ! lui dis-je, pour vouloir te ménager la surprise de ce moment, je me reproche de t'avoir
affligé par l'apparence de l'humeur ; d'avoir pu un instant
125 voiler mon cœur à tes regards. Pardonne-moi mes torts : je
veux les expier à force d'amour.» Vous jugez de l'effet de ce
discours sentimental. L'heureux Chevalier• me releva, et
mon pardon fut scellé sur cette même ottomane• où vous et
moi scellâmes si gaiement et de la même manière notre
130 éternelle rupture.

Comme nous avions six heures à passer ensemble, et que
j'avais résolu que tout ce temps fût pour lui également délicieux, je modérai ses transports•, et l'aimable coquetterie
vint remplacer la tendresse. Je ne crois pas avoir jamais mis
135 tant de soin à plaire, ni avoir été jamais aussi contente de
moi. Après le souper•, tour à tour enfant et raisonnable,
folâtre• et sensible, quelquefois même libertine•, je me plaisais à le considérer comme un Sultan[1] au milieu de son

---

1. *Sultan* : titre donné à certains princes musulmans (le Sultan étant le titre de
l'empereur des Turcs).

Sérail[1], dont j'étais tour à tour les Favorites[2] différentes. En
140 effet, ses hommages réitérés•, quoique toujours reçus par la
même femme, le furent toujours par une Maîtresse nouvelle.

Enfin au point du jour il fallut se séparer ; et, quoi qu'il
dît, quoi qu'il fît même pour me prouver le contraire, il en
145 avait autant de besoin que peu d'envie. Au moment où nous
sortîmes et pour dernier adieu, je pris la clef de cet heureux
séjour, et la lui remettant entre les mains : « Je ne l'ai eue
que pour vous, lui dis-je ; il est juste que vous en soyez
maître : c'est au Sacrificateur[3] à disposer du Temple[4]. »
150 C'est par cette adresse[5] que j'ai prévenu[6] les réflexions
qu'aurait pu lui faire naître la propriété, toujours suspecte,
d'une petite maison. Je le connais assez, pour être sûre qu'il
ne s'en servira que pour moi ; et si la fantaisie me prenait
d'y aller sans lui, il me reste bien une double clef. Il voulait
155 à toute force prendre jour[7] pour y revenir ; mais je l'aime
trop encore, pour vouloir l'user si vite. Il ne faut se permettre d'excès qu'avec les gens qu'on veut quitter bientôt.
Il ne sait pas cela, lui ; mais, pour son bonheur, je le sais
pour deux.
160 Je m'aperçois qu'il est trois heures du matin, et que j'ai
écrit un volume, ayant le projet• de n'écrire qu'un mot. Tel
est le charme de la confiante amitié : c'est elle qui fait que
vous êtes toujours ce que j'aime le mieux, mais, en vérité, le
Chevalier• est ce qui me plaît davantage.

De..., ce 12 août 17**.

---

1. *Sérail* : harem, partie du palais d'un sultan où les femmes sont enfermées.
2. *Favorites* : maîtresses préférées d'un souverain.
3. *Sacrificateur* : prêtre qui offre des sacrifices à une divinité.
4. *Temple* : édifice religieux.
5. *adresse* : ruse, moyen ingénieux.
6. *prévenu* : devancé, deviné.
7. *prendre jour* : prendre date, prendre rendez-vous.

Compréhension

1. L'«*exposition*» est-elle achevée dès la lettre X? Pourquoi? Comment les intentions et les caractères respectifs de la marquise* et de Valmont se précisent-ils progressivement, notamment dans les lettres V à X?

2. «Vous voilà donc conduisant sans principes, et donnant tout au hasard, ou plutôt au caprice» *(lettre X)* : en quoi ce propos peut-il donner la clé du mécanisme qui gouverne l'intrigue tout entière?

3. Dites, en vous appuyant sur des indices précis et soigneusement analysés, si Valmont est en train d'évoluer. Si oui, en quel sens?

4. Sommes-nous bien renseignés sur les lieux où se trouvent les divers acteurs? Quelles explications peut-on imaginer à cela?

5. Relevez dans la lettre IX une indication susceptible de dater l'action de ce roman. Pourquoi l'auteur a-t-il choisi de ne pas mentionner les deux derniers chiffres de la date qu'il donne aux lettres? Pourquoi donne-t-il cependant ces dates incomplètes? Quel effet produisent sur le lecteur d'aujourd'hui ces suppressions partielles?

6. Définissez le libertinage à partir des lettres I à X.

7. Dans la lettre X, «autant vaudrait être amoureux», dit d'abord la marquise, pour affirmer ensuite : «Je dis l'amour; car vous êtes amoureux.» Comment expliquez-vous ce passage de l'irréel à l'affirmation possible, à quelques lignes de distance?

8. Vis-à-vis de Valmont, de quoi use tour à tour la marquise de Merteuil et dans quel but?

9. Tous les détails comptent : «[...] mais non de mon écriture, suivant ma prudente règle.» Quelle est l'importance de cette mention incidente par rapport à la fin du roman?

10. Analysez l'érotisme dans la lettre X. Dans quelle mesure provient-il, pour une large part, d'un système de perversion ou d'inversion des valeurs généralement admises?
Pourquoi Laclos fait-il relire nommément à son personnage les Contes de La Fontaine, une lettre de l'Héloïse de Rousseau et des passages du Sopha? Quelle est l'utilité de ces références dans l'économie générale du sens, tant au sein de cette lettre que par rapport au roman dans son ensemble?

11. *Les ressources du roman épistolaire (lettres I à X). Le roman s'ouvre par des dialogues parallèles : combien en comptez-vous ? Comment l'intrigue se dessine-t-elle dans l'esprit du lecteur à travers ces parallélismes mêmes ?*

Écriture

• Polyphonie* énonciative* et polyscopie*

12. *Confrontez entre elles les images que nous donnent de Valmont les lettres V, VI, VIII, IX et X, puis de Madame de Tourvel les lettres V, VI, VIII et IX : appréciez l'art avec lequel l'auteur exploite les atouts du roman par lettres à plusieurs voix.*

• Écrire, c'est agir

13. *Importance du destinataire : quel effet peut produire la lettre VI sur la marquise• de Merteuil ? La lettre X le confirme-t-elle ? Si oui, comment ? Quel effet doit produire la lettre X sur Valmont ? D'après la suite du roman, dites si la marquise a réussi. Quel effet peut produire la lettre IX sur Madame de Tourvel ? Ces effets sur le destinataire sont-ils conscients et intentionnels de la part des divers signataires de ces lettres ?*

14. *Sens de la longueur des lettres : d'après le dernier paragraphe de la lettre X, l'aspect matériel des lettres revêt-il une signification chez Laclos ? Que signifie la longueur de la missive ? Justifiez l'adjonction de ce paragraphe d'après les préoccupations de l'auteur et d'après celles que le texte permet de supposer chez le personnage.*

• Usage et fonction de la citation

15. *Étudiez l'effet produit par les citations dans les lettres VI et X. En quoi impliquent-elles une évolution de la situation relative des protagonistes ?*

• La mise en mots (lettre X)

16. *Étudiez dans le style de la marquise comment se mêlent le talent de l'épistolière* et celui de la conteuse, et, notamment, la valeur des présents dans les lignes 87 à 93. Pourquoi l'auteur délègue-t-il ainsi à son personnage ses propres privilèges dans l'art d'écrire ?*

17. *Le jargon libertin• : relevez quelques exemples du langage codé qu'emploient entre eux les roués.*

18. *Étudiez les métaphores militaires dans le langage de la marquise. Que signifie le recours à un tel domaine de référence ?*

LETTRE XI

LA PRÉSIDENTE* DE TOURVEL
À MADAME DE VOLANGES

Votre Lettre sévère m'aurait effrayée, Madame, si, par bonheur, je n'avais trouvé ici plus de motifs de sécurité que vous ne m'en donnez de crainte. Ce redoutable M. de Valmont, qui doit être la terreur de toutes les femmes, paraît
5   avoir déposé ses armes meurtrières, avant d'entrer dans ce Château. Loin d'y former des projets*, il n'y a pas même porté de prétentions ; et la qualité d'homme aimable que ses ennemis mêmes lui accordent, disparaît presque ici, pour ne lui laisser que celle de bon enfant. C'est apparem-
10 ment l'air de la campagne qui a produit ce miracle. Ce que je vous puis assurer, c'est qu'étant sans cesse avec moi, paraissant même s'y plaire, il ne lui est pas échappé un mot qui ressemble à l'amour, pas une de ces phrases que tous les hommes se permettent, sans avoir, comme lui, ce qu'il
15 faut pour les justifier. Jamais il n'oblige à cette réserve, dans laquelle toute femme qui se respecte est forcée de se tenir aujourd'hui, pour contenir les hommes qui l'entourent. Il sait ne point abuser de la gaieté qu'il inspire. Il est peut-être un peu louangeur[1] ; mais c'est avec tant de délicatesse qu'il
20 accoutumerait la modestie même à l'éloge. Enfin, si j'avais un frère, je désirerais qu'il fût tel que M. de Valmont se montre ici. Peut-être beaucoup de femmes lui désireraient une galanterie plus marquée ; et j'avoue que je lui sais un gré infini d'avoir su me juger assez bien pour ne pas me
25 confondre avec elles.
    Ce portrait diffère beaucoup sans doute de celui que vous me faites ; et, malgré cela, tous deux peuvent être ressemblants en fixant les époques. Lui-même convient d'avoir eu beaucoup de torts, et on lui en aura bien aussi prêté quel-
30 ques-uns. Mais j'ai rencontré peu d'hommes qui parlassent des femmes honnêtes avec plus de respect, je dirais presque d'enthousiasme. Vous m'apprenez qu'au moins sur

---

1. *louangeur* : faiseur de louanges, de compliments, flatteur.

cet objet il ne trompe pas. Sa conduite avec Madame de Merteuil en est une preuve. Il nous en parle beaucoup ; et
35 c'est toujours avec tant d'éloges et l'air d'un attachement si vrai, que j'ai cru, jusqu'à la réception de votre Lettre, que ce qu'il appelait amitié entre eux deux était bien réellement de l'amour. Je m'accuse de ce jugement téméraire, dans lequel j'ai eu d'autant plus de tort, que lui-même a pris
40 souvent le soin de la justifier. J'avoue que je ne regardais que comme finesse, ce qui était de sa part une honnête sincérité. Je ne sais ; mais il me semble que celui qui est capable d'une amitié aussi suivie pour une femme aussi estimable, n'est pas un libertin• sans retour. J'ignore au reste si
45 nous devons la conduite sage qu'il tient ici à quelques projets• dans les environs, comme vous le supposez. Il y a bien quelques femmes aimables à la ronde ; mais il sort peu, excepté le matin, et alors il dit qu'il va à la chasse. Il est vrai qu'il rapporte rarement du gibier ; mais il assure qu'il est
50 maladroit à cet exercice. [...]
    Sur ce que vous me proposez de travailler à abréger le séjour que M. de Valmont compte faire ici, il me paraît bien difficile d'oser demander à sa tante de ne pas avoir son neveu chez elle, d'autant qu'elle l'aime beaucoup. Je vous
55 promets pourtant, mais seulement par déférence[1] et non par besoin, de saisir l'occasion de faire cette demande, soit à elle, soit à lui-même. Quant à moi, M. de Tourvel est instruit• de mon projet de rester ici jusqu'à son retour, et il s'étonnerait, avec raison, de la légèreté qui m'en ferait
60 changer.
    [...]

De..., ce 13 août 17**.

---

1. *déférence* : politesse, respect.

51

LETTRE XII

CÉCILE VOLANGES À LA MARQUISE• DE MERTEUIL

Maman est incommodée[1], Madame ; elle ne sortira point, et il faut que je lui tienne compagnie : ainsi je n'aurai pas l'honneur de vous accompagner à l'Opéra. Je vous assure que je regrette bien plus de ne pas être avec vous que le
5 Spectacle. Je vous prie d'en être persuadée. Je vous aime tant ! Voudriez-vous bien dire à M. le Chevalier• Danceny que je n'ai point le Recueil dont il m'a parlé, et que s'il peut me l'apporter demain, il me fera grand plaisir. S'il vient aujourd'hui, on lui dira que nous n'y sommes pas ; mais
10 c'est que Maman ne veut recevoir personne. J'espère qu'elle se portera mieux demain.

J'ai l'honneur d'être, etc.

*De..., ce 13 août 17**.*

LETTRE XIII

LA MARQUISE DE MERTEUIL À CÉCILE VOLANGES

Je suis très fâchée, ma belle, et d'être privée du plaisir de vous voir, et de la cause de cette privation. J'espère que cette occasion se retrouvera. Je m'acquitterai de votre commission auprès du Chevalier Danceny, qui sera sûre-
5 ment très fâché de savoir votre Maman malade. Si elle veut me recevoir demain, j'irai lui tenir compagnie. Nous atta-querons, elle et moi, le Chevalier de Belleroche* au piquet[2] ; et, en lui gagnant son argent, nous aurons, pour surcroît de plaisir, celui de vous entendre chanter avec votre aimable

* C'est le même dont il est question dans les lettres de Madame de Merteuil.

---

1. *incommodée* : indisposée, malade.
2. *piquet* : jeu qui se joue avec 32 cartes.

10 Maître, à qui je le proposerai. Si cela convient à votre
Maman et à vous, je réponds de moi et de mes deux Cheva-
liers•. Adieu, ma belle ; mes compliments à ma chère
Madame de Volanges. Je vous embrasse bien tendrement.

De..., ce 13 août 17**.

Fairuza Balk (Cécile Volanges) et Henry Thomas (Danceny)
dans le film Valmont *de Milos Forman, 1989.*

Questions

Compréhension

• **Lettre XI**

1. *Le lecteur occupe la place du destinataire de la lettre (ici, celle de Mme de Volanges) : comment cette position lui permet-elle de décrypter dans la missive des sentiments tout opposés à ceux que la Présidente* croit y faire paraître ? Comment le plan de Valmont se trouve-t-il ainsi ingénument révélé par celle qui, à son insu, en est déjà la victime ? En quoi cette façon d'exposer l'action permet-elle à Laclos de procurer un plaisir accru à son lecteur ?*

Écriture

• **Lettres XII et XIII**

2. *En quoi ces deux lettres sont-elles d'une nature différente de celles qui les précèdent ?*

Michelle Pfeiffer (Mme de Tourvel)
dans le film de Stephen Frears, 1988.

LETTRE XIV

CÉCILE VOLANGES À SOPHIE CARNAY
Paris, ce 14 août 17**.

LETTRE XV

LE VICOMTE• DE VALMONT
À LA MARQUISE• DE MERTEUIL
Toujours du Château de..., ce 15 août 17**.

LETTRE XVI

CÉCILE VOLANGES À SOPHIE CARNAY
De..., ce 19 août 17**.

LETTRE XVII

LE CHEVALIER• DANCENY À CÉCILE VOLANGES
De..., ce 18 août 17**.

LETTRE XVIII

CÉCILE VOLANGES À SOPHIE CARNAY
De..., ce 20 août 17**.

LETTRE XIX

CÉCILE VOLANGES AU CHEVALIER DANCENY
De..., ce 20 août 17**.

LETTRE XX

LA MARQUISE* DE MERTEUIL
AU VICOMTE* DE VALMONT

Ah ! fripon, vous me cajolez*, de peur que je ne me moque de vous ! Allons, je vous fais grâce : vous m'écrivez tant de folies, qu'il faut bien que je vous pardonne la sagesse où vous tient votre Présidente*. Je ne crois pas que mon Chevalier*
5 eût autant d'indulgence que moi ; il serait homme à ne pas approuver notre renouvellement de bail[1], et à ne rien trouver de plaisant dans votre folle idée. J'en ai pourtant bien ri, et j'étais vraiment fâchée d'être obligée d'en rire toute seule. Si vous eussiez été là, je ne sais où m'aurait menée cette gaieté :
10 mais j'ai eu le temps de la réflexion et je me suis armée de sévérité. Ce n'est pas que je refuse pour toujours ; mais je diffère, [...] voici mes conditions.

Aussitôt que vous aurez eu votre belle Dévote*, que vous pourrez m'en fournir une preuve, venez, et je suis à vous. Mais
15 vous n'ignorez pas que dans les affaires importantes, on ne reçoit de preuves que par écrit. [...] Venez donc, venez au plus tôt m'apporter le gage de votre triomphe : semblable à nos preux[2] Chevaliers qui venaient déposer aux pieds de leur Dame les fruits brillants de leur victoire. Sérieusement, je suis
20 curieuse de savoir ce que peut écrire une Prude* après un tel moment, et quel voile elle met sur ses discours, après n'en avoir plus laissé sur sa personne. C'est à vous de voir si je me mets à un prix trop haut ; mais je vous préviens qu'il n'y a rien à rabattre[3]. Jusque-là, mon cher Vicomte, vous trouverez bon
25 que je reste fidèle à mon Chevalier, et que je m'amuse à le rendre heureux, malgré le petit chagrin que cela vous cause.
[...]

Adieu, Vicomte ; bonsoir et bon succès : mais, pour Dieu, avancez donc. Songez que si vous n'avez pas cette femme, les
30 autres rougiront de vous avoir eu.

*De..., ce 20 août 17**.*

---

1. *renouvellement de bail* : reconduction de contrat, d'accord.
2. *preux* : braves, vaillants.
3. *rabattre* : diminuer, déduire.

LETTRE XXI

LE VICOMTE• DE VALMONT
À LA MARQUISE• DE MERTEUIL

De..., ce 20 août 17**.

LETTRE XXII

LA PRÉSIDENTE• DE TOURVEL
À MADAME DE VOLANGES

De..., ce 20 août 17**.

LETTRE XXIII

LE VICOMTE DE VALMONT
À LA MARQUISE DE MERTEUIL

De..., ce 21 août 17**, 4 heures du matin.

Compréhension

• **Lettre XX**

1. *Un nouveau trait de caractère vient parachever le portrait de la marquise● de Merteuil en libertine● dévergondée : lequel ?*

Écriture

2. *L'examen du manuscrit permet de voir que l'ordre primitif des lettres était : XV, XXI, XXII, XXIII, XX, XVI, XVII, XVIII, XIX, XXIV. En modifiant cet ordre, Laclos n'a-t-il pas cherché à ménager autant la vraisemblance que l'intérêt ? Justifiez votre réponse.*

Glenn Close (Madame de Merteuil) et Uma Thurman (Cécile Volanges) dans l'adaptation cinématographique de Stephen Frears, 1988.

LETTRE XXIV

LE VICOMTE• DE VALMONT
À LA PRÉSIDENTE• DE TOURVEL

Ah ! par pitié, Madame, daignez calmer le trouble de mon
âme ; daignez m'apprendre ce que je dois espérer ou
craindre. Placé entre l'excès du bonheur et celui de l'infortune, l'incertitude est un tourment cruel. Pourquoi vous
5 ai-je parlé ? que n'ai-je pu résister au charme impérieux qui
vous livrait mes pensées ? Content de vous adorer• en
silence, je jouissais au moins de mon amour ; et ce sentiment pur, que ne troublait point alors l'image de votre douleur, suffisait à ma félicité : mais cette source de bonheur en
10 est devenue une de désespoir, depuis que j'ai vu couler vos
larmes ; depuis que j'ai entendu ce cruel *Ah ! malheureuse !*
Madame, ces deux mots retentiront longtemps dans mon
cœur. Par quelle fatalité, le plus doux des sentiments ne
peut-il vous inspirer que l'effroi ? quelle est donc cette
15 crainte ? Ah ! ce n'est pas celle de le partager : votre cœur,
que j'ai mal connu, n'est pas fait pour l'amour ; le mien,
que vous calomniez sans cesse, est le seul qui soit sensible ;
le vôtre est même sans pitié. S'il n'en était pas ainsi, vous
n'auriez pas refusé un mot de consolation au malheureux
20 qui vous racontait ses souffrances ; vous ne vous seriez pas
soustraite à ses regards, quand il n'a d'autre plaisir que
celui de vous voir ; vous ne vous seriez pas fait un jeu cruel
de son inquiétude, en lui faisant annoncer que vous étiez
malade sans lui permettre d'aller s'informer de votre état
25 [...].
[...]

De..., ce 20 août 17**.

LETTRE XXV

LE VICOMTE DE VALMONT
À LA MARQUISE• DE MERTEUIL

Du Château, ce 22 août 17**.

LETTRE XXVI

LA PRÉSIDENTE• DE TOURVEL
AU VICOMTE• DE VALMONT

Sûrement, Monsieur, vous n'auriez eu aucune Lettre de moi, si ma sotte conduite d'hier au soir ne me forçait d'entrer aujourd'hui en explication avec vous. Oui, j'ai pleuré, je l'avoue : peut-être aussi les deux mots que vous me citez
5 avec tant de soin me sont-ils échappés ; larmes et paroles, vous avez tout remarqué ; il faut donc vous expliquer tout.

Accoutumée à n'inspirer que des sentiments honnêtes, à n'entendre que des discours que je puis écouter sans rougir, à jouir par conséquent d'une sécurité que j'ose dire que je
10 mérite ; je ne sais ni dissimuler ni combattre les impressions que j'éprouve. L'étonnement et l'embarras où m'a jetée votre procédé ; je ne sais quelle crainte, inspirée par une situation qui n'eût jamais dû être faite pour moi ; peut-être l'idée révoltante de me voir confondue avec les femmes que vous
15 méprisez, et traitée aussi légèrement qu'elles ; toutes ces causes réunies ont provoqué mes larmes, et ont pu me faire dire, avec raison je crois, que j'étais malheureuse. Cette expression, que vous trouvez si forte, serait sûrement beaucoup trop faible encore, si mes pleurs et mes discours avaient
20 eu un autre motif ; si au lieu de désapprouver des sentiments qui doivent m'offenser, j'avais pu craindre de les partager.

Non, Monsieur, je n'ai pas cette crainte ; si je l'avais, je fuirais à cent lieues• de vous ; j'irais pleurer dans un désert le malheur de vous avoir connu. [...]
25 [...]

Je m'en tiens, Monsieur, à vous déclarer que vos sentiments m'offensent, que leur aveu m'outrage, et surtout que, loin d'en venir un jour à les partager, vous me forceriez à ne vous revoir jamais, si vous ne vous imposiez sur cet objet un
30 silence qu'il me semble avoir droit d'attendre, et même d'exiger de vous. Je joins à cette Lettre celle que vous m'avez écrite, et j'espère que vous voudrez bien de même me remettre celle-ci ; je serais vraiment peinée qu'il restât aucune trace d'un événement qui n'eût jamais dû exister. J'ai l'honneur d'être, etc.

*De..., ce 21 août 17**.*

LETTRE XXVII

CÉCILE VOLANGES À LA MARQUISE° DE MERTEUIL

*Paris, ce 23 août 17**.*

LETTRE XXVIII

LE CHEVALIER° DANCENY À CÉCILE VOLANGES

*Paris, ce 23 août 17**.*

LETTRE XXIX

CÉCILE VOLANGES À SOPHIE CARNEY

*De..., ce 24 août 17**.*

LETTRE XXX

CÉCILE VOLANGES AU CHEVALIER DANCENY

Enfin, Monsieur, je consens à vous écrire, à vous assurer de mon amitié, de mon *amour,* puisque, sans cela, vous seriez malheureux. Vous dites que je n'ai pas bon cœur ; je vous assure bien que vous vous trompez, et j'espère qu'à présent vous n'en doutez plus. Si vous avez du chagrin de ce que je ne vous écrivais pas, croyez-vous que ça ne me faisait pas de la peine aussi ? Mais c'est que, pour toute chose au monde, je ne voudrais pas faire quelque chose qui fût mal ; et même je ne serais sûrement pas convenue de

61

10 mon amour, si j'avais pu m'en empêcher : mais votre tristesse me faisait trop de peine. J'espère qu'à présent vous n'en aurez plus, et que nous allons être bien heureux.

Je compte avoir le plaisir de vous voir ce soir, et que vous viendrez de bonne heure ; ce ne sera jamais aussi tôt que je
15 le désire. Maman soupe• chez elle, et je crois qu'elle vous proposera d'y rester : j'espère que vous ne serez pas engagé comme avant-hier. C'était donc bien agréable, le souper où vous alliez ? car vous y avez été de bien bonne heure. Mais enfin ne parlons pas de ça : à présent que vous savez que je
20 vous aime, j'espère que vous resterez avec moi le plus que vous pourrez ; car je ne suis contente que lorsque je suis avec vous, et je voudrais bien que vous fussiez tout de même[1].

Je suis bien fâchée que vous êtes encore triste à présent,
25 mais ce n'est pas ma faute. Je demanderai à jouer de la harpe aussitôt que vous serez arrivé, afin que vous ayez ma lettre tout de suite. Je ne peux mieux faire.

Adieu, Monsieur. Je vous aime bien, de tout mon cœur ; plus je vous le dis, plus je suis contente ; j'espère que vous
30 le serez aussi.

*De..., ce 24 août 17**.*

LETTRE XXXI

LE CHEVALIER• DANCENY À CÉCILE VOLANGES

Oui, sans doute, nous serons heureux. Mon bonheur est bien sûr, puisque je suis aimé de vous ; le vôtre ne finira jamais, s'il doit durer, autant que l'amour que vous m'avez inspiré. Quoi ! vous m'aimez, vous ne craignez plus de
5 m'assurer de votre *amour !* Plus vous me le dites, et plus vous êtes contente ! Après avoir lu ce charmant *je vous aime,* écrit de votre main, j'ai entendu votre belle bouche m'en répéter l'aveu. J'ai vu se fixer sur moi ces yeux charmants

---

1. *tout de même* : totalement, dans les mêmes dispositions.

qu'embellissait encore l'expression de la tendresse. J'ai
10   reçu vos serments de vivre toujours pour moi. Ah! recevez
le mien de consacrer ma vie entière à votre bonheur ; rece-
vez-le, et soyez sûre que je ne le trahirai pas.

Quelle heureuse journée nous avons passée hier! Ah!
pourquoi Madame de Merteuil n'a-t-elle pas tous les jours
15   des secrets à dire à votre Maman? pourquoi faut-il que
l'idée de la contrainte qui nous attend vienne se mêler au
souvenir délicieux qui m'occupe? pourquoi ne puis-je sans
cesse tenir cette jolie main qui m'a écrit *je vous aime!* la
couvrir de baisers, et me venger ainsi du refus que vous
20   m'avez fait d'une faveur plus grande!

[...] Adieu, vous que j'aime tant! vous, que j'aimerai toujours davantage!

*De..., ce 25 août 17**.*

Henry Thomas dans le rôle du Chevalier Danceny.

Compréhension

• **Lettres XXIV et XXVI**

1. *En quoi ces deux lettres sont elles comparables aux lettres XII et XIII entre Mme de Merteuil et Cécile?*

Écriture

• **Lettres XXIV à XXXI**

2. *Dans la lettre XXIV, la première que Valmont adresse à la Présidente*• *de Tourvel, relevez les exclamations tragiques, les tournures exprimant le regret, celles où Valmont «exhibe» la pureté de son âme, son malheur et ses souffrances, ses appels à la pitié, à l'indulgence et au pardon.*

3. *Relevez dans cette même lettre les exhibitions de la sensibilité de Valmont. Ne peut-on y déceler un alibi?*

4. *Relevez les procédés d'exagération utilisés par Valmont.*

5. *Dans la lettre XXX, Cécile attaque ainsi sa réponse à Danceny: «Enfin, Monsieur, je consens à vous écrire, à vous assurer de mon amitié, de mon amour, puisque, sans cela, vous seriez malheureux.» Elle termine sa lettre en lui disant: «Adieu, Monsieur. Je vous aime bien [...].» En vous reportant aux lettres XXX et XXXI, vous essaierez d'analyser la fonction de l'italique* dans la phrase de Cécile.*

LETTRE XXXII

MADAME DE VOLANGES
À LA PRÉSIDENTE• DE TOURVEL

Vous voulez donc, Madame, que je croie à la vertu de
M. de Valmont ? J'avoue que je ne puis m'y résoudre, et que
j'aurais autant de peine à le juger honnête, d'après le seul
fait que vous me racontez, qu'à croire vicieux un homme de
5   bien reconnu, dont j'apprendrais une faute. L'humanité
n'est parfaite dans aucun genre, pas plus dans le mal que
dans le bien. Le scélérat• a ses vertus, comme l'honnête
homme a ses faiblesses. [...]
     Je ne me permettrai point de scruter les motifs de l'ac-
10 tion de M. de Valmont ; je veux croire qu'ils sont louables
comme elle : mais en a-t-il moins passé sa vie à porter dans
les familles le trouble, le déshonneur et le scandale ? Écoutez, si vous voulez, la voix du malheureux qu'il a secouru ;
mais qu'elle ne vous empêche pas d'entendre les cris de
15 cent victimes qu'il a immolées[1]. Quand il ne serait, comme
vous le dites, qu'un exemple du danger des liaisons•, en
serait-il moins lui-même une liaison dangereuse ? Vous
le supposez susceptible d'un retour heureux ? allons plus
loin ; supposons ce miracle arrivé. Ne resterait-il pas contre
20 lui l'opinion publique, et ne suffit-elle pas pour régler
votre conduite ? Dieu seul peut absoudre[2] au moment du
repentir[3] ; il lit dans les cœurs ; mais les hommes ne
peuvent juger les pensées que par les actions ; et nul d'entre
eux, après avoir perdu l'estime des autres, n'a droit de se
25 plaindre de la méfiance nécessaire, qui rend cette perte si
difficile à réparer. Songez surtout, ma jeune amie, que quelquefois il suffit, pour perdre cette estime, d'avoir l'air d'y
attacher trop peu de prix [...].
     Effrayée de la chaleur avec laquelle vous le défendez, je
30 me hâte de prévenir les objections que je prévois. Vous me

---

1. *immolées* : sacrifiées.
2. *absoudre* : chez les catholiques, remettre (pardonner) ses péchés au pénitent
(celui qui a péché).
3. *repentir* : vif regret (des péchés commis).

citerez Madame de Merteuil, à qui on a pardonné cette liaison•; vous me demanderez pourquoi je le reçois chez moi; vous me direz que loin d'être rejetée par les gens honnêtes, il est admis, recherché même dans ce qu'on
35 appelle la bonne compagnie. Je peux, je crois, répondre à tout.

D'abord Madame de Merteuil, en effet très estimable, n'a peut-être d'autre défaut que trop de confiance en ses forces; c'est un guide adroit qui se plaît à conduire un char
40 entre les rochers et les précipices, et que le succès seul justifie : il est juste de la louer, il serait imprudent de la suivre; elle-même en convient et s'en accuse. À mesure qu'elle a vu davantage, ses principes sont devenus plus sévères; et je ne crains pas de vous assurer qu'elle penserait
45 comme moi.

Quant à ce qui me regarde, je ne me justifierai pas plus que les autres. Sans doute, je reçois M. de Valmont, et il est reçu partout; c'est une inconséquence de plus à ajouter à mille autres qui gouvernent la société. Vous savez, comme
50 moi, qu'on passe sa vie à les remarquer, à s'en plaindre et à s'y livrer. M. de Valmont, avec un beau nom, une grande fortune, beaucoup de qualités aimables, a reconnu de bonne heure que pour avoir l'empire• dans la société, il suffisait de manier, avec une égale adresse, la louange et le
55 ridicule. Nul ne possède comme lui ce double talent : il séduit avec l'un, et se fait craindre avec l'autre. On ne l'estime pas; mais on le flatte. Telle est son existence au milieu d'un monde qui, plus prudent que courageux, aime mieux le ménager que le combattre.
60 Mais ni Madame de Merteuil elle-même, ni aucune autre femme, n'oserait sans doute aller s'enfermer à la campagne, presque en tête-à-tête avec un tel homme. Il était réservé à la plus sage, la plus modeste d'entre elles, de donner l'exemple de cette inconséquence [...].

De..., ce 24 août 17**.

LETTRE XXXIII

LA MARQUISE* DE MERTEUIL
AU VICOMTE* DE VALMONT

Dès que vous craignez de réussir, mon cher Vicomte, dès que votre projet* est de fournir des armes contre vous, et que vous désirez moins de* vaincre que de combattre, je n'ai plus rien à dire. Votre conduite est un chef-d'œuvre de prudence. Elle en serait un de sottise dans la supposition contraire ; et pour vous parler vrai, je crains que vous ne vous fassiez illusion.

Ce que je vous reproche n'est pas de n'avoir point profité du moment. D'une part, je ne vois pas clairement qu'il fût venu : de l'autre, je sais assez, quoi qu'on en dise, qu'une occasion manquée se retrouve, tandis qu'on ne revient jamais d'une démarche précipitée.

Mais la véritable école[1] est de vous être laissé aller à écrire. Je vous défie à présent de prévoir où ceci peut vous mener. Par hasard, espérez-vous prouver à cette femme qu'elle doit se rendre ? Il me semble que ce ne peut être là qu'une vérité de sentiment, et non de démonstration ; et que pour la faire recevoir, il s'agit d'attendrir et non de raisonner ; mais à quoi vous servirait d'attendrir par Lettres, puisque vous ne seriez pas là pour en profiter ? Quand vos belles phrases produiraient l'ivresse de l'amour, vous flattez-vous qu'elle soit assez longue pour que la réflexion n'ait pas le temps d'en empêcher l'aveu ? Songez donc à celui qu'il faut pour écrire une Lettre, à celui qui se passe avant qu'on la remette ; et voyez si surtout une femme à principes comme votre Dévote* peut vouloir si longtemps ce qu'elle tâche de ne vouloir jamais. Cette marche peut réussir avec des enfants, qui, quand ils écrivent «je vous aime», ne savent pas qu'ils disent «je me rends». Mais la vertu raisonneuse de Madame de Tourvel me paraît fort bien connaître la valeur des termes. Aussi, malgré l'avantage que vous aviez pris sur elle dans votre conversation,

---

1. *la véritable école* : faute d'écolier. Terme de jeu (très employé au trictrac).

elle vous bat dans sa Lettre. Et puis, savez-vous ce qui
arrive ? par cela seul qu'on dispute, on ne veut pas céder. À
35 force de chercher de bonnes raisons, on en trouve ; on les
dit ; et après on y tient, non pas tant parce qu'elles sont
bonnes que pour ne pas se démentir.

De plus, une remarque que je m'étonne que vous n'ayez
faite, c'est qu'il n'y a rien de si difficile en amour que
40 d'écrire ce qu'on ne sent pas. Je dis écrire d'une façon
vraisemblable : ce n'est pas qu'on ne se serve des mêmes
mots ; mais on ne les arrange pas de même, ou plutôt on les
arrange, et cela suffit. Relisez votre Lettre : il y règne un
ordre qui vous décèle à chaque phrase. Je veux croire que
45 votre Présidente• est assez peu formée pour ne s'en pas
apercevoir : mais qu'importe ? l'effet n'en est pas moins
manqué. C'est le défaut des Romans ; l'Auteur se bat les
flancs pour s'échauffer, et le Lecteur reste froid. *Héloïse* est
le seul qu'on en puisse excepter ; et malgré le talent de
50 l'Auteur, cette observation m'a toujours fait croire que le
fond en était vrai. Il n'en est pas de même en parlant.
L'habitude de travailler son organe y donne de la sensibilité ; la facilité des larmes y ajoute encore : l'expression du
désir se confond dans les yeux avec celle de la tendresse ;
55 enfin le discours moins suivi amène plus aisément cet air de
trouble et de désordre, qui est la véritable éloquence[1] de
l'amour ; et surtout la présence de l'objet aimé empêche la
réflexion et nous fait désirer d'être vaincues.

Croyez-moi, Vicomte• : on vous demande de ne plus
60 écrire : profitez-en pour réparer votre faute et attendez l'occasion de parler. Savez-vous que cette femme a plus de
force que je ne croyais ? Sa défense est bonne ; et sans la
longueur de sa Lettre, et le prétexte qu'elle vous donne
pour rentrer en matière dans sa phrase de reconnaissance,
65 elle ne se serait pas du tout trahie.

Ce qui me paraît encore devoir vous rassurer sur le succès, c'est qu'elle use trop de forces à la fois ; je prévois
qu'elle les épuisera pour la défense du mot et qu'il ne lui en
restera plus pour celle de la chose.

---

1. *éloquence* : force expressive.

70   Je vous renvoie vos deux Lettres, et si vous êtes prudent, ce seront les dernières jusqu'après l'heureux moment. S'il était moins tard, je vous parlerais de la petite Volanges qui avance assez vite et dont je suis fort contente. Je crois que j'aurai fini avant vous, et vous devez en être bien heureux.
75   Adieu pour aujourd'hui.

De..., ce 24 août 17**.

John Malkovich (Valmont) dans le film de Stephen Frears.

Compréhension

• **Lettre XXXIII**

1. « Mais la véritable école est de vous être laissé aller à écrire » : *que nous révèle cette remarque de la marquise*• *sur sa stratégie et sur celle de l'auteur lui-même ?*

Écriture

• **Lettre XXXII**

2. *Que nous apprend son langage sur le caractère de Mme de Volanges ?*

• **Lettre XXXIII**

3. *Voilà une lettre sur le pouvoir des lettres, donc sur l'art des romans épistolaires et de Laclos en particulier. Analysez les arguments de la marquise, en les confrontant aux lettres XXXIV, LXX, CV et CL. Vous auriez avantage à vous reporter aussi aux deux préfaces que donne Rousseau à sa* Nouvelle Héloïse, *citée par Mme de Merteuil, précisément.*

LETTRE XXXIV

LE VICOMTE• DE VALMONT
À LA MARQUISE• DE MERTEUIL

Vous parlez à merveille, ma belle amie : mais pourquoi vous tant fatiguer à prouver ce que personne n'ignore ? Pour aller vite en amour, il vaut mieux parler qu'écrire ; voilà, je crois, toute votre Lettre. Eh mais ! ce sont les plus simples
5　éléments de l'art de séduire. [...]

Quoi qu'il en soit, un Avocat vous dirait que le principe ne s'applique pas à la question. En effet, vous supposez que j'ai le choix entre écrire et parler, ce qui n'est pas. Depuis l'affaire du 19, mon inhumaine, qui se tient sur la défen-
10　sive, a mis à éviter les rencontres une adresse qui a déconcerté la mienne. [...] Mes Lettres mêmes sont le sujet d'une petite guerre : non contente de n'y pas répondre, elle refuse de les recevoir. Il faut pour chacune une ruse nouvelle, et qui ne réussit pas toujours.
15　Vous vous rappelez par quel moyen simple j'avais remis la première ; la seconde n'offrit pas plus de difficulté. Elle m'avait demandé de lui rendre sa Lettre : je lui donnai la mienne en place, sans qu'elle eût le moindre soupçon. Mais soit[1] dépit d'avoir été attrapée, soit[1] caprice, ou enfin soit[1]
20　vertu, car elle me forcera d'y croire, elle refusa obstinément la troisième. J'espère pourtant que l'embarras où a pensé la mettre la suite de ce refus, la corrigera pour l'avenir.

Je ne fus pas très étonné qu'elle ne voulût pas recevoir cette Lettre que je lui offrais tout simplement ; c'eût été déjà
25　accorder quelque chose, et je m'attends à une plus longue défense. Après cette tentative, qui n'était qu'un essai fait en passant, je mis une enveloppe à ma Lettre ; et prenant le moment de la toilette, où Madame de Rosemonde et la Femme de chambre étaient présentes, je la lui envoyai par
30　mon Chasseur•, avec ordre de lui dire que c'était le papier qu'elle m'avait demandé. J'avais bien deviné qu'elle craindrait l'explication scandaleuse que nécessiterait un refus :

1.　*soit* : soit par.

en effet elle prit la Lettre ; et mon Ambassadeur, qui avait
ordre d'observer sa figure, et qui ne voit pas mal, n'aperçut
35 qu'une légère rougeur et plus d'embarras que de colère.

Je me félicitais donc, bien sûr[1], ou qu'elle garderait cette
Lettre, ou que si elle voulait me la rendre, il faudrait qu'elle
se trouvât seule avec moi ; ce qui me donnerait une occasion de lui parler. Environ une heure après, un de ses gens•
40 entre dans ma chambre et me remet, de la part de sa Maîtresse, un paquet d'une autre forme que le mien, et sur
l'enveloppe duquel je reconnais l'écriture tant désirée.
J'ouvre avec précipitation... C'était ma Lettre elle-même,
non décachetée et pliée seulement en deux. Je soupçonne
45 que la crainte que je ne fusse moins scrupuleux qu'elle sur
le scandale lui a fait employer cette ruse diabolique.

Vous me connaissez ; je n'ai pas besoin de vous peindre
ma fureur. Il fallut pourtant reprendre son sang-froid, et
chercher de nouveaux moyens. Voici le seul que je trouvai.
50 On va d'ici, tous les matins, chercher les Lettres à la
Poste, qui est à environ trois quarts de lieue• : on se sert,
pour cet objet, d'une boîte couverte à peu près comme un
tronc, dont le Maître de la Poste a une clef et madame de
Rosemonde l'autre. Chacun y met ses Lettres dans la jour-
55 née, quand bon lui semble ; on les porte le soir à la Poste, et
le matin on va chercher celles qui sont arrivées. Tous les
gens, étrangers ou autres, font ce service également. Ce
n'était pas le tour de mon domestique ; mais il se chargea
d'y aller, sous le prétexte qu'il avait affaire de ce côté.
60 Cependant j'écrivis ma Lettre. Je déguisai mon écriture
pour l'adresse, et je contrefis[2] assez bien, sur l'enveloppe, le
timbre de *Dijon*. Je choisis cette Ville, parce que je trouvai
plus gai, puisque je demandais les mêmes droits que le mari,
d'écrire aussi du même lieu, et aussi parce que ma Belle avait
65 parlé toute la journée du désir qu'elle avait de recevoir des
Lettres de Dijon. Il me parut juste de lui procurer ce plaisir.

Ces précautions une fois prises, il était facile de faire
joindre cette Lettre aux autres. Je gagnais encore à cet

---

1. *bien sûr* : bien assuré, bien certain.
2. *je contrefis* : j'imitai.

70 expédient[1] d'être témoin de la réception : car l'usage est ici
    de se rassembler pour déjeuner et d'attendre l'arrivée des
    Lettres avant de se séparer. Enfin elles arrivèrent.
        Madame de Rosemonde ouvrit la boîte. «De Dijon», dit-
    elle, en donnant la Lettre à Madame de Tourvel. «Ce n'est
75 pas l'écriture de mon mari», reprit celle-ci d'une voix
    inquiète, en rompant le cachet avec vivacité : le premier
    coup d'œil l'instruisit•; et il se fit une telle révolution sur sa
    figure que Madame de Rosemonde s'en aperçut, et lui dit :
    «Qu'avez-vous ?» Je m'approchai aussi, en disant : «Cette
80 Lettre est donc bien terrible ?» La timide Dévote• n'osait
    lever les yeux, ne disait mot, et, pour sauver son embarras,
    feignait de parcourir l'Épître•, qu'elle n'était guère en état
    de lire. Je jouissais de son trouble ; et n'étais pas fâché de la
    pousser un peu : «Votre air plus tranquille, ajoutai-je, fait
85 espérer que cette Lettre vous a causé plus d'étonnemnt
    que de douleur.» La colère alors l'inspira mieux que n'eut
    pu faire la prudence. «Elle contient, répondit-elle, des
    choses qui m'offensent, et que je suis étonnée qu'ont ait osé
    m'écrire.» – «Et qui donc ?» interrompit Madame de Rose-
90 monde. «Elle n'est pas signée», répondit la belle courrou-
    cée : «mais la Lettre et son Auteur m'inspirent un égal
    mépris. On m'obligera[2] de ne m'en plus parler[3].» En disant
    ces mots, elle déchira l'audacieuse missive[4], en mit les mor-
    ceaux dans sa poche, se leva, et sortit.
95   Malgré cette colère, elle n'en a pas moins eu ma Lettre ;
    et je m'en remets bien à sa curiosité, du soin de l'avoir lue
    en entier.
        Le détail de la journée me mènerait trop loin. Je joins à
    ce récit le brouillon de mes deux Lettres : vous serez aussi
100 instruite que moi. Si vous voulez être au courant de ma
    correspondance, il faut vous accoutumer à déchiffrer mes
    minutes[5] : car pour rien au monde, je ne dévorerais[6] l'ennui
    de les recopier. Adieu, ma belle amie.

    *De..., ce 25 août 17**.*

---

1. *expédient* : procédé astucieux.
2. *m'obligera* : me fera le plaisir.
3. *ne m'en plus parler* : ne plus m'en parler.
4. *missive* : lettre.
5. *mes minutes* : mes originaux, mes brouillons.
6. *dévorerais* : supporterais.

LETTRE XXXV

LE VICOMTE• DE VALMONT
À LA PRÉSIDENTE• DE TOURVEL

Il faut vous obéir, Madame, il faut vous prouver qu'au milieu des torts que vous vous plaisez à me croire, il me reste au moins assez de délicatesse pour ne pas me permettre un reproche, et assez de courage pour m'imposer les
5   plus douloureux sacrifices. Vous m'ordonnez le silence et l'oubli! eh bien! je forcerai mon amour à se taire [...].
     [...]
     Vous m'apprenez, Madame, qu'on a cherché à me nuire dans votre esprit. Si vous en eussiez cru les conseils de vos
10   amis, vous ne m'eussiez pas même laissé approcher de vous : ce sont vos termes. Quels sont donc ces amis officieux[1]? Sans doute• ces gens si sévères, et d'une vertu si rigide, consentent à être nommés; sans doute ils ne voudraient pas se couvrir d'une obscurité qui les confondrait
15   avec de vils calomniateurs; et je n'ignorerai ni leur nom, ni leurs reproches. Songez, Madame, que j'ai le droit de savoir l'un et l'autre, puisque vous me jugez d'après eux. [...]
     [...] Qui peut donc vous arrêter? ce n'est pas, je l'espère, la crainte d'un refus? je sens que je ne pourrais vous la
20   pardonner. Ce n'en est pas un que de ne pas vous rendre votre Lettre. Je désire plus que vous, qu'elle ne me soit plus nécessaire : mais accoutumé à vous croire une âme si douce, ce n'est que dans cette Lettre que je puis vous trouver telle que vous voulez paraître. Quand je forme le vœu
25   de vous rendre sensible, j'y vois que plutôt que d'y consentir, vous fuiriez à cent lieues• de moi; quand tout en vous augmente et justifie mon amour, c'est encore elle qui me répète que mon amour vous outrage; et lorsqu'en vous voyant, cet amour me semble le bien suprême, j'ai besoin
30   de vous lire, pour sentir que ce n'est qu'un affreux tourment. Vous concevez à présent que mon plus grand bonheur serait de pouvoir vous rendre cette Lettre fatale• : me

---

1. *officieux* : obligeants, serviables.

35   la demander encore serait m'autoriser[1] à ne plus croire ce qu'elle contient ; vous ne doutez pas, j'espère, de mon empressement à vous la remettre.

De..., ce 21 août 17**.

LETTRE XXXVI

LE VICOMTE• DE VALMONT
À LA PRÉSIDENTE• DE TOURVEL
(Timbrée de Dijon)

Votre sévérité augmente chaque jour, Madame, et si je l'ose dire, vous semblez craindre moins d'être injuste que d'être indulgente. Après m'avoir condamné sans m'entendre•, vous avez dû sentir, en effet, qu'il vous serait plus facile de ne pas lire mes raisons que d'y répondre. Vous
5   refusez mes Lettres avec obstination ; vous me les renvoyez avec mépris. Vous me forcez enfin de recourir à la ruse, dans le moment même où mon unique but est de vous convaincre de ma bonne foi. [...]
10   Permettez donc, Madame, que mon cœur se dévoile entièrement à vous. Il vous appartient, il est juste que vous le connaissiez.

J'étais bien éloigné, en arrivant chez Madame de Rosemonde, de prévoir le sort qui m'y attendait. J'ignorais que
15   vous y fussiez ; et j'ajouterai, avec la sincérité qui me caractérise, que quand je l'aurais su ma sécurité n'en eût point été troublée : non que je ne rendisse à votre beauté la justice qu'on ne peut lui refuser ; mais accoutumé à n'éprouver que des désirs, à ne me livrer qu'à ceux que l'espoir encoura-
20   geait, je ne connaissais pas les tourments de l'amour. [...]

Malheureusement (et pourquoi faut-il que ce soit un malheur ?), en vous connaissant mieux je reconnus bientôt que cette figure enchanteresse, qui seule m'avait frappé, était le moindre de vos avantages ; votre âme céleste• étonna,

---

1. *m'autoriser* : m'inciter, me pousser.

25   séduisit la mienne. J'admirais la beauté, j'adorai la vertu.
Sans prétendre à vous obtenir, je m'occupai de vous
mériter. [...]

Alors je connus l'amour. [...] Bientôt le plaisir de vous
voir se changea en besoin. Vous absentiez-vous un
30   moment ? mon cœur se serrait de tristesse ; au bruit qui
m'annonçait votre retour, il palpitait de joie. Je n'existais
plus que par vous, et pour vous. [...]

Enfin un jour arriva où devait commencer mon infortune ; et par une inconcevable fatalité, une action honnête
35   en devint le signal. Oui, Madame, c'est au milieu des malheureux que j'avais secourus, que, vous livrant à cette sensibilité précieuse[1] qui embellit la beauté même et ajoute du
prix à la vertu, vous achevâtes d'égarer un cœur que déjà
trop d'amour enivrait. Vous vous rappelez, peut-être, quelle
40   préoccupation s'empara de moi au retour ! Hélas ! je cherchais à combattre un penchant que je sentais devenir plus
fort que moi.

[...]

Dévoré par un amour sans espoir, j'implore votre pitié et
45   ne trouve que votre haine : sans autre bonheur que celui de
vous voir, mes yeux vous cherchent malgré moi, et je
tremble de rencontrer vos regards. Dans l'état cruel où vous
m'avez réduit, je passe les jours à déguiser mes peines et les
nuits à m'y livrer ; tandis que vous, tranquille et paisible,
50   vous ne connaissez ces tourments que pour les causer et
vous en applaudir. Cependant, c'est vous qui vous plaignez,
et c'est moi qui m'excuse.

Voilà pourtant, Madame, voilà le récit fidèle de ce que
vous nommez mes torts, et que peut-être il serait plus juste
55   d'appeler mes malheurs. Un amour pur et sincère, un respect qui ne s'est jamais démenti, une soumission parfaite ;
tels sont les sentiments que vous m'avez inspirés. Je
n'eusse pas craint d'en présenter l'hommage à la Divinité même. Ô vous, qui êtes son plus bel ouvrage•, imitez-la
60   dans son indulgence ! Songez à mes peines cruelles ; songez
surtout, que, placé par vous entre le désespoir et la félicité

---

1. *précieuse* : inestimable.

suprême, le premier mot que vous prononcerez décidera
pour jamais de mon sort.

De..., ce 23 août 17**.

LETTRE XXXVII

LA PRÉSIDENTE[•] DE TOURVEL
À MADAME DE VOLANGES

De..., ce 25 août 17**.

LETTRE XXXVIII

LA MARQUISE[•] DE MERTEUIL
AU VICOMTE[•] DE VALMONT

De..., ce 27 août 17**.

LETTRE XXXIX

CÉCILE VOLANGES À SOPHIE CARNAY

De..., ce 27 août 17**.

LETTRE XL

LE VICOMTE DE VALMONT
À LA MARQUISE DE MERTEUIL

LETTRE XLI

LA PRÉSIDENTE• DE TOURVEL
AU VICOMTE• DE VALMONT

De..., ce 26 août 17**.

LETTRE XLII

LE VICOMTE DE VALMONT
À LA PRÉSIDENTE DE TOURVEL

De..., ce 26 août 17**.

SUITE DE LA LETTRE XL

DU VICOMTE DE VALMONT
À LA MARQUISE• DE MERTEUIL

De..., ce 27 août 17**.

LETTRE XLIII

LA PRÉSIDENTE DE TOURVEL
AU VICOMTE DE VALMONT

De..., ce 27 août 17**.

LETTRE XLIV

LE VICOMTE• DE VALMONT
À LA MARQUISE• DE MERTEUIL

Partagez ma joie, ma belle amie ; je suis aimé ; j'ai triomphé de ce cœur rebelle. C'est en vain qu'il dissimule encore ; mon heureuse adresse a surpris son secret. [...]

Hier même, après vous avoir écrit ma Lettre, j'en reçus
5   une de la céleste• Dévote•. Je vous l'envoie ; vous y verrez qu'elle me donne, le moins maladroitement qu'elle peut, la permission de lui écrire ; mais elle y presse mon départ, et je sentais bien que je ne pouvais le différer trop longtemps sans me nuire.

10   Tourmenté cependant du désir de savoir qui pouvait avoir écrit contre moi, j'étais encore incertain du parti que je prendrais. Je tentai de gagner la Femme de chambre, et je voulus obtenir d'elle de me livrer les poches de sa Maîtresse, dont elle pouvait s'emparer aisément le soir, et qu'il
15   lui était facile de replacer le matin, sans donner le moindre soupçon. J'offris dix louis pour ce léger service : mais je ne trouvai qu'une bégueule[1], scrupuleuse ou timide, que mon éloquence ni mon argent ne purent vaincre. [...]

Jamais je n'eus plus d'humeur•. Je me sentais compro
20   mis ; et je me reprochais, toute la soirée, ma démarche imprudente.

Retiré chez moi, non sans inquiétude, je parlai à mon Chasseur• qui, en sa qualité d'Amant heureux, devait avoir quelque crédit. Je voulais, ou qu'il obtînt de cette fille de
25   faire ce que je lui avais demandé, ou au moins qu'il s'assurât de sa discrétion : mais lui, qui d'ordinaire ne doute de rien, parut douter du succès de cette négociation, et me fit à ce sujet une réflexion qui m'étonna par sa profondeur.

« Monsieur sait sûrement mieux que moi », me dit-il,
30   « que coucher avec une fille, ce n'est que lui faire faire ce qui lui plaît : de là à lui faire faire ce que nous voulons, il y a souvent bien loin. »

---

1. *bégueule* : femme pudibonde, excessivement pudique.

Le bon sens du Maraud[1] quelquefois m'épouvante*.

« Je réponds d'autant moins de celle-ci », ajouta-t-il, « que
35 j'ai lieu de croire qu'elle a un Amant, et que je ne la dois
qu'au désœuvrement de la campagne. Aussi, sans mon
zèle• pour le service de Monsieur, je n'aurais eu cela qu'une
fois. » (C'est un vrai trésor que ce garçon !) « Quant au
secret », ajouta-t-il encore, « à quoi servira-t-il de lui faire
40 promettre, puisqu'elle ne risquera rien à nous tromper ? lui
en reparler ne ferait que lui mieux apprendre qu'il est
important, et par là lui donner plus d'envie d'en faire sa
cour à sa Maîtresse. »
Plus ces réflexions étaient justes, plus mon embarras aug-
45 mentait. Heureusement le drôle était en train de[2] jaser[3] ; et
comme j'avais besoin de lui, je le laissais faire. Tout en me
racontant son histoire avec cette fille, il m'apprit que
comme la chambre qu'elle occupe n'est séparée de celle de
sa Maîtresse que par une simple cloison, qui pouvait laisser
50 entendre un bruit suspect, c'était dans la sienne qu'ils se
rassemblaient chaque nuit. Aussitôt je formai mon plan, je
le lui communiquai, et nous l'exécutâmes avec succès.
J'attendis deux heures du matin ; et alors je me rendis,
comme nous en étions convenus, à la chambre du rendez-
55 vous, portant de la lumière avec moi, et sous prétexte
d'avoir sonné plusieurs fois inutilement. Mon confident, qui
joue ses rôles à merveille, donna une petite scène de surprise, de désespoir et d'excuse, que je terminai en l'en-
voyant me faire chauffer de l'eau, dont je feignis avoir
60 besoin ; tandis que la scrupuleuse Chambrière était d'autant
plus honteuse, que le drôle qui avait voulu renchérir sur
mes projets• l'avait déterminée à une toilette que la saison
comportait[4], mais qu'elle n'excusait pas.
Comme je sentais que plus cette fille serait humiliée, plus
65 j'en disposerais facilement, je ne lui permis de changer ni

* Piron, *Métromanie.*

---

1. Maraud : scélérat, canaille, grossier personnage.
2. *en train de* : disposé à.
3. *jaser* : trahir un secret par un bavardage imprudent.
4. *comportait* : admettait, pouvait expliquer.

de situation ni de parure ; et après avoir ordonné à mon Valet de m'attendre chez moi, je m'assis à côté d'elle sur le lit qui était fort en désordre, et je commençai ma conversation. J'avais besoin de garder l'empire• que la circonstance
70 me donnait sur elle : aussi conservai-je un sang-froid qui eût fait honneur à la continence de Scipion[1] ; et sans prendre la plus petite liberté avec elle, ce que pourtant sa fraîcheur et l'occasion semblaient lui donner le droit d'espérer, je lui parlai d'affaires aussi tranquillement que j'au-
75 rais pu faire avec un Procureur[2].

Mes conditions furent que je garderais fidèlement le secret, pourvu que le lendemain, à pareille heure à peu près, elle me livrât les poches[3] de sa Maîtresse. « Au reste », ajoutai-je, « je vous avais offert dix louis hier ; je vous les
80 promets encore aujourd'hui. Je ne veux pas abuser de votre situation. » Tout fut accordé, comme vous pouvez croire [...].

[...]

Une fois maître de ce trésor, je procédai à l'inventaire
85 avec la prudence que vous me connaissez : car il était important de remettre tout en place. Je tombai d'abord sur deux Lettres du mari, mélange indigeste de détails de procès et de tirades d'amour conjugal, que j'eus la patience de lire en entier, et où je ne trouvai pas un mot qui eût rapport
90 à moi. Je les replaçai avec humeur• : mais elle s'adoucit, en trouvant sous ma main les morceaux de ma fameuse Lettre de Dijon, soigneusement rassemblés. Heureusement il me prit fantaisie de la parcourir. Jugez de ma joie, en y apercevant les traces bien distinctes des larmes de mon adorable
95 Dévote•. Je l'avoue, je cédai à un mouvement de jeune homme, et baisai cette Lettre avec un transport• dont je ne me croyais plus susceptible. Je continuai l'heureux

---

1. *la continence de Scipion* : allusion à une scène racontée par Tite-Live et fréquemment représentée par les peintres : lors de la Deuxième Guerre punique (218-201 av. J.-C.), Scipion, alors (209 av. J.-C.) proconsul en Espagne, rendit à son fiancé une otage hibère d'une grande beauté.
2. *Procureur* : avocat.
3. *les poches* : les lettres que contenaient les poches.

examen; je retrouvai toutes mes Lettres de suite[1], et par
ordre de dates; et ce qui me surprit plus agréablement
100 encore, fut de retrouver la première de toutes, celle que je
croyais m'avoir été rendue par une ingrate, fidèlement
copiée de sa main; et d'une écriture altérée[2] et tremblante,
qui témoignait assez la douce agitation de son cœur pendant cette occupation.

105 Jusque-là j'étais tout entier à l'amour; bientôt il fit place
à la fureur. Qui croyez-vous qui veuille me perdre auprès de
cette femme que j'adore? quelle Furie[3] supposez-vous assez
méchante pour tramer[4] une pareille noirceur•? Vous la
connaissez: c'est votre amie, votre parente; c'est Madame
110 de Volanges. Vous n'imaginez pas quel tissu d'horreurs
l'infernale Mégère[5] lui a écrit sur mon compte. C'est elle,
elle seule, qui a troublé la sécurité de cette femme angélique; c'est par ses conseils, par ses avis pernicieux[6], que je
me vois forcé de m'éloigner; c'est à elle enfin que l'on me
115 sacrifie. Ah! sans doute il faut séduire sa fille: mais ce n'est
pas assez, il faut la perdre; et puisque l'âge de cette mau-
dite femme la met à l'abri de mes coups, il faut la frapper
dans l'objet de ses affections.

Elle veut donc que je revienne à Paris! elle m'y force!
120 soit, j'y retournerai, mais elle gémira de mon retour. [...]
[...]
J'ai donc annoncé mon départ. Un moment après,
Madame de Rosemonde nous a laissés seuls: mais j'étais
encore à quatre pas de la farouche[7] personne, que se levant
125 avec l'air de l'effroi: «Laissez-moi, laissez-moi, Monsieur»,
m'a-t-elle dit; «au nom de Dieu, laissez-moi.» [...] je

---

1. *de suite*: à la suite.
2. *altérée*: modifiée.
3. *Furie*: au sens propre, selon la mythologie gréco-latine, l'une des trois divinités infernales (Alecto, Mégère [cf. note ci-dessous] et Tisiphone) incarnant la vengeance divine et le remords; au sens figuré, femme déchaînée, qui ne se maîtrise pas.
4. *tramer*: manigancer, préparer en secret.
5. *infernale Mégère*: au sens propre, l'expression est pléonastique puisque Mégère est l'une des trois Furies (cf. note ci-dessus), donc une divinité infernale (c'est-à-dire des enfers); au sens figuré, elle désigne une femme méchante, hargneuse et acariâtre.
6. *pernicieux*: nuisibles, subversifs, mauvais.
7. *farouche*: méfiante, qui résiste.

commençais de tendres plaintes, quand un démon[1] ennemi ramena Madame de Rosemonde. La timide Dévote•, qui en effet quelques raisons de craindre, en a profité pour se
130 retirer.

Je lui ai pourtant offert la main qu'elle a acceptée ; et augurant[2] bien de cette douceur, qu'elle n'avait pas eue depuis longtemps, tout en recommençant mes plaintes j'ai essayé de serrer la sienne. Elle a d'abord voulu la retirer ;
135 mais sur une instance plus vive, elle s'est livrée d'assez bonne grâce, quoique sans répondre ni à ce geste, ni à mes discours. Arrivés à la porte de son appartement, j'ai voulu baiser cette main, avant de la quitter. La défense a commencé par être franche ; mais un *songez donc que je*
140 *pars*, prononcé bien tendrement, l'a rendue gauche et insuffisante. À peine le baiser a-t-il été donné, que la main a retrouvé sa force pour échapper, et que la Belle est entrée dans son appartement où était sa Femme de chambre. Ici finit mon histoire.

145 [...] j'ai pris le parti de me faire précéder par cette Lettre ; et toute longue qu'elle est, je ne la fermerai qu'au moment de l'envoyer à la Poste, car au terme où j'en suis[3], tout peut dépendre d'une occasion ; et je vous quitte pour aller l'épier.

150 *P.-S. à huit heures du soir.*

Rien de nouveau ; pas le plus petit moment de liberté : du soin même pour l'éviter. [...] Un autre événement qui peut ne pas être indifférent, c'est que je suis chargé d'une invitation de Madame de Rosemonde à Madame de
155 Volanges, pour venir passer quelque temps chez elle à la campagne.

Adieu, ma belle amie ; à demain ou après-demain au plus tard.

*De..., ce 28 août 17**.*

---

1. *démon* : génie.
2. *augurant* : présageant, tirant pressentiment.
3. *au terme où j'en suis* : me trouvant désormais près du but.

Questions

Compréhension

1. Par quel procédé l'échange épistolaire est-il ici perverti ? Retrouvez d'autres modes de perversion dans les lettres XXXIV et XXXVI.

2. «[...] je cédai à un mouvement de jeune homme, et baisai cette Lettre avec un transport• dont je ne me croyais plus susceptible» : Valmont ne donne-t-il pas ici des bâtons pour se faire battre ? Cette spontanéité de «jeune homme» qu'il se félicite d'avoir recouvrée se nomme, en effet, d'un autre nom dans le vocabulaire courant de la marquise• : lequel ? (Rapprochez ce texte des lettres V, VI, XCIX, CXIII, CXXXIV.) Quels thèmes de la philosophie des Lumières se trouvent pervertis ou niés dans l'utilisation que fait la marquise du thème de «l'enfance»?

3. «Le bon sens du Maraud quelquefois m'épouvante» : en quoi cette citation de comédie est-elle révélatrice du sens que peuvent prendre, dans ce roman libertin•, les rapports entre maîtres et valets ?

Écriture

4. «Jugez de ma joie, en y apercevant les traces bien distinctes des larmes de mon adorable Dévote•» : quels sont ici les véhicules du sens ? Quel intérêt voyez-vous à de tels procédés ?

Valmont (John Malkovich) recevant l'aide de son chasseur.

LETTRE XLV

LA PRÉSIDENTE• DE TOURVEL
À MADAME DE VOLANGES

*De..., ce 29 août 17**.*

LETTRE XLVI

LE CHEVALIER• DANCENY À CÉCILE VOLANGES

*De..., ce 29 août 17**.*

LETTRE XLVII

LE VICOMTE• DE VALMONT
À LA MARQUISE• DE MERTEUIL

Je ne vous verrai pas encore aujourd'hui, ma belle amie, et voici mes raisons, que je vous prie de recevoir avec indulgence.

Au lieu de revenir hier directement, je me suis arrêté
5   chez la Comtesse• de***, dont le château se trouvait presque sur ma route, et à qui j'ai demandé à dîner•. Je ne suis arrivé à Paris que vers sept heures, et je suis descendu à l'Opéra, où j'espérais que vous pouviez être.

L'Opéra fini, j'ai été revoir mes amies du foyer[1] ; j'y ai
10   retrouvé mon ancienne Émilie, entourée d'une cour nombreuse, tant en femmes qu'en hommes, à qui elle donnait le soir même à souper• à P... Je ne fus pas plus tôt entré dans ce cercle, que je fus prié du souper, par acclamation. [...]
  [...]
15   Cette complaisance de ma part est le prix de celle qu'elle vient d'avoir, de me servir de pupitre pour écrire à ma belle

---

1. *foyer* : salle commune où se réunissent les acteurs.

Dévote•, à qui j'ai trouvé plaisant d'envoyer une Lettre
écrite du lit et presque d'entre les bras d'une fille, inter-
rompue même pour une infidélité complète, et dans
20 laquelle je lui rends un compte exact de ma situation et de
ma conduite. Émilie, qui a lu l'Épître•, en a ri comme une
folle, et j'espère que vous en rirez aussi.

Comme il faut que ma Lettre soit timbrée de Paris, je
vous l'envoie ; je la laisse ouverte. Vous voudrez bien la lire,
25 la cacheter, et la faire mettre à la Poste. Surtout n'allez pas
vous servir de votre cachet, ni même d'aucun emblème
amoureux ; une tête[1] seulement. Adieu, ma belle amie.

P.-S. – Je rouvre ma Lettre ; j'ai décidé Émilie à aller aux
Italiens... Je profiterai de ce temps pour aller vous voir. Je
30 serai chez vous à six heures au plus tard ; et si cela vous
convient, nous irons ensemble sur les sept heures chez
Madame de Volanges. Il sera décent que je ne diffère pas
l'invitation que j'ai à lui faire de la part de Madame de
Rosemonde ; de plus, je serai bien aise• de voir la petite
35 Volanges.

Adieu, ma très belle dame. Je veux avoir tant de plaisir à
vous embrasser que le Chevalier• puisse en être jaloux.

De P..., ce 30 août 17**.

LETTRE XLVIII

LE VICOMTE• DE VALMONT
À LA PRÉSIDENTE• DE TOURVEL
(Timbrée de Paris.)

C'est après une nuit orageuse, et pendant laquelle je n'ai
pas fermé l'œil ; c'est après avoir été sans cesse ou dans
l'agitation d'une ardeur dévorante, ou dans l'entier anéan-
tissement de toutes les facultés de mon âme, que je viens
5 chercher auprès de vous, Madame, un calme dont j'ai
besoin, et dont pourtant je n'espère pas jouir encore. En

---

1. *tête* : imitation d'une tête humaine ou animale.

effet, la situation où je suis en vous écrivant me fait
connaître plus que jamais la puissance irrésistible de
l'amour ; j'ai peine à conserver assez d'empire• sur moi
10 pour mettre quelque ordre dans mes idées ; et déjà je prévois que je ne finirai pas cette Lettre sans être obligé de
l'interrompre. Quoi ! ne puis-je donc espérer que vous par-
tagerez quelque jour le trouble que j'éprouve en ce
moment ? J'ose croire cependant que, si vous le connaissiez
15 bien, vous n'y seriez pas entièrement insensible. Croyez-
moi, Madame, la froide tranquillité, le sommeil de l'âme,
image de la mort, ne mènent point au bonheur ; les passions actives peuvent seules y conduire ; et malgré les tourments que vous me faites éprouver, je crois pouvoir assurer
20 sans crainte, que, dans ce moment, je suis plus heureux que
vous. En vain m'accablez-vous de vos rigueurs désolantes,
elles ne m'empêchent point de m'abandonner entièrement
à l'amour et d'oublier, dans le délire qu'il me cause, le
désespoir auquel vous me livrez. C'est ainsi que je veux me
25 venger de l'exil auquel vous me condamnez. Jamais je n'eus
tant de plaisir en vous écrivant ; jamais je ne ressentis, dans
cette occupation, une émotion si douce et cependant si
vive. Tout semble augmenter mes transports• : l'air que je
respire est plein de volupté ; la table même sur laquelle
30 je vous écris, consacrée pour la première fois à cet usage,
devient pour moi l'autel sacré de l'amour ; combien elle va
s'embellir à mes yeux ! j'aurai tracé sur elle le serment de
vous aimer toujours ! Pardonnez, je vous en supplie, au
désordre de mes sens. Je devrais peut-être m'abandonner
35 moins à des transports que vous ne partagez pas : il faut
vous quitter un moment pour dissiper¹ une ivresse qui
s'augmente à chaque instant, et qui devient plus forte que
moi.

    Je reviens à vous, Madame, et sans doute• j'y reviens
40 toujours avec le même empressement. Cependant le sentiment du bonheur a fui loin de moi ; il a fait place à celui des
privations cruelles. À quoi me sert-il de vous parler de mes
sentiments, si je cherche en vain les moyens de vous

---

1. *dissiper* : faire disparaître, chasser.

convaincre ? après tant d'efforts réitérés*, la confiance et la
45 force m'abandonnent à la fois. Si je me retrace encore les
plaisirs de l'amour, c'est pour sentir plus vivement le regret
d'en être privé. Je ne me vois de ressource que dans votre
indulgence, et je sens trop, dans ce moment, combien j'en
ai besoin pour espérer de* l'obtenir. Cependant, jamais
50 mon amour ne fut plus respectueux, jamais il ne dut moins
vous offenser ; il est tel, j'ose le dire, que la vertu la plus
sévère ne devrait pas le craindre : mais je crains moi-même
de vous entretenir plus longtemps de la peine que
j'éprouve. Assuré que l'objet qui la cause ne la partage pas,
55 il ne faut pas au moins abuser de ses bontés ; et ce serait le
faire, que d'employer plus de temps à vous retracer cette
douloureuse image. Je ne prends plus que celui de vous
supplier de me répondre, et de ne jamais douter de la vérité
de mes sentiments.

Écrite de P..., datée de Paris, ce 30 août 17**.

LETTRE XLIX

CÉCILE VOLANGES AU CHEVALIER* DANCENY

Sans être ni légère, ni trompeuse, il me suffit, Monsieur,
d'être éclairée sur ma conduite, pour sentir la nécessité
d'en changer ; j'en ai promis le sacrifice à Dieu, jusqu'à ce
que je puisse lui offrir aussi celui de mes sentiments pour
5 vous, que l'état Religieux dans lequel vous êtes rend plus
criminels encore. Je sens bien que cela me fera de la peine
[...]. Mais j'espère que Dieu me fera la grâce de me donner
la force nécessaire pour vous oublier [...]. En conséquence,
je vous demande d'avoir la complaisance de ne me plus
10 écrire, d'autant que je vous préviens que je ne vous répondrais plus, et que vous me forceriez d'avertir Maman de tout
ce qui se passe : ce qui me priverait tout à fait du plaisir de
vous voir.

Je n'en conserverai pas moins pour vous tout l'attache-
15 ment qu'on puisse avoir sans qu'il y ait du mal [...]. Je sens
bien que vous allez ne plus m'aimer autant, et que peut-être

vous en aimerez bientôt une autre mieux que moi. Mais ce sera une pénitence[1] de plus, de la faute que j'ai commise en vous donnant mon cœur, que je ne devais donner qu'à
20 Dieu, et à mon mari quand j'en aurai un. [...]

Adieu, Monsieur; je peux bien vous assurer que s'il m'était permis d'aimer quelqu'un, ce ne serait jamais que vous que j'aimerais. Mais voilà tout ce que je peux vous dire, et c'est peut-être même plus que je ne devrais.

*De..., ce 31 août 17**.*

LETTRE L

LA PRÉSIDENTE• DE TOURVEL
AU VICOMTE• DE VALMONT

Est-ce donc ainsi, Monsieur, que vous remplissez les conditions auxquelles j'ai consenti à recevoir quelquefois de• vos Lettres? Et puis-je ne *pas avoir à m'en plaindre,* quand vous ne m'y parlez que d'un sentiment auquel je
5 craindrais encore de me livrer, quand même je le pourrais sans blesser tous mes devoirs[2]?

[...]

Vous croyez, Monsieur, ou vous feignez de croire que l'amour mène au bonheur; et moi, je suis si persuadée qu'il
10 me rendrait malheureuse, que je voudrais n'entendre jamais prononcer son nom. Il me semble que d'en parler seulement altère[3] la tranquillité; et c'est autant par goût que par devoir, que je vous prie de vouloir bien garder le silence sur ce point.

15 Après tout, cette demande doit vous être bien facile à m'accorder à présent. De retour à Paris, vous y trouverez assez d'occasions d'oublier un sentiment qui peut-être n'a dû sa naissance qu'à l'habitude où vous êtes de vous

---

1. *pénitence* : punition.
2. *blesser tous mes devoirs* : porter atteinte à tous mes devoirs, ne pas les respecter.
3. *altère* : trouble.

occuper de semblables objets, et sa force qu'au désœu-
20 vrement[1] de la campagne. N'êtes-vous donc pas dans ce
même lieu, où vous m'aviez vue avec tant d'indifférence ? Y
pouvez-vous faire un pas sans y rencontrer un exemple de
votre facilité à changer et n'y êtes-vous pas entouré de
femmes, qui toutes, plus aimables que moi, ont plus de
25 droit à vos hommages ? [...] Vous demander de ne plus vous
occuper de moi, ce n'est donc que vous prier de faire
aujourd'hui ce que déjà vous aviez fait, et ce qu'à coup sûr
vous feriez encore dans peu de temps, quand même je vous
demanderais le contraire.

30   Cette vérité, que je ne perds pas de vue, serait, à elle
seule, une raison assez forte pour ne pas vouloir m'
entendre•. J'en ai mille autres encore : mais sans entrer
dans cette longue discussion, je m'en tiens à vous prier,
comme je l'ai déjà fait, de ne plus m'entretenir d'un senti-
35 ment que je ne dois pas écouter, et auquel je dois encore
moins répondre.

*De..., ce 1ᵉʳ septembre 17**.*

Bernard Giraudeau (Valmont) écrivant sur le dos de Brigitte Coscas (Émilie),
dans la représentation donnée au Théâtre Édouard VII (Paris) : cf. lettre XLVIII.

---

1. *qu'au désœuvrement :* qu'à l'inaction, qu'à l'oisiveté.

Bilan

L'action

• Ce que nous savons

L'«*exposition*» n'occupe que les dix premières lettres. En quelques pages, les principaux caractères sont présentés et les intrigues nouées. La première partie (lettres I à L) suit les progrès parallèles de la séduction de Cécile par Danceny, de Mme de Tourvel par Valmont. À l'arrière-plan, la complicité persifleuse de Valmont et Mme de Merteuil s'établit sur un ton d'inamicale amitié. L'intrigue se fonde sur les relations de connivence et d'agressivité des deux roués, qui, manipulant les naïfs, sont placés en position dominante. Ce premier mouvement s'achève sur un même sursaut défensif des deux victimes.

Si nous savons tout sur le présent, en revanche la «pré-histoire» des Liaisons• – une ancienne relation entre Valmont et la marquise• – nous échappe, comme le passé des personnages en général.

• À quoi nous attendre ?

Cécile renouera sans doute bien vite avec Danceny. Il est moins sûr que Mme de Tourvel finisse par accepter les lettres du vicomte•.

En revanche, l'attente principale est née à la lettre XX, avec ces mots de Mme de Merteuil à Valmont : «Aussitôt que vous aurez eu votre belle Dévote•, que vous pourrez m'en fournir une preuve, venez, et je suis à vous.» Le couple des roués, dont la relation instable fonde l'intrigue, parviendra-t-il à renouer ?

Les personnages

• Ce que nous savons

Aucun des personnages n'a de prénom, hormis Cécile ; aucun n'a de famille, de passé, d'État civil ; aucun n'a de profession, sauf les utilités, comme Gercourt ou le Président• de Tourvel ; aucun ne semble avoir de père. Véritables «emplois», ces êtres relèvent plus du théâtre que du roman de mœurs.

• *Le vicomte de Valmont :* l'intrigue est centrée sur le couple des libertins•, et le vicomte de Valmont, un jeune premier, y joue le rôle prééminent du séducteur libertin. Il est au centre de trois projets de séduction, engagés ou futurs, auprès de Mme de

Tourvel, de Mme de Merteuil, et donc de Cécile, puisque la marquise• met ses faveurs au prix de sa corruption.

• **La marquise de Merteuil :** emploi magnifique de «grande coquette» au théâtre, si elle n'a que le second rôle dans l'intrigue, cette femme de tête domine l'échange par sa supériorité intellectuelle.

• **La Présidente• de Tourvel** est un personnage classique de jolie prude•. Sa jeunesse et sa beauté laissent entendre que cette épouse sensible sera tentée malgré sa vertu dévote•. Femme naturelle, elle contraste avec la libertine•, femme d'artifice.

• **À quoi nous attendre ?**

1. Le vicomte• de Valmont triomphera-t-il dans ses trois entreprises de séduction, auprès de Mme de Tourvel, de Cécile et de Mme de Merteuil ?

2. La marquise de Merteuil réussira-t-elle à se venger de Gercourt en faisant corrompre sa future femme par Valmont avant même les noces ?

3. La Présidente de Tourvel, cette «Ève touchante» (Baudelaire), succombera-t-elle ?

L'écriture

Laclos a disposé les situations de façon à justifier par l'intrigue la forme épistolaire : séparés par la distance ou l'obstacle des convenances, ses acteurs ne peuvent communiquer et agir les uns sur les autres que par correspondance.

Brèves et vives, les lettres gardent les formes et la fraîcheur d'une correspondance authentique ; elles contribuent ainsi à accréditer la fiction.

Le roman s'ouvre par une lettre naïve de Cécile à son entrée dans le monde. Aussitôt après, nous lisons que la mondaine Mme de Merteuil propose à Valmont une rouerie dont cette même Cécile sera la victime. Dès le début, l'œuvre oppose le plan des victimes à celui des bourreaux et fait alterner ses deux tons fondamentaux : celui de l'innocence, celui de la rouerie. Entrelaçant les voix, le roman épistolaire s'orchestre dès l'ouverture comme une polyphonie*. Le style propre à chaque personnage individualise son caractère dans l'imagination lisante du lecteur.

SECONDE PARTIE

LETTRE LI

LA MARQUISE• DE MERTEUIL
AU VICOMTE• DE VALMONT

De..., ce 2 septembre 17**.

LETTRE LII

LE VICOMTE DE VALMONT
À LA PRÉSIDENTE• DE TOURVEL

De..., ce 3 septembre 17**.

LETTRE LIII

LE VICOMTE DE VALMONT
À LA MARQUISE DE MERTEUIL

De..., ce 3 septembre 17**, au soir.

LETTRE LIV

LA MARQUISE DE MERTEUIL
AU VICOMTE DE VALMONT

De..., ce 4 septembre 17**.

LETTRE LV

CÉCILE VOLANGES À SOPHIE CARNAY

De..., ce 4 septembre 17**.

LETTRE LVI

LA PRÉSIDENTE[•] DE TOURVEL
AU VICOMTE[•] DE VALMONT

À quoi vous servirait, Monsieur, la réponse que vous me
demandez ? Croire à vos sentiments, ne serait-ce pas une
raison de plus pour les craindre ? et sans attaquer ni
défendre leur sincérité, ne me suffit-il pas, ne doit-il pas
5 vous suffire à vous-même, de savoir que je ne veux ni ne
dois y répondre ?
    Supposé que vous m'aimiez véritablement (et c'est seule-
ment pour ne plus revenir sur cet objet que je consens à
cette supposition), les obstacles qui nous séparent en
10 seraient-ils moins insurmontables ? et aurais-je autre chose
à faire qu'à souhaiter que vous pussiez bientôt vaincre cet
amour, et surtout à vous y aider de tout mon pouvoir, en me
hâtant de vous ôter toute espérance ? Vous convenez vous-
même que *ce sentiment est pénible quand l'objet qui l'inspire*
15 *ne le partage point.* Or, vous savez assez qu'il m'est impossible de le partager, et quand même ce malheur m'arrive-
rait, j'en serais plus à plaindre, sans que vous en fussiez
plus heureux. J'espère que vous m'estimez assez pour n'en
pas douter un instant. Cessez donc, je vous en conjure,
20 cessez de vouloir troubler un cœur à qui la tranquillité est si
nécessaire ; ne me forcez pas à regretter de vous avoir
connu.
    Chérie et estimée d'un mari que j'aime et respecte, mes
devoirs et mes plaisirs se rassemblent dans le même objet.
25 Je suis heureuse, je dois l'être. S'il existe des plaisirs plus
vifs, je ne les désire pas ; je ne veux point les connaître. En
est-il de plus doux que d'être en paix avec soi-même, de

n'avoir que des jours sereins, de s'endormir sans trouble, et
de s'éveiller sans remords ? Ce que vous appelez le bonheur
30 n'est qu'un tumulte des sens, un orage des passions dont le
spectacle est effrayant, même à le regarder du rivage. Eh !
comment affronter ces tempêtes ? comment oser s'embarquer sur une mer couverte des débris de mille et mille nau-
frages ? Et avec qui ? Non, Monsieur, je reste à terre ; je
35 chéris les liens qui m'y attachent. Je pourrais les rompre,
que je ne le voudrais pas ; si je ne les avais, je me hâterais
de les prendre.

Pourquoi vous attacher à mes pas ? pourquoi vous obsti-
ner à me suivre ? Vos Lettres, qui devaient être rares, se
40 succèdent avec rapidité. Elles devaient être sages, et vous
ne m'y parlez que de votre fol amour. Vous m'entourez de
votre idée, plus que vous ne le faisiez de votre personne.
Écarté sous une forme, vous vous reproduisez sous une
autre. Les choses qu'on vous demande de ne plus dire, vous
45 les redites seulement d'une autre manière. Vous vous plaisez à m'embarrasser par des raisonnements captieux[1] ; vous
échappez aux miens. Je ne veux plus vous répondre, je ne
vous répondrai plus... Comme vous traitez les femmes que
vous avez séduites ! avec quel mépris vous en parlez ! Je
50 veux croire que quelques-unes le méritent : mais toutes
sont-elles donc si méprisables ? Ah ! sans doute•, puisqu'elles ont trahi leurs devoirs pour se livrer à un amour
criminel. De ce moment[2], elles ont tout perdu, jusqu'à l'estime de celui à qui elles ont tout sacrifié. Ce supplice est
55 juste, mais l'idée seule en fait frémir. Que m'importe, après
tout ? pourquoi m'occuperais-je d'elles ou de vous ? de quel
droit venez-vous troubler ma tranquillité ? Laissez-moi, ne
me voyez plus ; ne m'écrivez plus, je vous en prie ; je
l'exige. Cette Lettre est la dernière que vous recevrez de
60 moi.

De..., ce 5 septembre 17**.

---

1. *captieux* : trompeurs, qui ne sont vrais qu'en apparence.
2. *De ce moment* : À partir de ce moment.

LETTRE LVII

LE VICOMTE° DE VALMONT
À LA MARQUISE° DE MERTEUIL

J'ai trouvé votre Lettre hier à mon arrivée. Votre colère
m'a tout à fait réjoui. Vous ne sentiriez pas plus vivement
les torts de Danceny, quand il les aurait eus vis-à-vis de
vous. C'est sans doute par vengeance, que vous accoutu-
5 mez sa Maîtresse à lui faire de petites infidélités; vous
êtes un bien mauvais sujet! Oui, vous êtes charmante, et
je ne m'étonne pas qu'on vous résiste moins qu'à Danceny.
    Enfin je le sais par cœur, ce beau héros de Roman! il
10 n'a plus de secret pour moi. Je lui ai tant dit que l'amour
honnête était le bien suprême, qu'un sentiment valait
mieux que dix intrigues°, que j'étais moi-même, dans ce
moment, amoureux et timide; il m'a trouvé enfin une
façon de penser si conforme à la sienne, que dans l'en-
15 chantement où il était de ma candeur°, il m'a tout dit, et
m'a juré une amitié sans réserve. Nous n'en sommes
guère plus avancés pour notre projet°.
    [...] ce qui empêche qu'il n'y ait de prise sur lui, c'est
qu'il se trouve heureux comme il est. En effet, si les pre-
20 miers amours paraissent, en général, plus honnêtes, et
comme on dit plus purs; s'ils sont au moins plus lents
dans leur marche, ce n'est pas, comme on le pense, délicatesse ou timidité, c'est que le cœur, étonné par un sentiment inconnu, s'arrête pour ainsi dire à chaque pas,
25 pour jouir du charme qu'il éprouve, et que ce charme est
si puissant sur un cœur neuf, qu'il l'occupe au point de
lui faire oublier tout autre plaisir. Cela est si vrai, qu'un
libertin° amoureux, si un libertin peut l'être, devient de
ce moment même moins pressé de jouir; et qu'enfin,
30 entre la conduite de Danceny avec la petite Volanges, et
la mienne avec la prude° Madame de Tourvel, il n'y a
que la différence du plus au moins.
    Il aurait fallu, pour échauffer notre jeune homme, plus
d'obstacles qu'il n'en a rencontré; surtout qu'il eût
35 eu besoin de plus de mystère, car le mystère mène à

97

l'audace. Je ne suis pas éloigné[1] de croire que vous nous avez nui en le servant si bien ; votre conduite eût été excellente avec un homme *usagé*•, qui n'eût eu que des désirs : mais vous auriez pu prévoir que pour un homme
40 jeune, honnête et amoureux, le plus grand prix des faveurs est d'être la preuve de l'amour ; et que par conséquent, plus il serait sûr d'être aimé, moins il serait entreprenant. Que faire à présent ? Je n'en sais rien ; mais je n'espère pas que la petite soit prise[2] avant le mariage,
45 et nous en serons pour nos frais ; j'en suis fâché, mais je n'y vois pas de remède.

Pendant que je disserte ici, vous faites mieux avec votre Chevalier•. Cela me fait songer que vous m'avez promis une infidélité en ma faveur, j'en ai votre promesse par écrit
50 et je ne veux pas en faire *un billet de la Châtre*[3]. Je conviens que l'échéance n'est pas encore arrivée : mais il serait généreux à vous de ne pas l'attendre ; et de mon côté, je vous tiendrais compte des intérêts. Qu'en dites-vous, ma belle amie ? est-ce que vous n'êtes pas fatiguée de votre
55 constance ? Ce Chevalier est donc bien merveilleux ? Oh ! laissez-moi faire ; je veux vous forcer de convenir que si vous lui avez trouvé quelque mérite, c'est que vous m'aviez oublié.

Adieu, ma belle amie ; je vous embrasse comme je vous
60 désire ; je défie tous les baisers du Chevalier d'avoir autant d'ardeur.

*De..., ce 5 septembre 17**.*

---

1. *éloigné* : loin.
2. *soit prise* : soit déflorée, perde sa virginité.
3. *un billet de la Châtre* : une promesse non tenue. L'expression vient de l'anec-dote suivante : la célèbre Ninon de Lenclos (1616-1706) avait concédé à l'un de ses amants, le marquis de La Châtre, une promesse écrite de fidélité, avant que celui-ci ne partît en campagne ; chaque fois qu'elle manquait à cette promesse (c'est-à-dire souvent...), elle s'écriait : *«Oh ! le bon billet qu'a là La Châtre !»*

Compréhension

• Lettre LVII

1. «[...] entre la conduite de Danceny avec la petite Volanges, et la mienne avec la prude• Madame de Tourvel, il n'y a que la différence du plus au moins» : *que penser alors des sentiments de Danceny ? Pourquoi l'auteur établit-il ainsi, par Valmont interposé, un parallélisme entre les serments de Danceny et ceux de Valmont ? Rapprochez cette lettre des lettres XLVIII et CXXV.*

Écriture

• Lettre LVI

2. *Dans un roman épistolaire, faute de narrateur, le caractère des personnages ne peut faire l'objet d'une analyse en troisième personne. C'est donc le style de chaque correspondant, et ses variations selon le destinataire ou le moment, qui expriment sa psychologie. Relevez, d'une part, l'évolution du style de Mme de Tourvel dans ses lettres à Valmont (notamment lettres XXVI, XLIII et XC), et opposez-le, d'autre part, au langage dont elle use avec Mme de Volanges (lettres VIII, XI, XXII, XXXVII, XLV). Ces variations et contrastes stylistiques permettent-ils au lecteur de cerner le portrait moral de la Présidente• ?*

LETTRE LVIII

LE VICOMTE[•] DE VALMONT
À LA PRÉSIDENTE[•] DE TOURVEL

De..., ce 7 septembre 17**.

LETTRE LIX

LE VICOMTE DE VALMONT
À LA MARQUISE[•] DE MERTEUIL

De..., ce 8 septembre 17**.

LETTRE LX

LE CHEVALIER[•] DANCENY AU VICOMTE DE VALMONT
(Incluse dans la précédente.)

De..., ce 8 septembre 17**.

LETTRE LXI

CÉCILE VOLANGES À SOPHIE CARNAY

De..., ce 7 septembre 17**.

Nota. On a supprimé la Lettre de Cécile Volanges à la Marquise, parce qu'elle ne contenait que les mêmes faits de la Lettre précédente, et avec moins de détails. Celle au Chevalier Danceny ne s'est point retrouvée : on en verra la raison dans la lettre LXIII, de Madame de Merteuil au Vicomte.

LETTRE LXII

MADAME DE VOLANGES AU CHEVALIER DANCENY

Après avoir abusé, Monsieur, de la confiance d'une mère
et de l'innocence d'un enfant, vous ne serez pas surpris,
sans doute•, de ne plus être reçu dans une maison où vous
n'avez répondu aux preuves de l'amitié la plus sincère, que
5   par l'oubli de tous les procédés[1]. Je préfère de• vous prier
de ne plus venir chez moi, à donner des ordres à ma porte,
qui nous compromettraient tous également, par les
remarques que les Valets ne manqueraient pas de faire. J'ai
droit d'espérer que vous ne me forcerez pas de recourir à ce
10 moyen. Je vous préviens aussi que si vous faites à l'avenir la
moindre tentative pour entretenir ma fille dans l'égarement
où vous l'avez plongée, une retraite austère et éternelle la
soustraira à vos poursuites. C'est à vous de voir, Monsieur,
si vous craindrez aussi peu de causer son infortune, que
15 vous avez peu craint de tenter son déshonneur. Quant à
moi, mon choix est fait, et je l'en ai instruite•.

Vous trouverez ci-joint le paquet de vos Lettres. Je
compte que vous me renverrez en échange toutes celles de
ma fille ; et que vous vous prêterez à ne laisser aucune trace
20 d'un événement dont nous ne pourrions garder le souvenir,
moi sans indignation, elle, sans honte, et vous sans
remords. J'ai l'honneur d'être, etc.

De..., ce 7 septembre 17**.

LETTRE LXIII

LA MARQUISE• DE MERTEUIL
AU VICOMTE• DE VALMONT

Vraiment oui, je vous expliquerai le billet de Danceny.
L'événement qui le lui a fait écrire est mon ouvrage•, et
c'est, je crois, mon chef-d'œuvre. [...]

---

1. *procédés* : usages.

101

Il lui faut donc des obstacles à ce beau Héros de Roman,
et il s'endort dans la félicité[1] ! oh ! qu'il s'en rapporte à moi,
je lui donnerai de la besogne[2] [...]. Il fallait, dites-vous aussi,
qu'il eût besoin de plus de mystère ; eh bien ! ce besoin-là
ne lui manquera plus. J'ai cela de bon, moi, c'est qu'il ne
faut que me faire apercevoir[3] de mes fautes ; je ne prends
point de repos que[4] je n'aie tout réparé. Apprenez donc ce
que j'ai fait.

En rentrant chez moi avant-hier matin, je lus votre
Lettre ; je la trouvai lumineuse. Persuadée que vous aviez
très bien indiqué la cause du mal, je ne m'occupai plus qu'à
trouver le moyen de le guérir. [...]

J'allai le soir même chez Madame de Volanges, et, suivant mon projet•, je lui fis confidence que je me croyais
sûre qu'il existait entre sa fille et Danceny une liaison• dangereuse. Cette femme, si clairvoyante contre vous, était
aveuglée au point qu'elle me répondit d'abord qu'à coup
sûr je me trompais ; que sa fille était un enfant, etc. Je ne
pouvais pas lui dire tout ce que j'en savais ; mais je citai des
regards, des propos, *dont ma vertu et mon amitié s'alar-
maient.* Je parlai enfin presque aussi bien qu'aurait pu faire
une Dévote• et, pour frapper le coup décisif, j'allai jusqu'à
dire que je croyais avoir vu donner et recevoir une Lettre.
Cela me rappelle, ajoutai-je, qu'un jour elle ouvrit devant
moi un tiroir de son secrétaire, dans lequel je vis beaucoup
de papiers, que sans doute elle conserve. Lui connaissez-
vous quelque correspondance fréquente ? Ici la figure de
Madame de Volanges changea, et je vis quelques larmes
rouler dans ses yeux. Je vous remercie, ma digne amie, me
dit-elle, en me serrant la main, je m'en éclaircirai[5].

Après cette conversation, trop courte pour être suspecte, je
me rapprochai de la jeune personne. Je la quittai bientôt
après[6], pour demander à la mère de ne pas me compromettre

---

1. *la félicité* : le bonheur suprême.
2. *de la besogne* : de la peine, du souci, de la difficulté.
3. *me faire apercevoir* : me faire prendre conscience.
4. *que* : avant que.
5. *je m'en éclaircirai* : je m'en assurerai, j'aurai une explication à ce sujet.
6. *bientôt après* : très vite après.

vis-à-vis de sa fille, ce qu'elle me promit d'autant plus
volontiers, que je lui fis observer combien il serait heureux
que cet enfant prît assez de confiance en moi pour m'ouvrir
40 son cœur et me mettre à portée de lui donner *mes sages
conseils*. Ce qui m'assure qu'elle tiendra sa promesse, c'est
que je ne doute pas qu'elle ne veuille se faire honneur de sa
pénétration[1] auprès de sa fille. Je me trouvais, par là, auto-
risée à garder mon ton d'amitié avec la petite, sans paraître
45 fausse aux yeux de Madame de Volanges ; ce que je voulais
éviter. J'y gagnais encore d'être, par la suite, aussi longtemps et aussi secrètement que je voudrais, avec la jeune
personne, sans que la mère en prît jamais d'ombrage.

    J'en profitai dès le soir même ; et après ma partie finie, je
50 chambrai[2] la petite dans un coin, et la mis sur le chapitre[3] de
Danceny, sur lequel elle ne tarit jamais. Je m'amusais à lui
monter la tête sur le plaisir qu'elle aurait à le voir le lendemain ; il n'est sorte de folies que je ne lui aie fait dire. Il fallait
bien lui rendre en espérance ce que je lui ôtais en réalité ; et
55 puis, tout cela devait lui rendre le coup plus sensible, et je
suis persuadée que plus elle aura souffert, plus elle sera
pressée de s'en dédommager à la première occasion. Il est
bon, d'ailleurs, d'accoutumer aux grands mouvements quelqu'un qu'on destine aux grandes aventures.

60   Après tout, ne peut-elle pas payer de quelques larmes le
plaisir d'avoir son Danceny ? elle en raffole ! eh bien, je lui
promets qu'elle l'aura, et plus tôt même qu'elle ne l'aurait
eu sans cet orage. C'est un mauvais rêve dont le réveil sera
délicieux ; et, à tout prendre, il me semble qu'elle me doit
65 de la reconnaissance : au fait, quand j'y aurais mis un peu
de malice, il faut bien s'amuser :

        Les sots sont ici-bas pour nos menus plaisirs*.

    Je me retirai enfin, fort contente de moi. Ou Danceny,
me disais-je, animé par les obstacles, va redoubler d'amour,

* Gresset. *Le Méchant*, Comédie[4].

---

1. *pénétration* : compréhension intuitive.
2. *je chambrai* : je pris à part.
3. *chapitre* : sujet.
4. La citation, devenue proverbiale et qui résume la philosophie cynique des roués,
est extraite de l'acte II, scène 1, de cette pièce de 1747.

70 et alors je le servirai de tout mon pouvoir ; ou si ce n'est qu'un sot comme je suis tentée quelquefois de le croire, il sera désespéré, et se tiendra pour battu : or, dans ce cas, au moins me serai-je vengée de lui, autant qu'il était en moi ; chemin faisant j'aurai augmenté pour moi l'estime de la
75 mère, l'amitié de la fille, et la confiance de toutes deux. Quant à Gercourt, premier objet de mes soins, je serais bien malheureuse ou bien maladroite, si, maîtresse de l'esprit de sa femme, comme je le suis et vas• l'être plus encore, je ne trouvais pas mille moyens d'en faire ce que je veux qu'il
80 soit. Je me couchai dans ces douces idées : aussi je dormis, et me réveillai fort tard.

À mon réveil, je trouvai deux billets, un de la mère, et un de la fille ; et je ne pus m'empêcher de rire, en trouvant dans tous deux littéralement cette même phrase : *C'est de*
85 *vous seule que j'attends quelque consolation.* N'est-il pas plaisant, en effet, de consoler pour et contre, et d'être le seul agent de deux intérêts directement contraires ? Me voilà comme la Divinité ; recevant les vœux opposés des aveugles mortels, et ne changeant rien à mes décrets[1] immuables.
90 J'ai quitté pourtant ce rôle auguste[2], pour prendre celui d'Ange consolateur ; et j'ai été, suivant le précepte[3], visiter mes amis dans leur affliction•.

J'ai commencé par la mère ; je l'ai trouvée d'une tristesse, qui déjà vous venge en partie des contrariétés qu'elle
95 vous a fait éprouver de la part de votre belle Prude•. Tout a réussi à merveille : ma seule inquiétude était que Madame de Volanges ne profitât de ce moment pour gagner la confiance de sa fille ; ce qui eût été bien facile, en n'employant, avec elle, que le langage de la douceur et de l'ami-
100 tié ; et en donnant aux conseils de la raison, l'air et le ton de la tendresse indulgente. Par bonheur, elle s'est armée de sévérité ; elle s'est enfin si mal conduite, que je n'ai eu qu'à applaudir. Il est vrai qu'elle a pensé rompre tous nos projets•, par le parti qu'elle avait pris de faire rentrer sa fille au

---

1. *décrets* : décisions à valeur de lois.
2. *auguste* : solennel, imposant.
3. *précepte* : commandement, règle de conduite.

105 Couvent : mais j'ai paré ce coup ; et je l'ai engagée à en
faire seulement la menace, dans le cas où Danceny conti-
nuerait ses poursuites : afin de les forcer tous deux à une
circonspection[1] que je crois nécessaire pour le succès.

Ensuite j'ai été chez la fille. Vous ne sauriez croire
110 combien la douleur l'embellit ! Pour peu qu'elle prenne de
coquetterie[2], je vous garantis qu'elle pleurera souvent :
pour cette fois, elle pleurait sans malice... Frappée de ce
nouvel agrément que je ne lui connaissais pas, et que j'étais
bien aise d'observer, je ne lui donnai d'abord que de ces
115 consolations gauches, qui augmentent plus les peines
qu'elles ne les soulagent ; et, par ce moyen, je l'amenai au
point d'être véritablement suffoquée[3]. Elle ne pleurait plus,
et je craignis un moment les convulsions. Je lui conseillai
de se coucher, ce qu'elle accepta ; je lui servis de Femme de
120 chambre : elle n'avait point fait de toilette, et bientôt ses
cheveux épars tombèrent sur ses épaules et sur sa gorge
entièrement découvertes ; je l'embrassai ; elle se laissa aller
dans mes bras, et ses larmes recommencèrent à couler sans
effort. Dieu ! qu'elle était belle ! Ah ! si Magdeleine[4] était
125 ainsi, elle dut être bien plus dangereuse pénitente[5] que
pécheresse[6].

Quand la belle désolée fut au lit, je me mis à la consoler
de bonne foi. Je la rassurai d'abord sur la crainte du
Couvent. Je fis naître en elle l'espoir de voir Danceny en
130 secret ; et m'asseyant sur le lit : « S'il était là », lui dis-je ;
puis brodant sur ce thème, je la conduisis, de distraction en
distraction, à ne plus se souvenir du tout qu'elle était affligée. Nous nous serions séparées parfaitement contentes
l'une et l'autre, si elle n'avait voulu me charger d'une Lettre
135 pour Danceny ; ce que j'ai constamment refusé. En voici les
raisons, que vous approuverez sans doute.

---

1. *circonspection* : précaution, prudence.
2. *prenne de coquetterie* : devienne coquette.
3. *suffoquée* : étouffée.
4. *Magdeleine* : pécheresse convertie par le Christ (cf. Évangile selon saint Luc, VII,
38).
5. *pénitente* : qui se repent de ses péchés.
6. *pécheresse* : qui commet des péchés.

D'abord, celle que c'était me compromettre vis-à-vis de Danceny ; et si c'était la seule dont je pus me servir avec la petite, il y en avait beaucoup d'autres de vous à moi. Ne
140 serait-ce pas risquer le fruit de mes travaux, que de donner sitôt à nos jeunes gens un moyen si facile d'adoucir leurs peines ? Et puis, je ne serais pas fâchée de les obliger à mêler quelques domestiques dans cette aventure ; car enfin si elle se conduit à bien[1], comme je l'espère, il faudra
145 qu'elle se sache[2] immédiatement après le mariage ; et il y a peu de moyens plus sûrs pour la répandre ; ou, si par miracle ils ne parlaient pas, nous parlerions, nous, et il sera plus commode de mettre l'indiscrétion sur leur compte.

Il faudra donc que vous donniez aujourd'hui cette idée à
150 Danceny ; et comme je ne suis pas sûre de la Femme de chambre de la petite Volanges, dont elle-même paraît se défier, indiquez-lui la mienne, ma fidèle Victoire. J'aurai soin que la démarche réussisse. Cette idée me plaît d'autant plus, que la confidence ne sera utile qu'à nous, et point à
155 eux : car je ne suis pas à la fin de mon récit.

Pendant que je me défendais de me charger de la Lettre de la petite, je craignais à tout moment qu'elle ne me proposât de la mettre à la Petite-Poste[3] ; ce que je n'aurais guère pu refuser. Heureusement, soit trouble, soit ignorance
160 de sa part, ou encore qu'elle tînt moins à la Lettre qu'à la Réponse, qu'elle n'aurait pas pu avoir par ce moyen, elle ne m'en a point parlé : mais pour éviter que cette idée ne lui vînt, ou au moins qu'elle ne pût s'en servir, j'ai pris mon parti sur-le-champ ; et en rentrant chez la mère, je l'ai déci-
165 dée à éloigner sa fille pour quelque temps, à la mener à la Campagne... Et où ? Le cœur ne vous bat pas de joie ?... Chez votre tante, chez la vieille Rosemonde. Elle doit l'en prévenir aujourd'hui ; ainsi vous voilà autorisé à aller retrouver votre Dévote• qui n'aura plus à vous objecter[4] le
170 scandale du tête-à-tête, et grâce à mes soins, Madame de Volanges réparera elle-même le tort qu'elle vous a fait.

---

1. *se conduit à bien* : aboutit, réussit.
2. *se sache* : soit connue.
3. *Petite-Poste* : système de distribution rapide du courrier.
4. *objecter* : opposer.

Mais écoutez-moi, et ne vous occupez pas si vivement de vos affaires, que vous perdiez celle-ci de vue ; songez qu'elle m'intéresse. Je veux que vous vous rendiez[1] le correspon-
175 dant et le conseil des deux jeunes gens. Apprenez donc ce voyage à Danceny, et offrez-lui vos services. Ne trouvez de difficultés qu'à faire parvenir entre les mains de la Belle votre Lettre de créance[2] ; et levez cet obstacle sur-le-champ, en lui indiquant la voie de ma Femme de chambre.
180 Il n'y a point de doute qu'il n'accepte ; et vous aurez pour prix de vos peines la confidence d'un cœur neuf, qui est toujours intéressante. La pauvre petite ! comme elle rougira en vous remettant sa première Lettre ! Au vrai, ce rôle de confident, contre lequel il s'est établi des préjugés, me
185 paraît un très joli délassement, quand on est occupé d'ailleurs ; et c'est le cas où vous serez.

C'est de vos soins que va dépendre le dénouement de cette intrigue•. Jugez du moment où il faudra réunir les Acteurs. La Campagne offre mille moyens ; et Danceny, à
190 coup sûr, sera prêt à s'y rendre à votre premier signal. Une nuit, un déguisement, une fenêtre… que sais-je, moi ? [...]
[...]

Adieu, Vicomte• ; voilà bien longtemps que je suis à vous écrire, et mon dîner• en a été retardé : mais l'amour-propre
195 et l'amitié dictaient ma Lettre, et tous deux sont bavards. Au reste, elle sera chez vous à trois heures, et c'est tout ce qu'il vous faut.

Plaignez-vous de moi à présent, si vous l'osez ; et allez revoir, si vous en êtes tenté, le bois du Comte• de B***.
200 Vous dites qu'il le garde pour le plaisir de ses amis ! Cet homme est donc l'ami de tout le monde ? Mais adieu, j'ai faim.

De…, ce 9 septembre 17**.

---

1. *vous vous rendiez* : vous réussissiez à devenir.
2. *Lettre de créance* : dans le langage diplomatique, lettre que remet un diplomate, lors de son entrée en fonctions, au chef de l'État auprès duquel il est accrédité.

LETTRE LXIV

LE CHEVALIER[•] DANCENY À MADAME DE VOLANGES
*(Minute[1] jointe à la Lettre LXVI
du Vicomte[•] à la Marquise[•].)*

Sans chercher, Madame, à justifier ma conduite, et sans me plaindre de la vôtre, je ne puis que m'affliger d'un événement qui fait le malheur de trois personnes, toutes trois dignes d'un sort plus heureux. [...]

5   [...]

Il me reste un autre objet à traiter avec vous, celui des Lettres que vous me demandez. Je suis vraiment peiné d'ajouter un refus aux torts que vous me trouvez déjà : mais, je vous en supplie, écoutez mes raisons [...].

10   Les Lettres de Mademoiselle de Volanges, toujours si précieuses pour moi, me le deviennent bien plus dans ce moment. Elles sont l'unique bien qui me reste ; elles seules me retracent encore un sentiment qui fait tout le charme de ma vie. Cependant, vous pouvez m'en croire, je ne balance-

15   rais[•] pas un instant à vous en faire le sacrifice, et le regret d'en être privé céderait au désir de vous prouver ma déférence[2] respectueuse ; mais des considérations puissantes me retiennent, et je m'assure que vous-même ne pourrez les blâmer.

20   Vous avez, il est vrai, le secret de Mademoiselle de Volanges ; mais permettez-moi de le dire, je suis autorisé à croire que c'est l'effet de la surprise, et non de la confiance. Je ne prétends pas blâmer une démarche qu'autorise, peut-être, la sollicitude[3] maternelle. Je respecte vos droits, mais

25   ils ne vont pas jusqu'à me dispenser de mes devoirs. Le plus sacré de tous est de ne jamais trahir la confiance qu'on nous accorde. Ce serait y manquer, que d'exposer aux yeux d'un autre les secrets d'un cœur qui n'a voulu les dévoiler qu'aux miens. Si Mademoiselle votre fille consent à vous les

---

1. Minute : Lettre dans sa version originale.
2. *déférence* : politesse.
3. *la sollicitude* : l'inquiétude.

30 confier, qu'elle parle ; ses Lettres vous sont inutiles. Si elle
veut, au contraire, renfermer son secret en elle-même, vous
n'attendez pas, sans doute•, que ce soit moi qui vous en
instruise•.

    Quant au mystère dans lequel vous désirez que cet évé-
35 nement reste enseveli, soyez tranquille, Madame ; sur tout
ce qui intéresse Mademoiselle de Volanges, je peux défier le
cœur même d'une mère. Pour achever de vous ôter toute
inquiétude, j'ai tout prévu. Ce dépôt précieux, qui portait
jusqu'ici pour suscription : *papiers à brûler* porte à présent :
40 *papiers appartenant à Madame de Volanges.* Ce parti que je
prends doit vous prouver ainsi que mes refus ne portent pas
sur la crainte que vous trouviez dans ces lettres un seul
sentiment dont vous ayez personnellement à vous plaindre.

    Voilà, Madame, une bien longue Lettre. Elle ne le serait
45 pas encore assez, si elle vous laissait le moindre doute de
l'honnêteté de mes sentiments, du regret bien sincère de
vous avoir déplu, et du profond respect avec lequel j'ai
l'honneur d'être, etc.

*De..., ce 9 septembre 17**.*

LETTRE LXV

LE CHEVALIER• DANCENY À CÉCILE VOLANGES
*(Envoyée ouverte à la Marquise• de Merteuil
dans la Lettre LXVI du Vicomte•.)*

Ô ma Cécile, qu'allons-nous devenir ? quel Dieu nous
sauvera des malheurs qui nous menacent ? Que l'Amour
nous donne au moins le courage de les supporter ! Comment vous peindre mon étonnement, mon désespoir à la
5 vue de mes Lettres, à la lecture du billet de Madame de
Volanges ? qui a pu nous trahir ? sur qui tombent vos soup-
çons ? auriez-vous commis quelque imprudence ? que faites-
vous à présent ? que vous a-t-on dit ? Je voudrais tout savoir,
et j'ignore tout. Peut-être vous-même n'êtes-vous pas plus
10 instruite• que moi.

    Je vous envoie le billet de votre maman, et la copie de

ma Réponse. J'espère que vous approuverez ce que je lui dis. [...]

Concevez-vous, ma Cécile, quel plaisir de nous retrouver
15 ensemble, de pouvoir nous jurer de nouveau un amour éternel, et de voir dans nos yeux, de sentir dans nos âmes que
ce serment ne sera pas trompeur ? Quelles peines un
moment si doux ne ferait-il pas oublier ? Hé bien ! j'ai l'espoir de le voir naître, et je le dois à ces mêmes démarches
20 que je vous supplie d'approuver. Que dis-je ? je le dois aux
soins consolateurs de l'ami le plus tendre ; et mon unique
demande est que vous permettiez que cet ami soit aussi le
vôtre.

Peut-être ne devais-je pas donner votre confiance sans
25 votre aveu[1] ? mais j'ai pour excuse le malheur et la nécessité. C'est l'amour qui m'a conduit ; c'est lui qui réclame
votre indulgence, qui vous demande de pardonner une
confidence nécessaire, et sans laquelle nous restions peut-
être à jamais séparés*. Vous connaissez l'ami dont je vous
30 parle ; il est celui de la femme que vous aimez le mieux.
C'est le Vicomte• de Valmont.

Mon projet•, en m'adressant à lui, était d'abord de le
prier d'engager Madame de Merteuil à se charger d'une
Lettre pour vous. Il n'a pas cru que ce moyen pût réussir ;
35 mais au défaut de la Maîtresse, il répond de la Femme de
chambre, qui lui a des obligations[2]. Ce sera elle qui vous
remettra cette Lettre, et vous pourrez lui donner votre
Réponse.

Ce secours ne vous sera guère utile, si, comme le croit
40 M. de Valmont, vous partez incessamment[3] pour la campagne. Mais alors c'est lui-même qui veut nous servir. La
femme chez qui vous allez est sa parente. Il profitera de ce
prétexte pour s'y rendre dans le même temps que vous ; et
ce sera par lui que passera notre correspondance mutuelle.

---

* M. Danceny n'accuse pas vrai[4]. Il avait déjà fait sa confidence à M. de Valmont
avant cet événement. Voyez la Lettre LVII.

---

1. *aveu* : approbation, autorisation.
2. *obligations* : dettes de reconnaissance (pour services rendus).
3. *incessamment* : sous peu (de temps).
4. *n'accuse pas vrai* : accuse à tort.

45 Il assure même que, si vous voulez vous laisser conduire, il
nous procurera les moyens de nous y voir sans risquer de
vous compromettre en rien.

À présent, ma Cécile, si vous m'aimez, si vous plaignez
mon malheur, si, comme je l'espère, vous partagez mes
50 regrets, refuserez-vous votre confiance à un homme qui
sera notre ange tutélaire[1] ? [...]

Adieu, ma Cécile, adieu, ma tendre amie.

De..., ce 9 septembre 17**.

LETTRE LXVI

LE VICOMTE• DE VALMONT
À LA MARQUISE• DE MERTEUIL

Vous verrez, ma belle amie, en lisant les deux Lettres
ci-jointes, si j'ai bien rempli votre projet. Quoique toutes
deux soient datées d'aujourd'hui, elles ont été écrites hier,
chez moi, et sous mes yeux : celle à la petite fille dit tout
5 ce que nous voulions. On ne peut que s'humilier[2] devant
la profondeur de vos vues, si on en juge par le succès de
vos démarches, Danceny est tout de feu[3], et sûrement à la
première occasion, vous n'aurez plus de reproches à lui
faire. [...]

10 Il est encore bien jeune, ce Danceny ! croiriez-vous que je
n'ai jamais pu obtenir de lui qu'il promît à la mère de
renoncer à son amour ; comme s'il était bien gênant de
promettre, quand on est décidé à ne pas tenir ! Ce serait
tromper, me répétait-il sans cesse : ce scrupule• n'est-il pas
15 édifiant[4], surtout en voulant séduire la fille ? Voilà bien les
hommes ! tous également scélérats• dans leurs projets•, ce

---

1. *tutélaire* : protecteur.
2. *s'humilier* : s'abaisser, se faire humble.
3. *tout de feu* : rempli d'ardeur et de passion.
4. *édifiant* : exemplaire et instructif.

qu'ils mettent de faiblesse dans l'exécution, ils l'appellent
probité•.

C'est votre affaire d'empêcher que Madame de Volanges ne
20 s'effarouche des petites échappées que notre jeune homme
s'est permises dans sa Lettre ; préservez-nous du Couvent ;
tâchez aussi de faire abandonner la demande des Lettres de
la petite. [...]

Malgré la prudence que nous y mettrons, il peut arriver un
25 éclat ; il ferait manquer le mariage, n'est-il pas vrai, et
échouer tous nos projets Gercourt ? Mais comme, pour mon
compte, j'ai aussi à me venger de la mère, je me réserve en
ce cas de déshonorer la fille. En choisissant bien dans cette
correspondance, et n'en produisant qu'une partie, la petite
30 Volanges paraîtrait avoir fait toutes les premières démarches, et s'être absolument jetée à la tête. Quelques-unes
des Lettres pourraient même compromettre la mère, et *l'en-
tacheraient* au moins d'une négligence impardonnable. [...]
Adieu, ma belle amie [...].

35 J'imagine que je n'ai pas besoin de vous recommander le
secret, vis-à-vis de Madame de Volanges, sur mon projet de
Campagne ; elle aurait bientôt celui de rester à la Ville : au
lieu qu'une fois arrivée, elle ne repartira pas le lendemain ;
et si elle nous donne seulement huit jours, je réponds de
40 tout.

De..., ce 9 septembre 17**.

LETTRE LXVII

LA PRÉSIDENTE• DE TOURVEL
AU VICOMTE• DE VALMONT

Je ne voulais plus vous répondre, Monsieur, et peut-être
l'embarras que j'éprouve en ce moment est-il lui-même une
preuve qu'en effet je ne le devrais pas. Cependant je ne
veux vous laisser aucun sujet de plainte contre moi ; je veux
5 vous convaincre que j'ai fait pour vous tout ce que je pouvais faire.

Je vous ai permis de m'écrire, dites-vous ? j'en conviens ;

mais quand vous me rappelez cette permission, croyez-vous
que j'oublie à quelles conditions elle vous fut donnée ? Si j'y
10   eusse été aussi fidèle que vous l'avez été peu, auriez-vous
reçu une seule réponse de moi ? Voilà pourtant la troisième ; et quand vous faites tout ce qu'il faut pour m'obliger
à rompre cette correspondance, c'est moi qui m'occupe des
moyens de l'entretenir. Il en est un, mais c'est le seul ; et si
15   vous refusez de le prendre, ce sera, quoi que vous puissiez
dire, me prouver assez combien peu vous y mettez de prix.

Quittez donc un langage que je ne puis ni ne veux
entendre• ; renoncez à un sentiment qui m'offense et m'effraie, et auquel, peut-être, vous devriez être moins attaché
20   en songeant qu'il est l'obstacle qui nous sépare. Ce sentiment est-il donc le seul que vous puissiez connaître, et
l'amour aura-t-il ce tort de plus à mes yeux, d'exclure l'amitié ? vous-même, auriez-vous celui de ne pas vouloir pour
votre amie celle en qui vous avez désiré des sentiments plus
25   tendres ? Je ne veux pas le croire : cette idée humiliante me
révolterait, m'éloignerait de vous sans retour.

En vous offrant mon amitié, Monsieur, je vous donne
tout ce qui est à moi, tout ce dont je puis disposer. Que
pouvez-vous désirer davantage ? Pour me livrer à ce senti-
30   ment si doux, si bien fait pour mon cœur, je n'attends que
votre aveu ; et la parole que j'exige de vous, que cette amitié
suffira à votre bonheur. J'oublierai tout ce qu'on a pu me
dire ; je me reposerai sur vous du soin de justifier mon
choix.

35   Vous voyez ma franchise, elle doit vous prouver ma
confiance ; il ne tiendra qu'à vous de l'augmenter encore :
mais je vous préviens que le premier mot d'amour la détruit
à jamais, et me rend toutes mes craintes ; que surtout il
deviendra pour moi le signal d'un silence éternel vis-à-vis
40   de vous.

Si, comme vous le dites, vous êtes *revenu de vos erreurs*,
n'aimerez-vous pas mieux être l'objet de l'amitié d'une
femme honnête, que celui des remords d'une femme coupable ? Adieu, Monsieur ; vous sentez qu'après avoir parlé
45   ainsi je ne puis plus rien dire que vous ne m'ayez
répondu.

*De..., ce 9 septembre 17**.*

LETTRE LXVIII

LE VICOMTE[•] DE VALMONT
À LA PRÉSIDENTE[•] DE TOURVEL

Comment répondre, Madame, à votre dernière Lettre ? Comment oser être vrai, quand ma sincérité peut me perdre auprès de vous ? N'importe, il le faut ; j'en aurai le courage. Je me dis, je me répète, qu'il vaut mieux vous
5 mériter que vous obtenir ; et dussiez-vous me refuser toujours un bonheur que je désirerai sans cesse, il faut vous prouver au moins que mon cœur en est digne.

Quel dommage que, comme vous le dites, je sois *revenu de mes erreurs*! avec quels transports[•] de joie j'aurais lu
10 cette même Lettre à laquelle je tremble de répondre aujourd'hui ! Vous m'y parlez avec *franchise,* vous me témoignez de la *confiance,* vous m'offrez enfin votre *amitié :* que de biens, Madame, et quels regrets de ne pouvoir en profiter ! Pourquoi ne suis-je plus le même ?
15 Si je l'étais en effet ; si je n'avais pour vous qu'un goût ordinaire, que ce goût léger, enfant de la séduction et du plaisir, qu'aujourd'hui pourtant on nomme amour, je me hâterais de tirer avantage de tout ce que je pourrais obtenir. Peu délicat sur les moyens, pourvu qu'ils me procurassent
20 le succès, j'encouragerais votre franchise par le besoin de vous deviner ; je désirerais votre confiance, dans le dessein[•] de la trahir ; j'accepterais votre amitié dans l'espoir de l'égarer... Quoi ! Madame, ce tableau vous effraie ?... hé bien ! il serait pourtant tracé d'après moi, si je vous disais
25 que je consens à n'être que votre ami...

Qui, moi ! je consentirais à partager avec quelqu'un un sentiment émané de¹ votre âme ? Si jamais je vous le dis, ne me croyez plus. De ce moment je chercherai à vous tromper ; je pourrai vous désirer encore, mais à coup sûr je ne
30 vous aimerai plus.

Ce n'est pas que l'aimable franchise, la douce confiance, la sensible amitié, soient sans prix à mes yeux... Mais

---

1. *émané de* : provenant de, inspiré par.

114

l'amour! l'amour véritable, et tel que vous l'inspirez, en
réunissant tous ces sentiments, en lui donnant plus d'éner-
35 gie, ne saurait se prêter, comme eux, à cette tranquillité, à
cette froideur de l'âme, qui permet des comparaisons, qui
souffre• même des préférences. Non, Madame, je ne serai
point votre ami; je vous aimerai de l'amour le plus tendre,
et même le plus ardent, quoique le plus respectueux. Vous
40 pourrez le désespérer, mais non l'anéantir.
     [...]
     Disons mieux, c'est à vous que vous faites injustice. Vous
connaître sans vous aimer, vous aimer sans être constant,
sont tous deux également impossibles; et malgré la modes-
45 tie qui vous pare[1], il doit vous être plus facile de vous
plaindre, que de vous étonner de sentiments que vous faites
naître. Pour moi, dont le seul mérite est d'avoir su vous
apprécier, je ne veux pas le perdre; et loin de consentir à
vos offres insidieuses[2], je renouvelle à vos pieds le serment
50 de vous aimer toujours.

De..., ce 10 septembre 17**.

LETTRE LXIX

CÉCILE VOLANGES AU CHEVALIER• DANCENY
(Billet écrit au crayon, et recopié par Danceny.)

     Vous me demandez ce que je fais; je vous aime, et je
pleure. Ma mère ne me parle plus; elle m'a ôté papier,
plumes et encre; je me sers d'un crayon, qui par bonheur
m'est resté, et je vous écris sur un morceau de votre
5 Lettre. Il faut bien que j'approuve tout ce que vous avez
fait; je vous aime trop pour ne pas prendre tous les
moyens d'avoir de vos nouvelles et de vous donner des
miennes. Je n'aimais pas M. de Valmont, et je ne le
croyais pas tant votre ami; je tâcherai de m'accoutumer à

---

1. *pare* : honore.
2. *insidieuses* : trompeuses, qui constituent un piège.

10 lui, et je l'aimerai à cause de vous. Je ne sais pas qui
est-ce qui nous a trahis ; ce ne peut-être que ma Femme
de chambre ou mon Confesseur•. Je suis bien malheureuse : nous partons demain pour la campagne ; j'ignore
pour combien de temps. Mon Dieu ! ne plus vous voir ! Je
15 n'ai plus de place. Adieu ; tâchez de me lire. Ces mots
tracés au crayon s'effaceront peut-être, mais jamais les
sentiments gravés dans mon cœur.

De..., ce 10 septembre 17**

LETTRE LXX

LE VICOMTE• DE VALMONT
À LA MARQUISE• DE MERTEUIL

J'ai un avis important à vous donner, ma chère amie.
Je soupai• hier, comme vous savez, chez la Maréchale•
de ***, on y parla de vous, et j'en dis, non pas tout le bien
que j'en pense, mais tout celui que je n'en pense pas. Tout
5 le monde paraissait être mon avis, et la conversation
languissait•, comme il arrive toujours, quand on ne dit que
du bien de son prochain[1], lorsqu'il s'éleva un contradicteur[2] : c'était Prévan[3].
« À Dieu ne plaise, dit-il en se levant, que je doute de la
10 sagesse de Madame de Merteuil ! mais j'oserais croire
qu'elle la doit plus à la légèreté qu'à ses principes. Il est
peut-être plus difficile de la suivre que de lui plaire ; et
comme on ne manque guère, en courant après une femme,
d'en rencontrer d'autres sur son chemin, comme, à tout
15 prendre, ces autres-là peuvent valoir autant et plus qu'elle ;
les uns sont distraits par un goût nouveau, les autres s'ar-
rêtent de lassitude ; et c'est peut-être la femme de Paris
qui a eu le moins à se défendre. Pour moi, ajouta-t-il

---

1. *prochain* : être humain considéré dans ses rapports moraux avec autrui.
2. *contradicteur* : opposant.
3. Prévan : cf. lettres LXXIX et LXXXV.

(encouragé par le sourire de quelques femmes), je ne croirai
20 à la vertu de Madame de Merteuil, qu'auprès avoir crevé six
chevaux à lui faire ma cour. »

Cette mauvaise plaisanterie réussit, comme toutes celles
qui tiennent à la médisance ; et pendant le rire qu'elle exci-
tait, Prévan reprit sa place, et la conversation générale
25 changea. Mais les deux Comtesses• de B*** , auprès de qui
était notre incrédule, en firent avec lui leur conversation
particulière, qu'heureusement je me trouvais à portée d'entendre.

Le défi de vous rendre sensible a été accepté ; la parole
30 de tout dire a été donnée ; et de toutes celles qui se
donneraient dans cette aventure, ce serait sûrement la plus
religieusement gardée. Mais vous voilà bien avertie, et vous
savez le proverbe.

Il me reste à vous dire que ce Prévan, que vous ne
35 connaissez pas, est infiniment aimable, et encore plus
adroit. Que si quelquefois vous m'avez entendu dire le
contraire, c'est seulement que je ne l'aime pas, que je me
plais à contrarier ses succès et que je n'ignore pas de quel
poids est mon suffrage[1] auprès d'une trentaine de nos
40 femmes les plus à la mode.

En effet, je l'ai empêché longtemps, par ce moyen, de
paraître sur ce que nous appelons le grand théâtre• ; et il
faisait des prodiges, sans en avoir plus de réputation. Mais
l'éclat de sa triple aventure, en fixant les yeux sur lui, lui a
45 donné cette confiance qui lui manquait jusque-là, et l'a
rendu vraiment redoutable. C'est enfin aujourd'hui le seul
homme, peut-être, que je craindrais de rencontrer sur mon
chemin ; et votre intérêt à part, vous me rendrez un vrai
service de lui donner quelque ridicule chemin faisant. Je le
50 laisse en bonnes mains ; et j'ai l'espoir qu'à mon retour, ce
sera un homme noyé.

Je vous promets, en revanche, de mener à bien l'aventure de votre pupille•, et de m'occuper d'elle autant que de
ma belle Prude•.
55 Celle-ci vient de m'envoyer un projet de capitulation.

---

1. *suffrage* : avis, appui.

Toute sa Lettre annonce le désir d'être trompée. Il est impossible d'en offrir un moyen plus commode et aussi plus usé. Elle veut que je sois *son ami*. Mais moi, qui aime les méthodes nouvelles et difficiles, je ne prétends pas l'en
60 tenir quitte à si bon marché ; et assurément je n'aurai pas pris tant de peine auprès d'elle, pour terminer par une séduction ordinaire.

Mon projet•, au contraire, est qu'elle sente, qu'elle sente bien la valeur et l'étendue de chacun des sacrifices qu'elle
65 me fera ; de ne pas la conduire si vite que le remords ne puisse la suivre ; de faire expirer sa vertu dans une lente agonie ; de la fixer sans cesse sur ce désolant spectacle ; et de ne lui accorder le bonheur de m'avoir dans ses bras, qu'après l'avoir forcée à n'en plus dissimuler le désir. Au
70 fait[1], je vaux bien peu, si je ne vaux pas la peine d'être demandé. Et puis-je me venger moins d'une femme hautaine[2], qui semble rougir d'avouer qu'elle adore• ?

J'ai donc refusé la précieuse amitié, et m'en suis tenu à mon titre d'Amant. Comme je ne me dissimule point que
75 ce titre, qui ne paraît d'abord qu'une dispute de mots, est pourtant d'une importance réelle à obtenir, j'ai mis beaucoup de soin à ma Lettre, et j'ai tâché d'y répandre ce désordre, qui peut seul peindre le sentiment. J'ai enfin déraisonné le plus qu'il m'a été possible : car sans dérai-
80 sonnement•, point de tendresse ; et c'est, je crois, par cette raison que les femmes nous sont si supérieures dans les Lettres d'Amour.

J'ai fini la mienne par une cajolerie• et c'est encore une suite de mes profondes observations. Après que le cœur
85 d'une femme a été exercé quelque temps, il a besoin de repos ; et j'ai remarqué qu'une cajolerie était, pour toutes, l'oreiller le plus doux à leur offrir.

Adieu, ma belle amie. Je pars demain. Si vous avez des ordres à me donner pour la Comtesse• de ***, je m'arrêterai
90 chez elle, au moins pour dîner•. Je suis fâché de partir sans

1. *Au fait* : Pour tout dire.
2. *hautaine* : méprisante, dédaigneuse.

vous voir. Faites-moi passer vos sublimes[1] instructions, et aidez-moi de vos sages conseils, dans ce moment décisif.

Surtout, défendez-vous de Prévan ; et puissé-je un jour vous dédommager de ce sacrifice ! Adieu.

95
De..., ce 11 septembre 17**.

Illustration de Monnet pour Les Liaisons dangereuses, *Bibliothèque Nationale de France.*

---

1. *sublimes* : divines.

Compréhension

• **Lettre LXII**

1. *Relevez le langage que Mme de Volanges emploie en pareille occasion. Son caractère y transparaît-il ? (Rapprochez ce texte de la lettre XXXII.)*

• **Lettre LXX**

2. *« Je suis fâché de partir sans vous voir », écrit Valmont. Depuis quand était-il à Paris en même temps que la marquise• ? Comment expliquer qu'ils ne se soient pas rencontrés ? Les deux roués auront une entrevue le 3 décembre (lettre CLI) : y en a-t-il une autre dans le roman ? Pourquoi ?*

Écriture

• **Lettres LXIV et LXV**

3. *En quoi l'ordre de succession de ces deux lettres présente-t-il un intérêt ?*

• **Lettre LXVII**

4. *Rapprochez le premier paragraphe des intentions qu'affiche Mme de Tourvel dans la plupart des lettres qu'elle écrit à Valmont (lettres L, LVI et LXXVIII, par exemple) : dans quel but Mme de Tourvel prétend-elle écrire ? Ce qu'elle craint se trouve précisément énoncé par Valmont dans la lettre XL : dans quelle phrase ? Quels aspects du message sont ici utilisés par Laclos ?*

• **Lettre LXVIII**

5. *« Quel dommage que, comme vous le dites, je sois revenu de mes erreurs ! » : en vous reportant aux lettres LVIII et LXVII, quelle explication pouvez-vous donner de la valeur et de la fonction de l'italique* ?*

• **Lettre LXX**

6. *Comparez la fonction de cette lettre avec celle de la lettre CXIII. De quelle scène célèbre du Misanthrope de Molière pouvez-vous la rapprocher ?*

LETTRE LXXI

LE VICOMTE• DE VALMONT
À LA MARQUISE• DE MERTEUIL

*Du Château de..., ce 13 septembre 17**.*

LETTRE LXXII

LE CHEVALIER• DANCENY À CÉCILE VOLANGES
(Remise seulement le 14.)

*Paris, ce 11 septembre 17**.*

LETTRE LXXIII

LE VICOMTE DE VALMONT À CÉCILE VOLANGES
(Jointe à la précédente.)

*Du Château de..., ce 14 septembre 17**.*

LETTRE LXXIV

LA MARQUISE DE MERTEUIL
AU VICOMTE DE VALMONT

Eh! depuis quand, mon ami, vous effrayez-vous si facilement? ce Prévan est donc bien redoutable? Mais voyez combien je suis simple et modeste! Je l'ai rencontré souvent, ce superbe vainqueur; à peine l'avais-je regardé! Il ne fallait pas moins que votre Lettre pour m'y faire faire

121

attention. J'ai réparé mon injustice hier. Il était à l'Opéra,
presque vis-à-vis de moi, et je m'en suis occupée. Il est joli
au moins, mais très joli ; des traits fins et délicats ! il doit
gagner à être vu de près. Et vous dites qu'il veut m'avoir !
10 assurément il me fera honneur et plaisir. Sérieusement, j'en
ai fantaisie, et je vous confie ici que j'ai fait les premières
démarches. Je ne sais pas si elles réussiront. Voilà le fait.

Il était à deux pas de moi, à la sortie de l'Opéra, et j'ai
donné, très haut, rendez-vous à la Marquise• de *** pour
15 souper• le Vendredi chez la Maréchale•. C'est, je crois, la
seule maison où je peux le rencontrer. Je ne doute pas qu'il
m'ait entendue... Si l'ingrat allait n'y pas venir ? Mais, dites-
moi donc, croyez-vous qu'il y vienne ? Savez-vous que, s'il
n'y vient pas, j'aurai de l'humeur• toute la soirée ? Vous
20 voyez qu'il ne trouvera pas tant de difficulté *à me suivre* ; et
ce qui vous étonnera davantage, c'est qu'il en trouvera
moins encore *à me plaire*. Il veut, dit-il, crever six chevaux à
me faire sa cour ! Oh ! je sauverai la vie à ces chevaux-là. [...]

Oh ! çà, convenez qu'il y a plaisir à me parler raison[1] !
25 Votre *avis important* n'a-t-il pas un grand succès ? Mais que
voulez-vous ! je végète[2] depuis si longtemps ! il y a plus de
six semaines que je ne me suis pas permis une gaieté[3].
Celle-là se présente ; puis-je me la refuser ? [...]

[...] pour commencer, apprenez-moi je vous prie, quelle
30 est cette triple aventure dont il est le héros. Vous m'en
parlez, comme si je ne connaissais autre chose, et je n'en
sais pas le premier mot. Apparemment elle se sera passée
pendant mon voyage à Genève, et votre jalousie vous aura
empêché de me l'écrire. Réparez cette faute au plus tôt ;
35 songez que *rien de ce qui l'intéresse ne m'est étranger*[4]. [...]

Quand ce que je vous demande vous contrarierait un
peu, n'est-ce pas le moindre prix que vous deviez aux soins

---

1. *me parler raison* : faire appel à ma raison, me dire d'être raisonnable.
2. *je végète* : je vivote, je vis tant bien que mal.
3. *une gaieté* : un amusement.
4. *rien de ce qui l'intéresse ne m'est étranger* : parodie de la célèbre formule que
prononce Chrémès au vers 77 de la comédie *Héautontimorouménos* (*Le Bourreau de
soi-même*, 163 av. J.-C.) de Térence (vers 185-159 av. J.-C.) : «*Je suis homme : je
pense que rien de ce qui est humain ne m'est étranger*» («*Homo sum : humani nihil a me
alienum puto*»).

que je me suis donnés pour vous ? ne sont-ce pas eux qui vous ont rapproché de votre Présidente•, quand vos sottises
40 vous en avaient éloigné ? [...]

[...]

Adieu, Vicomte•, songez que, placé où vous êtes, le temps est précieux : je vais employer le mien à m'occuper du bonheur de Prévan.

Paris, ce 15 septembre 17**.

LETTRE LXXV

CÉCILE VOLANGES À SOPHIE CARNAY

Du Château de..., ce 14 septembre 17**.

LETTRE LXXVI

LE VICOMTE DE VALMONT
À LA MARQUISE• DE MERTEUIL

Ou votre Lettre est un persiflage[1], que je n'ai pas compris ; ou vous étiez, en me l'écrivant, dans un délire très dangereux. Si je vous connaissais moins, ma belle amie, je serais vraiment très effrayé [...].
5 [...] Qu'avez-vous donc voulu dire ?

Est-ce seulement qu'il était inutile de se donner tant de soins contre un ennemi si peu redoutable ? mais, dans ce cas, vous pourriez avoir tort. Prévan est réellement aimable ; il l'est plus que vous ne le croyez ; il a surtout le
10 talent très utile d'occuper beaucoup de son amour, par l'adresse qu'il a d'en parler dans le cercle• et devant tout le monde, en se servant de la première conversation qu'il

---

1. *un persiflage* : une raillerie, une moquerie, une façon ironique de tourner en ridicule.

trouve. Il est peu de femmes qui se sauvent alors du piège d'y répondre, parce que toutes ayant des prétentions à la
15 finesse, aucune ne veut perdre l'occasion d'en montrer. Or, vous savez assez que femme qui consent à parler d'amour, finit bientôt par en prendre, ou au moins par se conduire comme si elle en avait. [...]
[...]
20 J'ai [...] pu croire cet homme dangereux pour tout le monde : mais pour vous, Marquise•, ne suffisait-il pas qu'il fût *joli, très joli,* comme vous le dites vous-même ? ou qu'il vous fît *une de ces attaques, que vous vous plaisez quelquefois à récompenser, sans autre motif que de les trouver bien faites ?*
25 ou que vous eussiez trouvé plaisant de vous rendre par une raison quelconque ? ou... que sais-je ? puis-je deviner les mille caprices qui gouvernent la tête d'une femme, et par qui seuls vous tenez encore à votre sexe ? [...]
[...]
30 Mais après tout, je cherche peut-être une raison à ce qui n'en a point. J'admire comment, depuis une heure, je traite sérieusement ce qui n'est, à coup sûr, qu'une plaisanterie de votre part. Vous allez vous moquer de moi ! Hé bien ! soit ; mais dépêchez-vous, et parlons d'autre chose. [...]
35 [...] La petite Volanges est rendue[1], j'en réponds ; elle ne dépend plus que de l'occasion, et je me charge de la faire naître. Mais il n'en est pas de même de Madame de Tourvel [...].
Le premier effet qu'avait produit mon retour me faisait
40 espérer davantage. Vous devinez que je voulais en juger par moi-même ; et pour m'assurer de voir les premiers mouvements, je ne m'étais fait précéder par personne, et j'avais calculé ma route pour arriver pendant qu'on serait à table. En effet, je tombai des nues comme une Divinité d'Opéra
45 qui vient faire un dénouement•.
Ayant fait assez de bruit en entrant pour fixer les regards sur moi, je pus voir du même coup d'œil la joie de ma vieille tante, le dépit de Madame de Volanges, et le plaisir décontenancé de sa fille. Ma Belle, par la place qu'elle

---

1. *rendue* : conquise.

50 occupait, tournait le dos à la porte. Occupée dans ce
moment à couper quelque chose, elle ne tourna seulement
pas la tête : mais j'adressai la parole à Madame de
Rosemonde ; et au premier mot, la sensible Dévote• ayant
reconnu ma voix, il lui échappa un cri dans lequel je crus
55 reconnaître plus d'amour que de surprise et d'effroi. Je
m'étais alors assez avancé pour voir sa figure : le tumulte de
son âme, le combat de ses idées et de ses sentiments, s'y
peignirent de vingt façons différentes. Je me mis à table à
côté d'elle ; elle ne savait exactement rien de ce qu'elle
60 faisait ni de ce qu'elle disait. Elle essaya de continuer de
manger ; il n'y eut pas moyen : enfin, moins d'un quart
d'heure après, son embarras et son plaisir devenant plus
forts qu'elle, elle n'imagina rien de mieux que de demander
permission de sortir de table, et elle se sauva dans le parc,
65 sous le prétexte d'avoir besoin de prendre l'air. Madame de
Volanges voulut l'accompagner ; la tendre Prude• ne le permit pas : trop heureuse, sans doute, de trouver un prétexte
pour être seule, et se livrer sans contrainte à la douce émotion de son cœur.
70 J'abrégeai le dîner• le plus qu'il me fut possible. [...]
[...] Aussitôt après le café, je montai chez moi, et j'entrai
aussi chez les autres, pour reconnaître le terrain ; je fis[1] mes
dispositions pour assurer la correspondance de la petite ; et
après ce premier bienfait, j'écrivis un mot pour l'en ins-
75 truire• et lui demander sa confiance ; je joignis mon billet à
la Lettre de Danceny. Je revins au salon. J'y trouvais ma
Belle établie[2] sur une chaise longue dans un abandon délicieux.
Ce spectacle, en éveillant mes désirs, anima mes regards
80 [...]. Leur premier effet fut de faire baisser les grands yeux
modestes de la céleste• Prude. Je considérai quelque temps
cette figure angélique ; puis, parcourant toute sa personne je
m'amusais à deviner les contours et les formes à travers un
vêtement léger mais toujours importun[3]. Après être

---

1. *je fis* : je pris.
2. *établie* : installée.
3. *importun* : incommode, gênant.

85 descendu de la tête aux pieds, je remontais des pieds à la tête... Ma belle amie, le doux regard était fixé sur moi ; sur-le-champ il se baissa de nouveau, mais voulant en favoriser le retour, je détournai mes yeux. Alors s'établit entre nous cette convention tacite[1], premier traité de l'amour
90 timide [...].

[...] après m'être assuré qu'une conversation assez vive nous sauvait des remarques du cercle•, je tâchai d'obtenir de ses yeux qu'ils parlassent franchement leur langage. [...] Peu à peu nos yeux, accoutumés à se rencontrer, se fixèrent
95 plus longtemps ; enfin ils ne se quittèrent plus, et j'aperçus dans les siens cette douce langueur•, signal heureux de l'amour et du désir, mais ce ne fut qu'un moment ; et bientôt revenue à elle-même, elle changea, non sans quelque honte, son maintien et son regard.
100 Ne voulant pas qu'elle pût douter que j'eusse remarqué ses divers mouvements, je me levai avec vivacité, en lui demandant avec l'air de l'effroi, si elle se trouvait mal. Aussitôt tout le monde vint l'entourer. Je les laissai tous passer devant moi ; et comme la petite Volanges, qui travaillait à la
105 tapisserie auprès d'une fenêtre, eut besoin de quelque temps pour quitter son métier, je saisis ce moment pour lui remettre la Lettre de Danceny.
[...]
Le reste de la journée n'eut rien d'intéressant. Ce qui
110 s'est passé depuis amènera peut-être des événements dont vous serez contente, au moins pour ce qui regarde votre pupille• ; mais il vaut mieux employer son temps à exécuter ses projets• qu'à les raconter. Voilà d'ailleurs la huitième page que j'écris, et j'en suis fatigué ; ainsi, adieu.
115 [...] Je vous aime toujours beaucoup ; mais je vous en prie, si vous me reparlez de Prévan, faites en sorte que je vous entende•.

Du Château de..., ce 17 septembre 17**.

---

1. *tacite* : implicite, inexprimée.

126

LETTRE LXXVII

LE VICOMTE* DE VALMONT
À LA PRÉSIDENTE* DE TOURVEL

De..., ce 15 septembre 17**.

LETTRE LXXVIII

LA PRÉSIDENTE DE TOURVEL
AU VICOMTE DE VALMONT

De..., ce 16 septembre 17**.

LETTRE LXXIX

LE VICOMTE DE VALMONT
À LA MARQUISE* DE MERTEUIL

Je comptais aller à la chasse ce matin : mais il fait un
temps détestable. Je n'ai pour toute lecture qu'un Roman
nouveau, qui ennuierait même une Pensionnaire[1]. On
déjeunera* au plus tôt dans deux heures : ainsi malgré ma
5 longue Lettre d'hier, je vais encore causer avec vous. Je suis
bien sûr de ne pas vous ennuyer, car je vous parlerai *du très
joli Prévan.* Comment, n'avez-vous pas su sa fameuse

---

1. *Pensionnaire* : jeune fille nourrie et logée dans un établissement d'enseignement.

aventure, celle qui a séparé les *inséparables*[1] ? Je parie que
vous vous la rappellerez au premier mot. La voici pourtant,
10   puisque vous la désirez.

    [...]

    Adieu. Je vous aime pourtant comme si vous étiez raison-
nable.

De..., ce 18 septembre 17**.

LETTRE LXXX

LE CHEVALIER[•] DANCENY À CÉCILE VOLANGES

Paris, ce 18 septembre 17**.

LETTRE LXXXI

LA MARQUISE[•] DE MERTEUIL
AU VICOMTE[•] DE VALMONT

    Que vos craintes me causent de pitié ! Combien elles me
prouvent ma supériorité sur vous ! et vous voulez m'ensei-
gner, me conduire ? Ah ! mon pauvre Valmont, quelle distance il y a encore de vous à moi ! Non, tout l'orgueil de
5   votre sexe ne suffirait pas pour remplir l'intervalle qui nous
sépare. Parce que vous ne pourriez exécuter mes projets[•],
vous les jugez impossibles ! Être orgueilleux et faible, il te
sied bien de vouloir calculer mes moyens et juger de mes
ressources ! Au vrai, Vicomte, vos conseils m'ont donné de
10   l'humeur[•], et je ne puis vous le cacher.

---

1. *les* inséparables : ce surnom que donne Valmont aux amies de Prévan est
d'emploi récent à l'époque de Laclos, et souvent, sous cette forme d'adjectif substan-
tivé, satirique (pour désigner des lesbiennes).

Que pour masquer votre incroyable gaucherie• auprès de votre Présidente•, vous m'étaliez comme un triomphe d'avoir déconcerté un moment cette femme timide et qui vous aime, j'y consens; d'en avoir obtenu un regard, un
15 seul regard, je souris et vous le passe[1]. Que sentant, malgré vous, le peu de valeur de votre conduite, vous espériez la dérober à mon attention, en me flattant de l'effort sublime de rapprocher deux enfants qui, tous deux, brûlent de se voir, et qui, soit dit en passant, doivent à moi seule l'ardeur
20 de ce désir; je le veux bien encore. Qu'enfin vous vous autorisiez de ces actions d'éclat, pour me dire d'un ton doctoral qu'*il vaut mieux employer son temps à exécuter ses projets*• *qu'à les raconter;* cette vanité ne me nuit pas, et je la pardonne. Mais que vous puissiez croire que j'aie besoin
25 de votre prudence, que je m'égarerais en ne déférant pas[2] à vos avis, que je dois leur sacrifier un plaisir, une fantaisie : en vérité, Vicomte•, c'est aussi vous trop enorgueillir• de la confiance que je veux bien avoir en vous !

Et qu'avez-vous donc fait que je n'aie surpassé mille fois ?
30 Vous avez séduit, perdu même beaucoup de femmes : mais quelles difficultés avez-vous eues à vaincre ? quels obstacles à surmonter ? où est le mérite qui soit véritablement à vous ? Une belle figure, pur effet du hasard; des grâces, que l'usage donne presque toujours, de l'esprit à la vérité, mais
35 auquel du jargon suppléerait au besoin[3]; une impudence[4] assez louable, mais peut-être uniquement due à la facilité de vos premiers succès; si je ne me trompe, voilà tous vos moyens : car, pour la célébrité que vous avez pu acquérir, vous n'exigerez pas, je crois, que je compte pour beaucoup
40 l'art de faire naître ou de saisir l'occasion d'un scandale.

Quant à la prudence, à la finesse, je ne parle pas de moi : mais quelle femme n'en aurait pas plus que vous ? Eh ! votre Présidente vous mène comme un enfant.

---

1. *passe* : pardonne, excuse.
2. *ne déférant pas* : n'obéissant pas.
3. *auquel du jargon suppléerait au besoin* : que du langage à la mode, volontairement obscur, pourrait remplacer.
4. *impudence* : insolence poussée au cynisme.

Croyez-moi, Vicomte*, on acquiert rarement les qualités
45 dont on peut se passer. Combattant sans risque, vous devez
agir sans précaution. Pour vous autres hommes, les défaites
ne sont que des succès de moins. Dans cette partie si inégale, notre fortune est de ne pas perdre, et votre malheur de
ne pas gagner. Quand je vous accorderais autant de talents
50 qu'à nous, de combien encore ne devrions-nous pas vous
surpasser, par la nécessité où nous sommes d'en faire un
continuel usage !

Supposons, j'y consens, que vous mettiez autant
d'adresse à nous vaincre, que nous à nous défendre ou à
55 céder, vous conviendrez au moins qu'elle vous devient inutile après le succès. Uniquement occupé de votre nouveau
goût, vous vous y livrez sans crainte, sans réserve : ce n'est
pas à vous que sa durée importe.

En effet, ces liens réciproquement donnés et reçus, pour
60 parler le jargon[1] de l'amour, vous seul pouvez, à votre
choix, les resserrer ou les rompre : heureuses encore, si
dans votre légèreté, préférant le mystère à l'éclat, vous vous
contentez d'un abandon humiliant, et ne faites pas de
l'idole de la veille la victime du lendemain.

65 Mais qu'une femme infortunée sente la première le poids
de sa chaîne, quels risques n'a-t-elle pas à courir, si elle
tente de s'y soustraire, si elle ose seulement la soulever ? Ce
n'est qu'en tremblant qu'elle essaie d'éloigner d'elle
l'homme que son cœur repousse avec effort. S'obstine-t-il à
70 rester, ce qu'elle accordait à l'amour, il faut le livrer à la
crainte :

Ses bras s'ouvrent encor, quand son cœur est fermé.

Sa prudence doit dénouer avec adresse ces mêmes liens
que vous auriez rompus. À la merci de son ennemi, elle est
75 sans ressource, s'il est sans générosité : et comment en
espérer de lui, lorsque, si quelquefois on le loue d'en avoir,
jamais pourtant on ne le blâme d'en manquer ?

---

1. *jargon* : langage spécifique.

Sans doute•, vous ne nierez pas ces vérités que leur évidence a rendues triviales[1]. Si cependant vous m'avez vue,
80 disposant des événements et des opinions, faire de ces hommes si redoutable le jouet de mes caprices ou des mes fantaisies ; ôter aux uns la volonté, aux autres la puissance de me nuire ; si j'ai su tour à tour, et suivant mes goûts mobiles, attacher à ma suite ou rejeter loin de moi

85 *Ces Tyrans détrônés devenus mes esclaves** ;

si, au milieu de ces révolutions fréquentes, ma réputation s'est pourtant conservée pure ; n'avez-vous pas dû en conclure que, née pour venger mon sexe et maîtriser le vôtre, j'avais su me créer des moyens inconnus jusqu'à
90 moi ?
Ah ! gardez vos conseils et vos craintes pour ces femmes à délire, et qui se disent à *sentiment ;* dont l'imagination exaltée ferait croire que la nature a placé leurs sens dans leur tête ; qui, n'ayant jamais réfléchi, confondent sans
95 cesse l'amour et l'Amant ; qui, dans leur folle illusion, croient que celui-là seul avec qui elles ont cherché le plaisir en est l'unique dépositaire ; et vraies superstitieuses, ont pour le Prêtre le respect et la foi qui n'est dû qu'à la Divinité.
100 Craignez encore pour celles qui, plus vaines que prudentes, ne savent pas au besoin consentir à se faire quitter.
Tremblez surtout pour ces femmes actives dans leur

---

* On ne sait si ce vers, ainsi que celui qui se trouve plus haut, *Ses bras s'ouvrent encor, quand son cœur est fermé,* sont des citations d'Ouvrages peu connus ; ou s'ils font partie de la prose de Madame de Merteuil. Ce qui le ferait croire, c'est la multitude de fautes de ce genre[2] qui se trouvent dans toutes les Lettres de cette correspondance. Celles du Chevalier• Danceny sont les seules qui en soient exemptes : peut-être que, comme il s'occupait quelquefois de Poésie, son oreille plus exercée lui faisait éviter plus facilement ce défaut.

---

1. *triviales* : communes, rebattues.
2. *fautes de ce genre* : les deux alexandrins cités ont treize syllabes, [e] comptant pour une syllabe devant une consonne (encor<u>e</u> ; es-cla-<u>ves</u>).

oisiveté, que vous nommez *sensibles*[1], et dont l'amour s'em-
pare si facilement et avec tant de puissance ; qui sentent le
105 besoin de s'en occuper encore, même lorsqu'elles n'en
jouissent pas ; et s'abandonnant sans réserve à la fermenta-
tion de leurs idées, enfantent par elles ces Lettres si douces,
mais si dangereuses à écrire ; et ne craignent pas de confier
ces preuves de leur faiblesse à l'objet qui les cause : impru-
110 dentes, qui, dans leur Amant actuel, ne savent pas voir leur
ennemi futur.

Mais moi, qu'ai-je de commun avec ces femmes inconsidérées[2] ? quand m'avez-vous vue m'écarter des règles que je
me suis prescrites, et manquer à mes principes ? je dis mes
115 principes, et je le dis à dessein• : car ils ne sont pas comme
ceux des autres femmes, donnés au hasard, reçus sans examen et suivis par habitude, ils sont le fruit de mes profondes réflexions ; je les ai créés, et je puis dire que je suis
mon ouvrage•.

120 Entrée dans le monde dans le temps où, fille encore,
j'étais vouée par état au silence et à l'inaction, j'ai su en
profiter pour observer et réfléchir. Tandis qu'on me croyait
étourdie ou distraite, écoutant peu à la vérité les discours
qu'on s'empressait à me tenir, je recueillais avec soin ceux
125 qu'on cherchait à me cacher.

Cette utile curiosité, en servant à m'instruire•, m'apprit
encore à dissimuler : forcée souvent de cacher les objets de
mon attention aux yeux de ceux qui m'entouraient, j'essayai de guider les miens à mon gré ; j'obtins dès lors de
130 prendre à volonté ce regard distrait que vous avez loué
si souvent. Encouragée par ce premier succès, je tâchai
de régler de même les divers mouvements de ma figure.
Ressentais-je quelque chagrin, je m'étudiais à prendre l'air
de la sérénité, même celui de la joie ; j'ai porté le zèle•
135 jusqu'à me causer des douleurs volontaires, pour chercher
pendant ce temps l'expression du plaisir. Je me suis travaillée[3] avec le même soin et plus de peine, pour réprimer les

---

1. sensibles : tendres, capables d'amour (ailleurs, le terme peut signifier «sen-
suelles »).
2. inconsidérées : irréfléchies.
3. Je me suis travaillée : Je me suis contrainte, j'ai pris sur moi.

symptômes d'une joie inattendue. C'est ainsi que j'ai su
prendre sur ma physionomie cette puissance dont je vous ai
140 vu quelquefois si étonné.

J'étais bien jeune encore, et presque sans intérêt : mais je
n'avais à moi que ma pensée, et je m'indignais qu'on pût
me la ravir ou me la surprendre contre ma volonté. Munie
de ces premières armes, j'en essayai l'usage : non contente
145 de ne plus me laisser pénétrer, je m'amusais à me montrer
sous des formes différentes ; sûre de mes gestes, j'observais
mes discours ; je réglai les uns et les autres, suivant les
circonstances, ou même seulement suivant mes fantaisies :
dès ce moment, ma façon de penser fut pour moi seule, et
150 je ne montrai plus que celle qu'il m'était utile de laisser
voir.

Ce travail sur moi-même avait fixé mon attention sur
l'expression des figures et le caractère des physionomies ; et
j'y gagnai ce coup d'œil pénétrant, auquel l'expérience m'a
155 pourtant appris à ne pas me fier entièrement ; mais qui, en
tout, m'a rarement trompée.

Je n'avais pas quinze ans, je possédais déjà les talents
auxquels la plus grande partie de nos Politiques[1] doivent
leur réputation, et je ne me trouvais encore qu'aux premiers
160 éléments de la science que je voulais acquérir.

Vous jugez bien que, comme toutes les jeunes filles, je
cherchais à deviner l'amour et ses plaisirs : mais n'ayant
jamais été au Couvent, n'ayant point de bonne amie, et
surveillée par une mère vigilante, je n'avais que des idées
165 vagues et que je ne pouvais fixer ; la nature même, dont
assurément je n'ai eu qu'à me louer depuis, ne me donnait
encore aucun indice. On eût dit qu'elle travaillait en silence
à perfectionner son ouvrage•. Ma tête seule fermentait ; je
ne désirais pas de• jouir, je voulais savoir ; le désir de m'ins-
170 truire• m'en suggéra les moyens.

Je sentis que le seul homme avec qui je pouvais parler sur
cet objet, sans me compromettre, était mon Confesseur•.
Aussitôt je pris mon parti ; je surmontai ma petite honte ; et
me vantant d'une faute que je n'avais pas commise, je

---

1. *nos Politiques* : nos hommes politiques.

175 m'accusai d'avoir fait *tout ce que font les femmes*. Ce fut mon
expression ; mais en parlant ainsi je ne savais en vérité
quelle idée j'exprimais. Mon espoir ne fut ni tout à fait
trompé, ni entièrement rempli ; la crainte de me trahir
m'empêchait de m'éclairer : mais le bon Père me fit le mal
180 si grand que j'en conclus que le plaisir devait être extrême ;
et au désir de le connaître succéda celui de le goûter.

Je ne sais où ce désir m'aurait conduite ; et alors dénuée
d'expérience, peut-être une seule occasion m'eût perdue :
heureusement pour moi, ma mère m'annonça peu de jours
185 après que j'allais me marier ; sur-le-champ la certitude de
savoir éteignit ma curiosité, et j'arrivai vierge entre les bras
de M. de Merteuil.

J'attendais avec sécurité le moment qui devait m'ins-
truire•, et j'eus besoin de réflexion pour montrer de l'em-
190 barras et de la crainte. Cette première nuit, dont on se fait
pour l'ordinaire une idée si cruelle ou si douce ne me présentait qu'une occasion d'expérience : douleur et plaisir,
j'observai tout exactement, et ne voyais dans ces diverses
sensations que des faits à recueillir et à méditer.

195 Ce genre d'étude parvint bientôt à me plaire : mais fidèle
à mes principes, et sentant peut-être par instinct, que nul
ne devait être plus loin de ma confiance que mon mari, je
résolus, par cela seul que j'étais sensible, de me montrer
impassible à ses yeux. Cette froideur apparente fut par la
200 suite le fondement inébranlable de son aveugle confiance :
j'y joignis, par une seconde réflexion, l'air d'étourderie
qu'autorisait mon âge ; et jamais il ne me jugea plus enfant
que dans les moments où je le jouais avec plus d'audace.

Cependant, je l'avouerai, je me laissai d'abord entraîner
205 par le tourbillon du monde, et je me livrai tout entière à ses
distractions futiles. Mais au bout de quelques mois, M. de
Merteuil m'ayant menée à sa triste campagne, la crainte de
l'ennui fit revenir le goût de l'étude ; et ne m'y trouvant
entourée que de gens dont la distance avec moi me mettait
210 à l'abri de tout soupçon, j'en profitai pour donner un
champ plus vaste à mes expériences. Ce fut là, surtout, que
je m'assurai que l'amour que l'on nous vante comme la
cause de nos plaisirs n'en est au plus que le prétexte.

La maladie de M. de Merteuil vint interrompre de si
215 douces occupations ; il fallut le suivre à la Ville, où il venait

chercher des secours. Il mourut, comme vous savez, peu de temps après ; et quoique à tout prendre, je n'eusse pas à me plaindre de lui, je n'en sentis pas moins vivement le prix de la liberté qu'allait me donner mon veuvage•, et je me pro-
220 mis bien d'en profiter.

Ma mère comptait que j'entrerais au Couvent, ou reviendrais vivre avec elle. Je refusai l'un et l'autre parti ; et tout ce que j'accordai à la décence[1] fut de retourner dans cette même campagne où il me restait bien encore quelques
225 observations à faire.

Je les fortifiai par le secours de la lecture : mais ne croyez pas qu'elle fût toute du genre que vous la supposez. J'étudiai nos mœurs dans les Romans ; nos opinions dans les Philosophes ; je cherchai même dans les Moralistes les plus
230 sévères ce qu'ils exigeaient de nous, et je m'assurai ainsi de ce qu'on pouvait faire, de ce qu'on devait penser et de ce qu'il fallait paraître. Une fois fixée sur ces trois objets, le dernier seul présentait quelques difficultés dans son exécution ; j'espérai les vaincre et j'en méditai les moyens.

235 Je commençais à m'ennuyer de mes plaisirs rustiques[2], trop peu variés pour ma tête active ; je sentais un besoin de coquetterie qui me raccommoda• avec l'amour ; non pour le ressentir à la vérité, mais pour l'inspirer et le feindre. En vain m'avait-on dit et avais-je lu qu'on ne pouvait feindre
240 ce sentiment ; je voyais pourtant que, pour y parvenir, il suffisait de joindre à l'esprit d'un Auteur le talent d'un Comédien. Je m'exerçai dans les deux genres, et peut-être avec quelque succès : mais au lieu de rechercher les vains applaudissements du Théâtre•, je résolus d'employer à mon
245 bonheur ce que tant d'autres sacrifiaient à la vanité•.

Un an se passa dans ces occupations différentes. Mon deuil me permettant alors de reparaître, je revins à la Ville avec mes grands projets• ; je ne m'attendais pas au premier obstacle que j'y rencontrai.

250 Cette longue solitude, cette austère• retraite avaient jeté sur moi un vernis de pruderie• qui effrayait nos plus

---

1. *la décence* : le respect des convenances.
2. *rustiques* : de la campagne.

agréables[1] ; ils se tenaient à l'écart, et me laissaient livrée à une foule d'ennuyeux, qui tous prétendaient à ma main. L'embarras n'était pas de les refuser ; mais plusieurs de ces
255 refus déplaisaient à ma famille, et je perdais dans ces tracasseries[2] intérieures[3] le temps dont je m'étais promis un si charmant usage. Je fus donc obligée, pour rappeler les uns et éloigner les autres, d'afficher quelques inconséquences, et d'employer à nuire à ma réputation le soin que je
260 comptais mettre à la conserver. Je réussis facilement, comme vous pouvez croire. Mais n'étant emportée par aucune passion, je ne fis que ce que je jugeai nécessaire et mesurai avec prudence les doses de mon étourderie.

Dès que j'eus touché le but que je voulais atteindre, je
265 revins sur mes pas, et fis honneur de mon amendement[4] à quelques-unes de ces femmes qui, dans l'impuissance d'avoir des prétentions à l'agrément[5], se rejettent sur celles du mérite et de la vertu. Ce fut un coup de partie[6] qui me valut plus que je n'avais espéré. Ces reconnaissantes
270 Duègnes[7] s'établirent[8] mes apologistes[9] ; et leur zèle• aveugle pour ce qu'elles appelaient leur ouvrage• fut porté au point qu'au moindre propos qu'on se permettait sur moi, tout le parti Prude• criait au scandale et à l'injure. Le même moyen me valut encore le suffrage de nos femmes à préten-
275 tions, qui, persuadées que je renonçais à courir la même carrière qu'elles, me choisirent pour l'objet de leurs éloges, toutes les fois qu'elles voulaient prouver qu'elles ne médisaient pas de tout le monde.

Cependant ma conduite précédente avait ramené les

---

1. *nos plus agréables* : nos meilleurs petits-maîtres à la mode (élégants aux manières ridiculement prétentieuses).
2. *tracasseries* : chicanes, complications et difficultés faites à quelqu'un pour des brouilles.
3. *intérieures* : familiales.
4. *amendement* : fait de se corriger.
5. *agrément* : charme, pouvoir de séduction.
6. *un coup de partie* : un coup décisif, un quitte ou double.
7. *Duègnes* : gouvernantes chargées de veiller sur la conduite de jeunes filles ou de jeunes femmes. Emploi de la comédie espagnole.
8. *s'établirent* : devinrent.
9. *apologistes* : avocates, défenseurs.

280 Amants ; et pour me ménager entre eux et mes fidèles protectrices, je me montrai comme une femme sensible, mais difficile, à qui l'excès de sa délicatesse fournissait des armes contre l'amour.

Alors je commençai à déployer sur le grand Théâtre• les
285 talents que je m'étais donnés. Mon premier soin fut d'acquérir le renom d'invincible. Pour y parvenir, les hommes qui ne me plaisaient point furent toujours les seuls dont j'eus l'air d'accepter les hommages. Je les employais utilement à me procurer les honneurs de la résistance, tandis
290 que je me livrais sans crainte à l'Amant préféré. Mais, celui-là, ma feinte timidité ne lui a jamais permis de me suivre dans le monde ; et les regards du cercle• ont été, ainsi, toujours fixés sur l'Amant malheureux.

Vous savez combien je me décide vite : c'est pour avoir
295 observé que ce sont presque toujours les soins antérieurs qui livrent le secret des femmes. Quoi qu'on puisse faire, le ton n'est jamais le même, avant ou après le succès. Cette différence n'échappe point à l'observateur attentif et j'ai trouvé moins dangereux de me tromper dans le choix, que
300 de le laisser pénétrer. Je gagne encore par là d'ôter les vraisemblances, sur lesquelles seules on peut nous juger.

Ces précautions et celle de ne jamais écrire, de ne livrer jamais aucune preuve de ma défaite, pouvaient paraître excessives, et ne m'ont jamais paru suffisantes. Descendue
305 dans mon cœur, j'y ai étudié celui des autres. J'y ai vu qu'il n'est personne qui n'y conserve un secret qu'il lui importe qui ne soit point dévoilé : vérité que l'Antiquité paraît avoir mieux connue que nous, et dont l'histoire de Samson[1] pourrait n'être qu'un ingénieux emblème. Nouvelle Dalila[1],
310 j'ai toujours, comme elle, employé ma puissance à surprendre ce secret important. Hé ! de combien de nos Samsons modernes, ne tiens-je pas la chevelure sous le ciseau ! et ceux-là, j'ai cessé de les craindre ; ce sont les seuls que je me sois permis d'humilier quelquefois. Plus souple avec les

---

1. *Samson, Dalila* : d'après la Bible, Samson (XIIᵉ s. av. J.-C.) était un juge des Hébreux doué d'une force surnaturelle. Dalila, une courtisane, livra ce juge invincible aux Philistins, après lui avoir coupé les cheveux, dans lesquels résidait tout le secret de sa puissance.

315 autres, l'art de les rendre infidèles pour éviter de leur
paraître volage[1], une feinte amitié[2], une apparente
confiance, quelques procédés généreux, l'idée flatteuse et
que chacun conserve d'avoir été mon seul Amant, m'ont
obtenu[3] leur discrétion. Enfin, quand ces moyens m'ont
320 manqué, j'ai su, prévoyant mes ruptures, étouffer d'avance,
sous le ridicule ou la calomnie, la confiance que ces
hommes dangereux auraient pu obtenir.

Ce que je vous dis là, vous me le voyez pratiquer sans
cesse ; et vous doutez de ma prudence ! Hé bien ! rappelez-
325 vous le temps où vous me rendîtes vos premiers soins :
jamais hommage ne me flatta autant ; je vous désirais avant
de vous avoir vu. Séduite par votre réputation, il me semblait que vous manquiez à ma gloire ; je brûlais de vous
combattre corps à corps. C'est le seul de mes goûts qui ait
330 jamais pris un moment d'empire• sur moi. Cependant, si
vous eussiez voulu me perdre, quels moyens eussiez-vous
trouvés ? de vains discours qui ne laissent aucune trace
après eux, que votre réputation même eût aidé à rendre
suspects, et une suite de faits sans vraisemblance, dont le
335 récit sincère aurait eu l'air d'un Roman mal tissu[4]. À la
vérité, je vous ai depuis livré tous mes secrets : mais vous
savez quels intérêts nous unissent, et si de nous deux, c'est
moi qu'on doit taxer d'imprudence*.

Puisque je suis en train de vous rendre compte, je veux le
340 faire exactement. Je vous entends d'ici me dire que je suis
au moins à la merci de ma Femme de chambre ; en effet, si
elle n'a pas le secret de mes sentiments, elle a celui de mes
actions. Quand vous m'en parlâtes jadis, je vous répondis
seulement que j'étais sûre d'elle ; et la preuve que cette
345 réponse suffit alors à votre tranquillité, c'est que vous lui

---

* On saura dans la suite, Lettre CLII, non pas le secret de M. de Valmont, mais à
peu près de quel genre il était ; et le Lecteur sentira qu'on n'a pas pu l'éclaircir
davantage sur cet objet.

---

1. *volage* : inconstante, infidèle.
2. *une feinte amitié* : une amitié simulée.
3. *m'ont obtenu* : m'ont fait obtenir, m'ont valu.
4. *tissu* : tissé, construit (participe passé de l'ancien verbe *tistre*, refait en *tisser*). Le
participe *tissu* est toujours en usage, au sens figuré de *composer, ourdir, tramer*.

avez confié depuis, et pour votre compte, des secrets assez
dangereux. Mais à présent que Prévan vous donne de l'ombrage, et que la tête vous en tourne, je me doute bien que
vous ne me croyez plus sur parole. Il faut donc vous édi-
350 fier[1].

Premièrement, cette fille est ma sœur de lait[2], et ce lien
qui ne nous en paraît pas un, n'est pas sans force pour les
gens de cet état : de plus, j'ai son secret, et mieux encore ;
victime d'une folie de l'amour, elle était perdue si je ne
355 l'eusse sauvée. Ses parents, tout hérissés[3] d'honneur, ne
voulaient pas moins que la faire enfermer. Ils s'adressèrent
à moi. Je vis, d'un coup d'œil, combien leur courroux• pouvait m'être utile. Je le secondai, et sollicitai l'ordre, que
j'obtins. Puis passant tout à coup au parti de la clémence
360 auquel j'amenai ses parents, et profitant de mon crédit
auprès du vieux Ministre, je les fis tous consentir à me
laisser dépositaire de cet ordre, et maîtresse d'en arrêter ou
demander l'exécution, suivant que je jugerais du mérite de
la conduite future de cette fille. Elle sait donc que j'ai son
365 sort entre les mains, et quand, par impossible, ces moyens
puissants ne l'arrêteraient point, n'est-il pas évident que sa
conduite dévoilée et sa punition authentique[4] ôteraient
bientôt toute créance• à ses discours ?

À ces précautions que j'appelle fondamentales, s'en
370 joignent mille autres, ou locales ou d'occasion, que la
réflexion et l'habitude font trouver au besoin ; dont le détail
serait minutieux, mais dont la pratique est importante, et
qu'il faut vous donner la peine de recueillir dans l'ensemble
de ma conduite, si vous voulez parvenir à les connaître.

375 Mais de prétendre que je me sois donné tant de soins
pour n'en pas retirer de fruits ; qu'après m'être autant éle-
vée au-dessus des autres femmes par mes travaux pénibles,
je consente à ramper comme elles dans ma marche, entre

---

1. *vous édifier* : vous mettre à même de juger sans illusion.
2. *sœur de lait* : nourrie du lait de la même nourrice, mais sans être de la même famille.
3. *hérissés* : armés.
4. *punition authentique* : arrêt de condamnation en bonne et due forme, et faisant foi en raison des formes légales dont il est revêtu.

l'imprudence et la timidité ; que surtout je pusse redouter
380 un homme au point de ne plus voir mon salut que dans la
fuite ? Non, Vicomte• ; jamais. Il faut vaincre ou périr.
Quant à Prévan, je veux l'avoir et je l'aurai ; il veut le dire,
et il ne le dira pas : en deux mots, voilà notre Roman.
Adieu.

De..., ce 20 septembre 17**.

Bernard Giraudeau (Valmont) et Caroline Cellier (Mme de Merteuil),
Théâtre Édouard VII, Paris.

Compréhension

1. *Quelle est la composition d'ensemble de la lettre LXXXI ? Soyez attentif aux changements de ton comme aux changements de thème.*

• L'intrigue et l'action

2. *«[...] vous lui avez confié depuis, et pour votre compte, des secrets assez dangereux » (l. 345 à 347) : à quoi la marquise• fait-elle ici allusion ? Quelle est l'importance de ce «détail» dans l'économie même du roman dans son ensemble ? (Cf. lettre CLII.) Rapprochez cette allusion de la maxime que s'est donnée la marquise de «ne jamais écrire ». S'y conforme-t-elle ? Pourquoi cette contradiction ?*

• Le cadre

3. *Mme de Merteuil évoque ce qu'elle nomme «le grand Théâtre• ». De quel espace s'agit-il ? Mérite-t-il l'épithète ? Pourquoi cette référence au théâtre caractérise-t-elle bien le traitement et l'utilisation de l'espace dans les Liaisons• ?*

4. *Peut-on parler ici d'un pamphlet féministe ?*

5. *La marquise de Merteuil dit : «Être orgueilleux et faible, il te sied bien [...]» (l. 7-8), et plus loin : «[...] je puis dire que je suis mon ouvrage » (l. 118-119). De quel être la marquise usurpe-t-elle la position et la puissance ?*

Écriture

6. *Commentez la place de la lettre LXXXI.*

7. *Cette lettre se rattache-t-elle à l'un des types les plus fréquents dans le recueil, «bulletin• de campagne», «héroïde* » ou manœuvre de séduction ? En quoi cette lettre diffère-t-elle profondément de toutes les autres ?*

8. *Analysez chez la marquise l'art du «portrait» et de la «maxime», deux formes de la littérature mondaine au XVIIe siècle.*

9. *L'expansion du moi : observez les formes, les fonctions, la fréquence et la distribution dans la phrase des pronoms et adjectifs de la première personne. Comparez ces désignations avec celles*

qu'utilise la marquise pour parler d'autrui. Quelle image Mme de Merteuil donne-t-elle ici d'elle-même ? (Pour cette question, ainsi que pour les trois suivantes, vous pourrez concentrer votre attention sur le passage : «Alors je commençai à déployer [...] que ces hommes dangereux auraient pu obtenir», l. 284 à 322.)

10. Étudiez les temps employés par la marquise• : comment s'opposent-ils entre eux ? Quels en sont les effets de sens ?

11. Soyez attentif aux rythmes et aux constructions des phrases : quels sont les plus fréquents ? les plus marqués* ? En quoi traduisent-ils le caractère du personnage ?

12. Étudiez les réseaux métaphoriques et les champs lexicaux* dominants : quels sont les domaines de la culture ou de l'expérience humaine qui sont les plus sollicités dans l'écriture de la marquise ? Pourquoi ?

Valmont et la Présidente de Tourvel, gravure de Lavrince.

LETTRE LXXXII

CÉCILE VOLANGES AU CHEVALIER DANCENY

Du Château de..., ce 21 septembre 17**.

LETTRE LXXXIII

LE VICOMTE DE VALMONT
À LA PRÉSIDENTE DE TOURVEL

Du Château de..., ce 23 septembre 17**.

LETTRE LXXXIV

LE VICOMTE DE VALMONT À CÉCILE VOLANGES

De..., ce 24 septembre 17**.

LETTRE LXXXV

LA MARQUISE DE MERTEUIL
AU VICOMTE DE VALMONT

Enfin, vous serez tranquille et surtout vous me rendrez justice. Écoutez, et ne me confondez plus avec les autres femmes. J'ai mis à fin[1] mon aventure avec Prévan; *à fin!* entendez-vous bien ce que cela veut dire? À présent vous allez juger qui de lui ou de moi pourra se vanter. [...]
[...]

---

1. *mis à fin* : mené à son terme, mis fin à.

Le rendez-vous, donné si haut, à la sortie de l'Opéra*, fut entendu[1] comme je l'avais espéré. Prévan s'y rendit [...].
[...]

10 Le Lundi suivant, je fus aux Français[2], comme nous en étions convenus. Malgré votre curiosité littéraire, je ne puis vous rien dire du Spectacle, sinon que Prévan a un talent merveilleux pour la cajolerie•, et que la Pièce est tombée[3] : voilà tout ce que j'y ai appris. Je voyais avec peine finir
15 cette soirée, qui réellement me plaisait beaucoup ; et pour la prolonger, j'offris à la Maréchale• de venir souper• chez moi : ce qui me fournit le prétexte de le proposer à l'aimable Cajoleur, qui ne demanda que le temps de courir, pour se dégager, jusque chez les Comtesses• de P****. Ce
20 nom me rendit toute ma colère [...].
[...]

Après souper, je profitai du temps où la bonne Maréchale contait une de ces histoires qu'elle conte toujours, pour me placer sur mon Ottomane•, dans cet abandon que donne
25 une tendre rêverie. Je n'étais pas fâchée que Prévan me vît ainsi ; il m'honora, en effet, d'une attention toute particulière. Vous jugez bien que mes timides regards n'osaient chercher les yeux de mon vainqueur : mais dirigés vers lui d'une manière plus humble, ils m'apprirent bientôt que
30 j'obtenais l'effet que je voulais produire. Il fallait encore lui• persuader que je le partageais : aussi, quand la Maréchale annonça qu'elle allait se retirer, je m'écriai d'une voix molle et tendre : Ah Dieu ! j'étais si bien là ! Je me levai pourtant : mais avant de me séparer d'elle, je lui demandai
35 ses projets•, pour avoir un prétexte de dire les miens et de faire savoir que je resterais chez moi le surlendemain. Làdessus tout le monde se sépara.

Alors je me mis à réfléchir. Je ne doutais pas que Prévan ne profitât de l'espèce de rendez-vous que je venais de lui don-
40 ner ; qu'il n'y vînt d'assez bonne heure pour me trouver seule, et que l'attaque ne fût vive : mais j'étais bien sûre aussi,

* Voyez la Lettre LXXIV.

1. *entendu* : compris.
2. *je fus aux Français* : je me rendis à la Comédie-Française.
3. *est tombée* : a échoué, n'a rencontré aucun succès.

d'après ma réputation, qu'il ne me traiterait pas avec cette
légèreté que, pour peu qu'on ait d'usage, on n'emploie qu'a-
vec les femmes à aventures, ou celles qui n'ont aucune expérience ; et je voyais mon succès certain s'il prononçait le mot
45 d'amour, s'il avait la prétention, surtout, de l'obtenir de moi.

Qu'il est commode d'avoir affaire à vous autres *gens à
principes*! quelquefois un brouillon d'Amoureux vous dé-
concerte par sa timidité ou vous embarrasse par ses fou-
gueux transports• ; c'est une fièvre qui, comme l'autre, a ses
50 frissons et son ardeur, et quelquefois varie dans ses symptômes. Mais votre marche réglée se devine si facilement !
L'arrivée, le maintien, le ton, les discours, je savais tout dès
la veille. [...]

Prévan me demanda de venir le lendemain matin, et j'y
55 consentis : mais soigneuse de me défendre, j'ordonnai à ma
Femme de chambre de rester tout le temps de cette visite
dans ma chambre à coucher, d'où vous savez qu'on voit tout
ce qui se passe dans mon cabinet de toilette, et ce fut là que je
le reçus. Libres dans notre conversation, et ayant tous deux le
60 même désir, nous fûmes bientôt d'accord : mais il fallait se
défaire de ce spectateur importun ; c'était où je l'attendais.

Alors, lui faisant à mon gré le tableau de ma vie intérieure,
je lui• persuadai aisément que nous ne trouverions jamais un
moment de liberté ; et qu'il fallait regarder comme une
65 espèce de miracle, celle dont nous avions joui hier, qui même
laisserait encore des dangers trop grands pour m'y exposer,
puisque à tout moment on pouvait entrer dans mon salon. Je
ne manquai pas d'ajouter que tous ces usages s'étaient établis,
parce que, jusqu'à ce jour, ils ne m'avaient jamais contrariée ;
70 et j'insistai en même temps sur l'impossibilité de les changer,
sans me compromettre aux yeux de mes Gens•. Il essaya de
s'attrister, de prendre de l'humeur•, de me dire que j'avais
peu d'amour ; et vous devinez combien tout cela me touchait !
Mais voulant frapper le coup décisif, j'appelai les larmes à
75 mon secours. Ce fut exactement le *Zaïre, vous pleurez*[1]. Cet

* Voyez la Lettre LXX.

---

1. Zaïre, vous pleurez : réplique célèbre tirée de la tragédie de Voltaire intitulée
Zaïre (acte IV, scène 2).

Cet empire• qu'il se crut sur moi, et l'espoir qu'il en conçut de me perdre à son gré, lui tinrent lieu de tout l'amour d'Orosmane[1].

Ce coup de théâtre passé, nous revînmes aux arrange-
80 ments. Au défaut du jour, nous nous occupâmes de la nuit : mais mon Suisse devenait un obstacle insurmontable, et je ne permettais pas qu'on essayât de le gagner. Il me proposa la petite porte de mon jardin : mais je l'avais prévu, et j'y créai un chien[2] qui, tranquille et silencieux le jour, était un
85 vrai démon la nuit. La facilité avec laquelle j'entrai dans tous ces détails était bien propre à l'enhardir[3], aussi vint-il à me proposer l'expédient[4] le plus ridicule, et ce fut celui que j'acceptai.

[...] Le jour fixé fut au surlendemain.

90 Remarquez que voilà une affaire arrangée, et que personne n'a encore vu Prévan dans ma société•. Je le ren-
contre à souper• chez une de mes amies, il lui offre sa loge pour une pièce nouvelle, et j'y accepte une place. J'invite cette femme à souper, pendant le Spectacle et devant Pré-
95 van ; je ne puis presque pas me dispenser de lui proposer d'en être. Il accepte et me fait, deux jours après, une visite que l'usage exige. Il vient, à la vérité, me voir le lendemain matin : mais, outre que les visites du matin ne marquent plus, il ne tient qu'à moi de trouver celle-ci trop leste ; et je
100 le mets en effet dans la classe des gens moins liés avec moi, par une invitation écrite, pour un souper de cérémonie. Je puis bien dire comme Annette : *Mais voilà tout, pourtant !*

Le jour fatal arrivé, ce jour où je devais perdre ma vertu et ma réputation, je donnai mes instructions à ma fidèle
105 Victoire, et elle les exécuta comme vous le verrez bientôt.

Cependant le soir vint. J'avais déjà beaucoup de monde chez moi, quand on y annonça Prévan. [...]

[...]

Le jeu dura plus que je n'avais pensé. [...] Il finit pourtant,

---

1. *Orosmane* : personnage principal de *Zaïre,* qui aime Zaïre et croit à tort que celle-ci aime Nérestan.
2. *j'y créai un chien* : j'inventai que s'y trouvait un chien.
3. *l'enhardir* : lui donner de l'assurance, le pousser à oser.
4. *l'expédient* : le procédé.

110 et chacun s'en alla. Pour moi, je sonnai mes femmes, je me
déshabillai fort vite, et les renvoyai de même.

Me voyez-vous, Vicomte•, dans ma toilette légère, marcher d'un pas timide et circonspect[1], et d'une main mal
assurée ouvrir la porte à mon vainqueur ? Il m'aperçut,
115 l'éclair n'est pas plus prompt. Que vous dirai-je ? je fus
vaincue, tout à fait vaincue, avant d'avoir pu dire un mot
pour l'arrêter ou me défendre. Il voulut ensuite prendre une
situation[2] plus commode et plus convenable aux circonstances. Il maudissait sa parure, qui, disait-il, l'éloignait
120 de moi, il voulait me combattre à armes égales : mais mon
extrême timidité s'opposa à ce projet•, et mes tendres
caresses ne lui en laissèrent pas le temps. Il s'occupa
d'autre chose.

Ses droits étaient doublés, et ses prétentions revinrent ;
125 mais alors : « Écoutez-moi, lui dis-je ; vous aurez jusqu'ici
un assez agréable récit à faire aux deux Comtesses• de P***,
et à mille autres : mais je suis curieuse de savoir comment
vous raconterez la fin de l'aventure. » En parlant ainsi, je
sonnais de toutes mes forces. Pour le coup j'eus mon tour,
130 et mon action fut plus vive que sa parole. Il n'avait encore
que balbutié, quand j'entendis Victoire accourir, et appeler
les Gens• qu'elle avait gardés chez elle, comme je le lui avais
ordonné. Là, prenant mon ton de Reine, et élevant la voix :
« Sortez, Monsieur, continuai-je, et ne reparaissez jamais
135 devant moi. » Là-dessus, la foule de mes gens entra.

Le pauvre Prévan perdit la tête, et croyant voir un guet-
apens dans ce qui n'était au fond qu'une plaisanterie, il se
jeta sur son épée. Mal lui en prit : car mon Valet de
chambre, brave et vigoureux, le saisit au corps et le terrassa.
140 J'eus, je l'avoue, une frayeur mortelle. Je criai qu'on arrêtât,
et ordonnai qu'on laissât sa retraite libre, en s'assurant
seulement qu'il sortît de chez moi. Mes gens m'obéirent :
mais la rumeur était grande parmi eux ; ils s'indignaient
qu'on eût osé manquer *à leur vertueuse Maîtresse*. Tous

---

1. *circonspect* : prudent, attentif.
2. *situation* : position.

145 accompagnèrent le malheureux Chevalier•, avec bruit et scandale, comme je le souhaitais. [...]

　　　[...]

　　　Tout a si bien réussi qu'avant midi, et aussitôt qu'il a été[1] jour chez moi, ma dévote• Voisine était déjà au chevet de 150 mon lit, pour savoir la vérité et les détails de cette horrible aventure. J'ai été obligée de me désoler avec elle, pendant une heure, sur la corruption du siècle. Un moment après, j'ai reçu de la Maréchale• le billet que je joins ici. Enfin, avant cinq heures, j'ai vu arriver, à mon grand étonnement, 155 M...*. Il venait, m'a-t-il dit, me faire ses excuses, de ce qu'un Officier de son corps avait pu me manquer à ce point. Il ne l'avait appris qu'à dîner• chez la Maréchale, et avait sur-le-champ envoyé ordre à Prévan de se rendre en prison. J'ai demandé grâce, et il me l'a refusée. Alors j'ai 160 pensé que, comme complice, il fallait m'exécuter de mon côté, et garder au moins de rigides arrêts[2]. J'ai fait fermer ma porte, et dire que j'étais incommodée.

　　　C'est à ma solitude que vous devez cette longue Lettre. J'en écrirai une à Madame de Volanges, dont sûrement elle 165 fera lecture publique et où vous verrez cette histoire telle qu'il faut la raconter.

　　　J'oubliais de vous dire que Belleroche est outré[3], et veut absolument se battre avec Prévan. Le pauvre garçon! heureusement j'aurai le temps de calmer sa tête. En attendant, 170 je vais reposer la mienne, qui est fatiguée d'écrire. Adieu, Vicomte•.

　　　　　　Du château de..., ce 25 septembre 17**, au soir.

---

* Le Commandant• du corps dans lequel M. de Prévan servait.

---

1. *a été* : fit.
2. *garder de rigides arrêts* : observer de rigoureuses sanctions (infligées à un officier, qui l'oblige à ne pas sortir de chez lui).
3. *outré* : indigné, excédé.

Questions

Compréhension

1. *Quelle est la fonction de la lettre LXXXV : «lettre-rapport» ou «lettre-action»?*

2. *«Il m'aperçut, l'éclair n'est pas plus prompt. Que vous dirai-je? je fus vaincue, tout à fait vaincue, avant d'avoir pu dire un mot pour l'arrêter ou me défendre» (lettre LXXXV, l. 114 à 117) : attribuez-vous la soudaineté de cette passion de Prévan pour Mme de Merteuil au caractère de la marquise•, à sa vanité•, à sa stratégie envers Valmont ou à l'économie même du roman?*

Écriture

3. *«Ce fut exactement le Zaïre, vous pleurez» (lettre LXXXV, l. 75). Quelle est ici la raison d'être de l'italique*? Vous comprendrez mieux ce qui est en jeu en vous reportant à d'autres citations mises en italique, par exemple dans les lettres LXXIV, CXXXIII ou CXLVI.*

Michelle Pfeiffer (Mme de Tourvel) et John Malkovich (Valmont).

LETTRE LXXXVI

LA MARÉCHALE• DE ***
À LA MARQUISE• DE MERTEUIL
(Billet inclus dans la précédente.)

Paris, ce 25 septembre 17**.

LETTRE LXXXVII

LA MARQUISE DE MERTEUIL
À MADAME DE VOLANGES

Paris, ce 26 septembre 17**.

Colin Firth (Valmont) et Henry Thomas (Danceny),
sur le tournage de Valmont *dans les rues de Bordeaux.*

Bilan

L'action

• Ce que nous savons

Cécile a renoué avec le chevalier[*] Danceny, Mme de Tourvel accepté les lettres du vicomte[*]. Désormais la marquise[*] mène le jeu : elle a révélé à Mme de Volanges les amours de sa fille et lui conseille de la mener à la campagne, chez Mme de Rosemonde. Le scandale du tête-à-tête se trouvant évité, Valmont pourra y reprendre le siège de sa Présidente[*]. Non sans exécuter le «petit projet[*]» de Mme de Merteuil : Cécile ne couchera-t-elle pas désormais sous le même toit que Valmont ?... Celui-ci, cependant, progresse lentement dans la conquête de Mme de Tourvel. Une jalousie d'orgueil commence à opposer les deux roués, qui se provoquent à coup d'anecdotes scabreuses : Valmont se donne le beau rôle dans le «réchauffé[*]» avec la vicomtesse de..., Mme de Merteuil dans la scène avec Prévan.

• À quoi nous attendre ?

Le moment viendra-t-il où le couple libertin[*] parviendra à renouer ? On commence à en douter sérieusement. Toutefois, l'occasion s'en rapproche, car les obstacles à ce «réchauffé» sont prêts de tomber : Mme de Tourvel ne devrait pas résister longtemps encore à ce deuxième siège dont Valmont l'enveloppe ; la corruption de Cécile semble imminente.

Les personnages

• Ce que nous savons

• **La marquise de Merteuil** : la lettre LXXXI, centrale dans le recueil, contient l'autobiographie de Mme de Merteuil. Nous y lisons la genèse intellectuelle et morale du projet libertin, travail sur soi qui permet de s'artificialiser entièrement et de s'abstraire de toute spontanéité naturelle. La supériorité de cette femme de tête y éclate par rapport à Valmont, et par rapport à celles qu'elle nomme «femmes à délire» ou «femmes à sentiments».

L'écriture

C'est uniquement par correspondance que la marquise a conduit l'intrigue. Encourageant Mme de Volanges à la vertu et sa fille au vice, en deux lettres parallèles et contraires, elle a servi son but unique, qui est de se venger de Gercourt : la mère renonce à rompre le mariage avec Gercourt ; Cécile continuera d'ouvrir sa porte à son corrupteur. Dans ce roman, où le sens des lettres dépend du destinataire, agir, c'est écrire.

Prévan et la Marquise de Merteuil, gravure de Trient, 1782.

TROISIÈME PARTIE

LETTRE LXXXVIII

CÉCILE VOLANGES AU VICOMTE• DE VALMONT

Malgré tout le plaisir que j'ai, Monsieur, à recevoir les Lettres de M. le Chevalier• Danceny, et quoique je ne désire pas moins que lui que nous puissions nous voir encore, sans qu'on puisse nous en empêcher, je n'ai pas osé
5 cependant faire ce que vous me proposez. Premièrement, c'est trop dangereux ; cette clef que vous voulez que je mette à la place de l'autre lui ressemble bien assez à la vérité : mais pourtant, il ne laisse pas¹ d'y avoir encore de la différence, et Maman regarde à² tout, et s'aperçoit de
10 tout. [...] Et puis, il me semble aussi que ce serait bien mal ; faire comme cela une double clef : c'est bien fort ! [...] Je crois donc qu'il vaut mieux rester comme nous sommes.

Si vous avez toujours la bonté d'être aussi complaisant que jusqu'ici, vous trouverez toujours bien le moyen de me
15 remettre une Lettre. [...]

Je vous remettrai, Monsieur, en même temps que cette Lettre, la vôtre, celle de M. Danceny, et votre clef. Je n'en suis pas moins reconnaissante de toutes vos bontés et je vous prie bien de me les continuer. [...]
20 J'ai l'honneur d'être, Monsieur, avec bien de la reconnaissance, votre très humble et très obéissante servante.

*De..., ce 26 septembre 17**.*

---

1. *il ne laisse pas* : il ne cesse pas.
2. *regarde à* : veille à, surveille.

LETTRE LXXXIX

LE VICOMTE[•] DE VALMONT
AU CHEVALIER[•] DANCENY

Si vos affaires ne vont pas toujours aussi vite que vous le voudriez, mon ami, ce n'est pas tout à fait à moi qu'il faut vous en prendre. J'ai ici plus d'un obstacle à vaincre. La vigilance et la sévérité de Madame de Volanges ne sont pas
5 les seuls ; votre jeune amie m'en oppose aussi quelques-uns. Soit froideur, ou timidité, elle ne fait pas toujours ce que je lui conseille ; et je crois cependant savoir mieux qu'elle ce qu'il faut faire.

J'avais trouvé un moyen simple, commode et sûr de lui
10 remettre vos Lettres, et même de faciliter, par la suite, les entrevues que vous désirez : mais je n'ai pu la décider à s'en servir. J'en suis d'autant plus affligé, que je n'en vois pas d'autre pour vous rapprocher d'elle [...].

Je serais pourtant vraiment peiné que le peu de confiance
15 de votre petite amie m'empêchât de vous être utile ; peut-être feriez-vous bien de lui en écrire[1]. Voyez ce que vous voulez faire, c'est à vous seul à décider ; car ce n'est pas assez de servir ses amis, il faut encore les servir à leur manière. Ce pourrait être aussi une façon de plus de vous
20 assurer de[2] ses sentiments pour vous ; car la femme qui garde une volonté à elle n'aime pas autant qu'elle le dit.

[...] Adieu, mon ami.

*Du Château de..., ce 26 septembre 17**.*

---

1. *en écrire* : en parler par lettre.
2. *vous assurer de* : vous rendre sûr de.

LETTRE XC

LA PRÉSIDENTE[*] DE TOURVEL
AU VICOMTE DE VALMONT

De..., ce 27 septembre 17**.

LETTRE XCI

LE VICOMTE[*] DE VALMONT
À LA PRÉSIDENTE DE TOURVEL

De..., ce 27 septembre 17**, au soir.

LETTRE XCII

LE CHEVALIER[*] DANCENY AU VICOMTE DE VALMONT

Ô mon ami! votre Lettre m'a glacé d'effroi. Cécile...
Ô Dieu! est-il possible? Cécile ne m'aime plus. Oui, je vois
cette affreuse vérité à travers le voile dont votre amitié l'en-
toure. [...]

Quel parti dois-je prendre? que me conseillez-vous? Si je
tentais de la voir? cela est-il donc impossible? L'absence
est si cruelle, si funeste... et elle a refusé un moyen de me
voir! [...]

5   Que vais-je faire à présent? comment lui écrire? [...]

Oh! si elle pouvait savoir ce que je souffre, ma peine la
toucherait. Je la connais sensible; elle a le cœur excellent
et j'ai mille preuves de son amour. Trop de timidité, quelque embarras, elle est si jeune! et sa mère la traite avec tant
10   de sévérité! Je vais lui écrire; je me contiendrai; je lui
demanderai seulement de s'en remettre entièrement à
vous. Quand même elle refuserait encore, elle ne pourra
pas au moins se fâcher de ma prière; et peut-être elle
consentira.
15   [...]

Adieu, mon ami; continuez-moi vos soins, et plaignez-
moi beaucoup.

Paris, ce 27 septembre 17**.

LETTRE XCIII

LE CHEVALIER● DANCENY À CÉCILE VOLANGES
(Jointe à la précédente.)

Je ne puis vous dissimuler combien j'ai été affligé en apprenant de Valmont le peu de confiance que vous continuez à avoir en lui. Vous n'ignorez pas qu'il est mon ami, qu'il est la seule personne qui puisse nous rapprocher l'un
5 de l'autre : j'avais cru que ces titres seraient suffisants auprès de vous ; je vois avec peine que je me suis trompé. Puis-je espérer qu'au moins vous m'instruirez● de vos raisons ? [...]
    [...]

*Paris, ce 27 septembre 17**.*

LETTRE XCIV

CÉCILE VOLANGES AU CHEVALIER DANCENY

Je ne conçois● rien à votre Lettre, sinon la peine qu'elle me cause. Qu'est-ce que M. de Valmont vous a donc mandé●, et qu'est-ce qui a pu vous faire croire que je ne vous aimais plus ? [...]
5 Qu'est-ce que j'ai donc fait pour vous tant fâcher ? Je n'ai pas osé prendre une clef, parce que je craignais que Maman ne s'en aperçût, et que cela ne me causât encore du chagrin, et à vous aussi à cause de moi ; et puis encore, parce qu'il me semble que c'est mal fait. Mais ce n'était que M. de
10 Valmont qui m'en avait parlé ; je ne pouvais pas savoir si vous le vouliez ou non, puisque vous n'en saviez rien. À présent que je sais que vous le désirez, est-ce que je refuse de la prendre, cette clef ? je la prendrai dès demain ; et puis nous verrons ce que vous aurez encore à dire.
15 [...]
Si vous vouliez, nous nous aimerions tant ! [...] mais si vous ne me croyez pas, nous serons toujours bien malheureux, et ce ne sera pas ma faute. J'espère que bientôt

157

nous pourrons nous voir, et qu'alors nous n'aurons plus
20 d'occasions de nous chagriner comme à présent.

Si j'avais pu prévoir ça, j'aurais pris cette clef tout de
suite : mais, en vérité, je croyais bien faire. Ne m'en voulez
donc pas, je vous en prie. Ne soyez plus triste, et aimez-moi
toujours autant que je vous aime ; alors je serai bien
25 contente. Adieu, mon cher ami.

Du Château de..., ce 28 septembre 17**.

LETTRE XCV

CÉCILE VOLANGES AU VICOMTE• DE VALMONT

Je vous prie, Monsieur, de vouloir bien avoir la bonté de
me remettre cette clef que vous m'aviez donnée pour
mettre à la place de l'autre ; puisque tout le monde le veut,
il faut bien que j'y consente aussi.

5 Je ne sais pas pourquoi vous avez mandé• à M. Danceny
que je ne l'aimais plus : je ne crois pas vous avoir jamais
donné lieu de le penser ; et cela lui a fait bien de la peine, et
à moi aussi. [...]

Pour ce qui est de la clef, vous pouvez être tranquille ; j'ai
10 bien retenu tout ce que vous me recommandiez dans votre
Lettre. Cependant, si vous l'avez encore, et que vous vouliez me la donner en même temps, je vous promets que j'y
ferai bien attention. Si ce pouvait être demain en allant
dîner•, je vous donnerais l'autre clef après-demain à déjeu-
15 ner•, et vous me la remettriez de la même façon que la
première. Je voudrais bien que cela ne fût pas long, parce
qu'il y aurait moins de temps à risquer que Maman s'en
aperçût.

[...]

20 J'ai l'honneur d'être, Monsieur, votre très humble et très
obéissante servante.

De..., ce 28 septembre 17**.

LETTRE XCVI

LE VICOMTE• DE VALMONT
À LA MARQUISE• DE MERTEUIL

[...]

Depuis quelques jours, mieux traité par ma tendre Dévote•, et par conséquent moins occupé d'elle, j'avais remarqué que la petite Volanges était en effet fort jolie ; et
5 que s'il y avait de la sottise à en être amoureux comme Danceny, peut-être n'y en avait-il pas moins de ma part à ne pas chercher auprès d'elle une distraction que ma solitude me rendait nécessaire. Il me parut juste aussi de me payer des soins que je me donnais pour elle : je me rappe-
10 lais en outre que vous me l'aviez offerte, avant que Danceny eût rien à y prétendre ; et je me trouvais fondé à réclamer quelques droits sur un bien qu'il ne possédait qu'à mon refus et par mon abandon. La jolie mine de la petite personne, sa bouche si fraîche, son air enfantin, sa gaucherie•
15 même fortifiaient ces sages réflexions ; je résolus d'agir en conséquence, et le succès a couronné l'entreprise.

Déjà vous cherchez par quel moyen j'ai supplanté si tôt l'amant chéri ; quelle séduction convient à cet âge, à cette inexpérience. Épargnez-vous tant de peine, je n'en ai
20 employé aucune. Tandis que, maniant avec adresse les armes de votre sexe, vous triomphiez par la finesse ; moi, rendant à l'homme ses droits imprescriptibles[1], je subjuguais par l'autorité. Sûr de saisir ma proie si je pouvais la joindre, je n'avais besoin de ruse que pour m'en approcher,
25 et même celle dont je me suis servi ne mérite presque pas ce nom.

Je profitai de la première Lettre que je reçus de Danceny pour sa Belle, et après l'en avoir avertie par le signal convenu entre nous, au lieu de mettre mon adresse à la lui
30 rendre, je la mis à n'en pas trouver le moyen : cette impatience que je faisais naître, je feignais de la partager, et après avoir causé le mal, j'indiquai le remède.

---

1. *imprescriptibles* : dont on ne peut être privé.

La jeune personne habite une chambre dont une porte donne sur le corridor ; mais comme de raison, la mère en avait pris la clef. Il ne s'agissait que de s'en rendre maître.
Rien de plus facile dans l'exécution ; je ne demandais que d'en disposer deux heures, et je répondais d'en avoir[1] une semblable. Alors correspondances, entrevues, rendez-vous nocturnes ; tout devenait commode et sûr : cependant, le croiriez-vous ? l'enfant timide prit peur et refusa. Un autre s'en serait désolé ; moi, je n'y vis que l'occasion d'un plaisir plus piquant. J'écrivis à Danceny pour me plaindre de ce refus, et je fis si bien que notre étourdi n'eut de cesse qu'il n'eût obtenu, exigé même de sa craintive Maîtresse, qu'elle accordât ma demande et se livrât toute à ma discrétion.

J'étais bien aise[•], je l'avoue, d'avoir ainsi changé de rôle, et que le jeune homme fît pour moi ce qu'il comptait que je ferais pour lui. Cette idée doublait, à mes yeux, le prix de l'aventure : aussi dès que j'ai eu la précieuse clef, me suis-je hâté d'en faire usage, c'était la nuit dernière.

Après m'être assuré que tout était tranquille dans le Château ; armé de ma lanterne sourde[2], et dans la toilette que comportait l'heure et qu'exigeait la circonstance, j'ai rendu ma première visite à votre pupille[•]. J'avais tout fait préparer (et cela par elle-même), pour pouvoir entrer sans bruit. Elle était dans son premier sommeil, et dans celui de son âge ; de façon que je suis arrivé jusqu'à son lit, sans qu'elle se soit réveillée. J'ai d'abord été tenté d'aller plus avant, et d'essayer de passer pour un songe[3] ; mais craignant l'effet de la surprise et le bruit qu'elle entraîne, j'ai préféré d'[•]éveiller avec précaution la jolie dormeuse, et suis en effet parvenu à prévenir[4] le cri que je redoutais.

Après avoir calmé ses premières craintes, comme je n'étais pas venu là pour causer, j'ai risqué quelques libertés. Sans doute[•] on ne lui a pas bien appris dans son Couvent à combien de périls divers est exposée la timide innocence, et tout ce qu'elle a à garder pour n'être pas surprise : car,

---

1. *répondais d'en avoir* : garantissais d'en avoir.
2. *lanterne sourde* : lanterne dont on cache la lumière à volonté.
3. *un songe* : une vision, une chimère.
4. *prévenir* : prendre les devants pour empêcher.

portant toute son attention, toutes ses forces à se défendre
d'un baiser, qui n'était qu'une fausse attaque, tout le reste
70 était laissé sans défense ; le moyen de n'en pas profiter ! J'ai
donc changé ma marche, et sur-le-champ j'ai pris poste. Ici
nous avons pensé être perdus tous deux : la petite fille, tout
effarouchée, a voulu crier de bonne foi ; heureusement sa
voix s'est éteinte dans les pleurs. Elle s'était jetée aussi au
75 cordon de sa sonnette, mais mon adresse a retenu son bras
à temps.

« Que voulez-vous faire (lui ai-je dit alors), vous perdre
pour toujours ? Qu'on vienne, et que m'importe ? à• qui
persuaderez-vous que je ne sois pas ici de votre aveu ? Quel
80 autre que vous m'aura fourni le moyen de m'y introduire ?
et cette clef que je tiens de vous, que je n'ai pu avoir que
par vous, vous chargerez-vous d'en indiquer l'usage ? »
Cette courte harangue n'a calmé ni la douleur, ni la colère,
mais elle a amené la soumission. Je ne sais si j'avais le don
85 de l'éloquence ; au moins est-il vrai que je n'en avais pas le
geste. Une main occupée pour la force, l'autre pour
l'amour, quel Orateur pourrait prétendre à la grâce en
pareille situation ? Si vous vous la peignez[1] bien, vous
conviendrez qu'au moins elle était favorable à l'attaque :
90 mais moi, je n'entends• rien à rien, et comme vous dites, la
femme la plus simple, une pensionnaire, me mène comme
un enfant.

Celle-ci, tout en se désolant, sentait qu'il fallait prendre
un parti, et entrer en composition[2]. Les prières me trouvant
95 inexorable[3], il a fallu passer aux offres. Vous croyez que j'ai
vendu bien cher ce poste important : non, j'ai tout promis
pour un baiser. Il est vrai que, le baiser pris, je n'ai pas tenu
ma promesse : mais j'avais de bonnes raisons. Étions-nous
convenus qu'il serait pris ou donné ? À force de marchan-
100 der, nous sommes tombés d'accord pour un second ; et
celui-là, il était dit qu'il serait reçu. Alors ayant guidé ses
bras timides autour de mon corps, et la pressant de l'un des

---

1. *vous vous la peignez* : vous vous la représentez, vous l'imaginez.
2. *entrer en composition* : trouver un compromis.
3. *Les prières me trouvant inexorable* : Comme je n'obéissais pas à ses demandes
instantes [d'arrêter].

miens plus amoureusement, le doux baiser a été reçu en
effet ; mais bien, mais parfaitement reçu : tellement enfin
105 que l'Amour n'aurait pas pu mieux faire.

Tant de bonne foi méritait récompense, aussi ai-je aussitôt accordé la demande. La main s'est retirée ; mais je ne
sais par quel hasard je me suis trouvé moi-même à sa place.
Vous me supposez là bien empressé, bien actif, n'est-il pas
110 vrai ? point du tout. J'ai pris goût aux lenteurs, vous dis-je.
Une fois sûr d'arriver, pourquoi tant presser le voyage ?

Sérieusement, j'étais bien aise• d'observer une fois la
puissance de l'occasion, et je la trouvais ici dénuée de tout
secours étranger. Elle avait pourtant à combattre l'amour,
115 et l'amour soutenu par la pudeur ou la honte, et fortifié
surtout par l'humeur• que j'avais donnée, et dont on avait
beaucoup pris. L'occasion était seule ; mais elle était là, toujours offerte, toujours présente, et l'Amour était absent.

Pour assurer mes observations, j'avais la malice de n'em-
120 ployer de force que ce qu'on en pouvait combattre. Seulement si ma charmante ennemie, abusant de ma facilité, se
trouvait prête à m'échapper, je la contenais par cette même
crainte, dont j'avais déjà éprouvé les heureux effets. Hé
bien ! sans autre soin, la tendre amoureuse, oubliant ses
125 serments, a cédé d'abord et fini par consentir : non pas
qu'après ce premier moment les reproches et les larmes ne
soient revenus de concert[1] ; j'ignore s'ils étaient vrais ou
feints : mais, comme il arrive toujours, ils ont cessé, dès
que je me suis occupé à y donner lieu de nouveau. Enfin, de
130 faiblesse en reproche, et de reproche en faiblesse, nous ne
nous sommes séparés que satisfaits l'un de l'autre, et également d'accord pour le rendez-vous de ce soir.

[...] Adieu, ma belle amie.

Du Château de..., ce 1ᵉʳ octobre 17**.

---

1. *de concert* : ensemble, en même temps.

Questions

Compréhension

• **Lettres LXXXVIII à XCVI**

1. *Quels sont les moyens et les raisons qui expliquent la corruption de Cécile ?*

• **Lettre XCVI**

2. *Rapprochez cette lettre des lettres X, LXXI et LXXXV : qu'est-ce qui, à partir de ces textes, fait l'originalité de l'érotisme dans Les Liaisons• dangereuses ?*

Écriture

• **Lettre LXXXVIII**

3. *Comparez cette lettre avec la lettre LXXXV et, de même, rapprochez les lettres CIV et CV, CXLV et CXLVI, par exemple, puis lisez le post-scriptum de la lettre CV. À quelle réflexion commune ces textes rapprochés peuvent-ils vous conduire ?*

4. *Analysez la duplicité de Valmont. Par quel moyen Laclos la met-il en évidence ?*

Bernard Giraudeau (Valmont) surprenant Coraly Zahonero (Cécile Volanges) dans sa chambre, Théâtre Édouard VII, Paris.

LETTRE XCVII

CÉCILE VOLANGES
À LA MARQUISE[•] DE MERTEUIL

Ah! mon Dieu, Madame, que je suis affligée! que je suis malheureuse! Qui me consolera dans mes peines? qui me conseillera dans l'embarras où je me trouve? Ce M. de Valmont... et Danceny! non, l'idée de Danceny me met au
5 désespoir... Comment vous raconter? comment vous dire?... [...] Il faut que je parle à quelqu'un, et vous êtes la seule à qui je puisse, à qui j'ose me confier. [...]
[...]
Vous saurez donc que M. de Valmont, qui m'a remis
10 jusqu'ici les Lettres de M. Danceny, a trouvé tout d'un coup que c'était trop difficile; il a voulu avoir une clef de ma chambre. Je puis bien vous assurer que je ne voulais pas; mais il a été en écrire à Danceny, et Danceny l'a voulu aussi [...].
15 Hier, M. de Valmont s'est servi de cette clef pour venir dans ma chambre, [...] l'idée m'est venue d'abord qu'il venait peut-être m'apporter une Lettre de Danceny. C'en était bien loin. Un petit moment après, il a voulu m'embrasser; et pendant que je me défendais, comme c'est
20 naturel, il a si bien fait, que je n'aurais pas voulu pour toute chose au monde... mais, lui voulait un baiser auparavant. Il a bien fallu, car comment faire? d'autant que j'avais essayé d'appeler, mais outre que je n'ai pas pu, il a bien su me dire que, s'il venait quelqu'un, il saurait bien rejeter toute la
25 faute sur moi; et, en effet, c'était bien facile, à cause de cette clef. Ensuite il ne s'est pas retiré davantage. Il en a voulu un second; et celui-là, je ne savais pas ce qui en était, mais il m'a toute troublée; et après, c'était encore pis qu'auparavant. Oh! par exemple, c'est bien mal ça. Enfin
30 après..., vous m'exempterez[1] bien de dire le reste; mais je suis malheureuse autant qu'on puisse l'être.
Ce que je me reproche le plus, et dont pourtant il faut

---

1. *m'exempterez* : me dispenserez.

que je vous parle, c'est que j'ai peur de ne pas m'être défen-
due autant que je le pouvais. Je ne sais pas comment cela se
35   faisait : sûrement, je n'aime pas M. de Valmont, bien au
contraire ; et il y avait des moments où j'étais comme si je
l'aimais... Vous jugez bien que ça ne m'empêchait pas de lui
dire toujours que non : mais je sentais bien que je ne faisais
pas comme je disais ; et ça, c'était comme malgré moi ; et
40   puis aussi, j'étais bien troublée ! S'il est toujours aussi difficile que ça de se défendre, il faut y être bien accoutumée ! Il
est vrai que M. de Valmont a des façons de dire, qu'on ne
sait pas comment faire pour lui répondre : enfin, croiriez-
vous que quand il s'en est allé, j'en étais comme fâchée, et
45   que j'ai eu la faiblesse de consentir qu'il revînt ce soir : ça
me désole encore plus que tout le reste.

Oh ! malgré ça, je vous promets bien que je l'empêcherai
d'y venir. Il n'a pas été sorti, que j'ai bien senti que j'avais
eu bien tort de lui promettre. Aussi, j'ai pleuré tout le reste
50   du temps. C'est surtout Danceny qui me faisait de la peine !
toutes les fois que je songeais à lui, mes pleurs redoublaient
que j'en étais suffoquée, et j'y songeais toujours... et à
présent encore, vous en voyez l'effet ; voilà mon papier tout
trempé. [...] Et ce matin en me levant, quand je me suis
55   regardée au miroir, je faisais peur, tant j'étais changée.

Maman s'en est aperçue dès qu'elle m'a vue et elle m'a
demandé ce que j'avais. Moi, je me suis mise à pleurer tout
de suite. Je croyais qu'elle m'allait[1] gronder, et peut-être ça
m'aurait fait moins de peine : mais, au contraire. Elle m'a
60   parlé avec douceur ! Je ne le méritais guère. [...] Je me suis
jetée dans ses bras en sanglotant, et en lui disant : « Ah !
Maman, votre fille est bien malheureuse ! » Maman n'a pu
s'empêcher de pleurer un peu ; et tout cela n'a fait qu'augmenter mon chagrin : heureusement elle ne m'a pas
65   demandé pourquoi j'étais si malheureuse, car je n'aurais su
que lui dire.

Je vous en supplie, Madame, écrivez-moi le plus tôt que
vous pourrez, et dites-moi ce que je dois faire [...]. Vous
voudrez bien m'adresser votre Lettre par M. de Valmont ;

---

1.   *m'allait* : allait me.

70 mais je vous en prie, si vous lui écrivez en même temps, ne lui parlez pas que je vous aie rien dit[1].

J'ai l'honneur d'être, Madame, avec toujours bien de l'amitié, votre très humble et très obéissante servante...

Je n'ose pas signer cette Lettre.

Du Château de..., ce 1er octobre 17**.

LETTRE XCVIII

MADAME DE VOLANGES À LA MARQUISE• DE MERTEUIL

Il y a bien peu de jours, ma charmante amie, que c'était vous qui me demandiez des consolations et des conseils : aujourd'hui, c'est mon tour [...].

C'est ma fille qui cause mon inquiétude. [...] J'espérais
5 que l'absence, les distractions détruiraient un amour que je regardais plutôt comme une erreur de l'enfance que comme une véritable passion. Cependant, loin d'avoir rien gagné depuis mon séjour ici, je m'aperçois que cet enfant se livre de plus en plus à une mélancolie dangereuse ; et je crains,
10 tout de bon, que sa santé ne s'altère. [...]

[...] Hier matin, sur la simple demande que je lui fis si elle était malade, elle se précipita dans mes bras en me disant qu'elle était bien malheureuse ; et elle pleura aux sanglots. Je ne puis vous rendre la peine qu'elle m'a faite ; les larmes
15 me sont venues aux yeux tout de suite et je n'ai eu que le temps de me détourner, pour empêcher qu'elle ne me vît. [...]

Quel parti prendre pourtant, si cela dure ? [...] si je force son choix, n'aurai-je pas à répondre des suites funestes
20 qu'il peut avoir ? Quel usage à faire de l'autorité maternelle que de placer sa fille entre le crime et le malheur !

Mon amie, je n'imiterai pas ce que j'ai blâmé si souvent. [...] Non, je ne souffrirai• point qu'elle épouse celui-ci pour

---

1. *ne lui parlez pas que je vous aie rien dit* : ne lui dites pas que je vous ai dit quoi que ce soit.

aimer celui-là, et j'aime mieux compromettre mon autorité
25   que sa vertu.

Je crois donc que je vais prendre le parti le plus sage de
retirer la parole que j'ai donnée à M. de Gercourt. [...]

[...] Danceny est d'une aussi bonne maison que lui ; il ne
lui cède en rien pour les qualités personnelles ; il a sur
30   M. de Gercourt l'avantage d'aimer et d'être aimé : il n'est
pas riche à la vérité ; mais ma fille ne l'est-elle pas assez
pour eux deux ? [...]

Ces mariages qu'on calcule au lieu de les assortir[1], qu'on
appelle de convenance, et où tout se convient en effet, hors
35   les goûts et les caractères, ne sont-ils pas la source la plus
féconde de ces éclats scandaleux qui deviennent tous les
jours plus fréquents ? J'aime mieux différer[2] : au moins j'aurai le temps d'étudier ma fille que je ne connais pas. [...]

Voilà, ma chère amie, les idées qui me tourmentent, et
40   sur quoi je réclame vos conseils. [...]

Adieu, ma charmante amie ; ne doutez jamais de la sincérité de mes sentiments.

*Du Château de..., ce 2 octobre 17**.*

LETTRE XCIX

LE VICOMTE• DE VALMONT
À LA MARQUISE• DE MERTEUIL

*Du Château de..., ce 2 octobre 17**, au soir.*

---

1. *assortir* : accorder, faire convenir réciproquement.
2. *différer* : retarder, attendre.

LETTRE C

LE VICOMTE• DE VALMONT
À LA MARQUISE• DE MERTEUIL

Mon amie, je suis joué[1], trahi, perdu ; je suis au désespoir : Mme de Tourvel est partie. Elle est partie, et je ne l'ai pas su ! et je n'étais pas là pour m'opposer à son départ, pour lui reprocher son indigne trahison ! Ah ! ne croyez pas que je l'eusse laissée partir ; elle serait restée ; oui, elle serait restée, eussé-je dû employer la violence. Mais quoi ! dans ma crédule[2] sécurité, je dormais tranquillement ; je dormais, et la foudre est tombée sur moi. Non, je ne conçois• rien à ce départ ; il faut renoncer à connaître les femmes.

Quand je me rappelle la journée d'hier ! que dis-je ? la soirée même ! Ce regard si doux, cette voix si tendre ! et cette main serrée ! et pendant ce temps, elle projetait de me fuir ! Ô femmes, femmes ! plaignez-vous donc, si l'on vous trompe ! Mais oui, toute perfidie qu'on emploie est un vol qu'on vous fait.

Quel plaisir j'aurai à me venger ! je la retrouverai, cette femme perfide ; je reprendrai mon empire• sur elle. Si l'amour m'a suffi pour en trouver les moyens, que ne fera-t-il pas, aidé de la vengeance ? Je la verrai encore à mes genoux, tremblante et baignée de pleurs, me criant merci de sa trompeuse voix ; et moi, je serai sans pitié.

Que fait-elle à présent ? que pense-t-elle ? Peut-être elle s'applaudit de m'avoir trompé ; et fidèle aux goûts de son sexe, ce plaisir lui paraît le plus doux. Ce que n'a pu la vertu tant vantée, l'esprit de ruse l'a produit sans effort. Insensé ! je redoutais sa sagesse ; c'était sa mauvaise foi que je devais craindre.

Et être obligé de dévorer mon ressentiment ! n'oser montrer qu'une tendre douleur, quand j'ai le cœur rempli de rage ! me voir réduit à supplier encore une femme rebelle, qui s'est soustraite à mon empire ! devais-je donc être

---

1. *joué* : trompé.
2. *crédule* : naïve.

humilié à ce point ? et par qui ? par une femme timide, et
qui jamais ne s'est exercée à combattre. À quoi me sert de
m'être établi dans son cœur, de l'avoir embrasé de tous les
35 feux de l'amour, d'avoir porté jusqu'au délire le trouble de
ses sens ; si tranquille dans sa retraite, elle peut aujourd'hui
s'enorgueillir• de sa fuite plus que moi de mes victoires ? Et
je le souffrirais• ? mon amie, vous ne le croyez pas ; vous
n'avez pas de moi cette humiliante idée !

40   Mais quelle fatalité m'attache à cette femme ? cent autres
ne désirent-elles pas mes soins ? ne s'empresseront-elles
pas d'y répondre ? quand même aucune ne vaudrait
celle-ci, l'attrait de la variété, le charme des nouvelles
conquêtes, l'éclat de leur nombre, n'offrent-ils pas des plai-
45 sirs assez doux ? Pourquoi courir après celui qui nous fuit, et
négliger ceux qui se présentent ? Ah ! pourquoi ?... Je
l'ignore, mais je l'éprouve fortement.

       Il n'est plus pour moi de bonheur, de repos, que par la
possession de cette femme que je hais et que j'aime avec
50 une égale fureur. Je ne supporterai mon sort que du
moment où je disposerai du sien. Alors tranquille et satis-
fait, je la verrai, à son tour, livrée aux orages que j'éprouve
en ce moment, j'en exciterai mille autres encore. L'espoir
et la crainte, la méfiance et la sécurité, tous les maux inven-
55 tés par la haine, tous les biens accordés par l'amour, je veux
qu'ils remplissent son cœur, qu'ils s'y succèdent à ma
volonté. Ce temps viendra... Mais que de travaux encore !
que j'en étais près hier, et qu'aujourd'hui je m'en vois éloigné ! [...]
60   [...]

       Adieu ma belle amie ; s'il vous vient quelque idée heu-
reuse, quelque moyen de hâter ma marche, faites m'en
part. [...] au moins, je parle à quelqu'un qui m'entend•, et
non aux automates près de qui je végète[1] depuis ce matin.
65 En vérité, plus je vais, et plus je suis tenté de croire qu'il n'y
a que vous et moi dans le monde, qui valons quelque chose.
                                        *Du Château de..., ce 3 octobre 17**.*

_____

1. *végète* : vivote, reste comme une plante.

LETTRE CI

LE VICOMTE* DE VALMONT
À AZOLAN, *son Chasseur**
(Jointe à la Précédente.)

*Du Château de..., ce 3 octobre 17**.*

LETTRE CII

LA PRÉSIDENTE* DE TOURVEL
À MADAME DE ROSEMONDE

*De..., ce 3 octobre 17**, à une heure du matin.*

LETTRE CIII

MADAME DE ROSEMONDE
À LA PRÉSIDENTE DE TOURVEL

J'ai été, ma chère Belle, plus affligée de votre départ que surprise de sa cause ; une longue expérience et l'intérêt que vous inspirez avaient suffi pour m'éclairer sur l'état de votre cœur ; et s'il faut tout dire, vous ne m'avez rien ou presque
5 rien appris par votre Lettre. Si je n'avais été instruite* que par elle, j'ignorerais encore quel est celui que vous aimez ; car en me parlant de *lui* tout le temps, vous n'avez pas écrit son nom une seule fois. Je n'en avais pas besoin ; je sais bien qui c'est. Mais je le remarque, parce que je me suis
10 rappelé que c'est toujours là le style de l'amour. Je vois qu'il en est encore comme au temps passé.
[...] Je loue le parti sage que vous avez pris : mais il m'effraie, parce que j'en conclus que vous l'avez jugé nécessaire ; et quand on en est là, il est bien difficile de se tenir
15 toujours éloignée de celui dont notre cœur nous rapproche sans cesse.
Cependant ne vous découragez pas. Rien ne doit être impossible à votre belle âme ; et quand vous devriez un jour

avoir le malheur de succomber (ce qu'à Dieu ne plaise !),
20 croyez-moi, ma chère Belle, réservez-vous au moins la
consolation d'avoir combattu de toute votre puissance. Et
puis, ce que ne peut la sagesse humaine, la grâce divine
l'opère[1] quand il lui plaît. Peut-être êtes-vous à la veille de
ses secours ; et votre vertu, éprouvée dans ces combats ter-
25 ribles, en sortira plus pure, et plus brillante. La force que
vous n'avez pas aujourd'hui, espérez que vous la recevrez
demain. N'y comptez pas pour vous en reposer sur[2] elle,
mais pour vous encourager à user de toutes les vôtres.

En laissant à la Providence le soin de vous secourir dans
30 un danger contre lequel je ne peux rien, je me réserve de
vous soutenir et vous consoler autant qu'il sera en moi. Je
ne soulagerai pas vos peines, mais je les partagerai. [...] Ce
sera un faible soulagement à vos douleurs, mais au moins
vous ne pleurerez pas seule : et quand ce malheureux
35 amour, prenant trop d'empire• sur vous, vous forcera d'en
parler, il vaut mieux que ce soit avec moi qu'avec *lui*. Voilà
que je parle comme vous ; et je crois qu'à nous deux nous
ne parviendrons pas à le nommer ; au reste, nous nous
entendons•.
40 [...]

Adieu donc, ma chère Belle ; adieu, mon aimable enfant ;
oui, je vous adopte volontiers pour ma fille, et vous avez
bien tout ce qu'il faut pour faire l'orgueil et le plaisir d'une
mère.

Du Château de..., ce 3 octobre 17**.

LETTRE CIV

LA MARQUISE• DE MERTEUIL
À MADAME DE VOLANGES

En vérité, ma chère et bonne amie, j'ai eu peine à me
défendre d'un mouvement d'orgueil, en lisant votre Lettre.

---

1. *l'opère* : le réalise, l'effectue.
2. *vous en reposer sur* : vous en remettre à.

Quoi! vous m'honorez de votre entière confiance! vous allez même jusqu'à me demander des conseils! Ah! je suis
5 bien heureuse, si je mérite cette opinion favorable de votre part : si je ne la dois pas seulement à la prévention• de l'amitié. [...]

[...]

La prudence est, à ce qu'il me semble, [ce] qu'il faut
10 préférer, quand on dispose du sort des autres, et surtout quand il s'agit de le fixer par un lien indissoluble et sacré, tel que celui du mariage. [...]

Ne serait-ce [...] pas avilir l'autorité maternelle, ne serait-ce pas l'anéantir, que de la subordonner à un goût
15 frivole dont la puissance illusoire ne se fait sentir qu'à ceux qui la redoutent, et disparaît sitôt qu'on la méprise ? Pour moi, je l'avoue, je n'ai jamais cru à ces passions entraî-nantes et irrésistibles, dont il semble qu'on soit convenu de faire l'excuse générale de nos dérèglements. Je ne conçois
20 point comment un goût, qu'un moment voit naître et qu'un autre voit mourir, peut avoir plus de force que les principes inaltérables de pudeur, d'honnêteté et de modestie [...].

Eh! qui peut dire n'avoir jamais eu à combattre ? [...] Que serait la vertu, sans les devoirs qu'elle impose ? son culte est
25 dans nos sacrifices, sa récompense dans nos cœurs. Ces vérités ne peuvent être niées que par ceux qui ont intérêt de les méconnaître ; et qui, déjà dépravés•, espèrent faire un moment d'illusion, en essayant de justifier leur mauvaise conduite par de mauvaises raisons.
30 Mais pourrait-on le craindre d'un enfant simple et timide ; d'un enfant né de vous, et dont l'éducation modeste et pure n'a pu que fortifier l'heureux naturel ? C'est pourtant à cette crainte, que j'ose dire humiliante pour votre fille, que vous voulez sacrifier le mariage avanta-
35 geux que votre prudence avait ménagé pour elle ! J'aime beaucoup Danceny ; et depuis longtemps, comme vous savez, je vois peu M. de Gercourt ; mais mon amitié pour l'un, mon indifférence pour l'autre, ne m'empêchent point de sentir l'énorme différence qui se trouve entre ces deux
40 partis.

Leur naissance est égale, j'en conviens ; mais l'un est sans fortune, et celle de l'autre est telle que, même sans naissance, elle aurait suffi pour le mener à tout. J'avoue

bien que l'argent ne fait pas le bonheur ; mais il faut avouer
45   aussi qu'il le facilite beaucoup. Mademoiselle de Volanges
est, comme vous le dites, assez riche pour deux : cependant, soixante mille livres de rente dont elle va jouir ne
sont pas déjà tant quand on porte le nom de Danceny,
quand il faut monter et soutenir une maison qui y réponde.
50   Nous ne sommes plus au temps de Madame de Sévigné[1]. Le
luxe absorbe tout : on le blâme, mais il faut l'imiter, et le
superflu finit par priver du nécessaire.

Quant aux qualités personnelles que vous comptez pour
beaucoup, et avec beaucoup de raison, assurément M. de
55   Gercourt est sans reproche de ce côté ; et à lui, ses preuves
sont faites. J'aime à croire, et je crois qu'en effet Danceny
ne lui cède en rien ; mais en sommes-nous aussi sûres ? Il
est vrai qu'il a paru jusqu'ici exempt[2] des défauts de son
âge, [...] mais qui sait si cette sagesse apparente, il ne la doit
60   pas à la médiocrité[3] de sa fortune ? Pour peu qu'on craigne
d'être fripon ou crapuleux, il faut de l'argent pour être
joueur libertin•. [...] il ne serait pas le millième qui aurait vu
la bonne compagnie uniquement faute de pouvoir mieux
faire.

65   Je ne dis pas (à Dieu ne plaise !) que je croie tout cela de
lui : mais ce serait toujours un risque à courir ; et quels
reproches n'auriez-vous pas à vous faire, si l'événement
n'était pas heureux ! Que répondriez-vous à votre fille, qui
vous dirait : « Ma mère, j'étais jeune et sans expérience ;
70   j'étais même séduite par une erreur pardonnable à mon
âge : mais le Ciel, qui avait prévu ma faiblesse, m'avait
accordé une mère sage, pour y remédier et m'en garantir.
Pourquoi donc, oubliant votre prudence, avez-vous
consenti à mon malheur ? était-ce à moi à me choisir un
75   époux, quand je ne connaissais rien de l'état du mariage ?
[...] » Où chercherez-vous alors vos consolations ? Sera-ce

---

1. *Madame de Sévigné* : écrivain français (1626-1696), célèbre pour ses très nombreuses lettres (publication posthume, 1726).
2. *exempt* : dépourvu.
3. *la médiocrité* : le caractère moyen.

dans ce fol amour[1], contre lequel vous auriez dû l'armer, et par qui au contraire vous vous serez laissé séduire ?

80 J'ignore, ma chère amie, si j'ai contre cette passion une prévention• trop forte ; mais je la crois redoutable, même dans le mariage. [...] ce n'est pas à l'illusion d'un moment à régler le choix de notre vie. En effet, pour choisir, il faut comparer ; et comment le pouvoir, quand un seul objet nous occupe ; quand celui-là même on ne peut le connaître,
85 plongé que l'on est dans l'ivresse et l'aveuglement ?

J'ai rencontré, comme vous pouvez croire, plusieurs femmes atteintes de ce mal dangereux [...]. À les entendre, il n'en est point dont l'Amant ne soit un être parfait : mais ces perfections chimériques n'existent que dans leur imagi-
90 nation. [...]

Ou votre fille n'aime pas Danceny, ou elle éprouve cette même illusion ; elle est commune à tous deux, si leur amour est réciproque. [...] Mais, me direz-vous, M. de Gercourt et ma fille se connaissent-ils davantage ? Non, sans doute ;
95 mais au moins ne s'abusent-ils pas, il s'ignorent seulement. Qu'arrive-t-il dans ce cas entre deux époux que je suppose honnêtes ? c'est que chacun d'eux étudie l'autre, s'observe vis-à-vis de lui, cherche et reconnaît bientôt ce qu'il faut qu'il cède de ses goûts et de ses volontés, pour la tranquil-
100 lité commune. Ces légers sacrifices se font sans peine, parce qu'ils sont réciproques et qu'on les a prévus : bientôt ils font naître une bienveillance mutuelle ; et l'habitude, qui fortifie tous les penchants qu'elle ne détruit pas, amène peu à peu cette douce amitié, cette tendre confiance, qui,
105 jointes à l'estime, forment, ce me semble, le véritable, le solide bonheur des mariages.

Les illusions de l'amour peuvent être plus douces ; mais qui ne sait aussi qu'elles sont moins durables ? et quels dangers n'amène pas le moment qui les détruit ! C'est alors que
110 les moindres défauts paraissent choquants et insuppor-tables, par le contraste qu'ils forment avec l'idée de perfec-tion qui nous avait séduits. Chacun des deux époux croit cependant que l'autre seul a changé, et que lui vaut toujours

---

1. *ce fol amour* : cet amour fou.

ce qu'un moment d'erreur l'avait fait apprécier. Le charme
115 qu'il n'éprouve plus, il s'étonne de ne le plus faire naître ; il
en est humilié : la vanité• blessée aigrit les esprits, augmente les torts, produit l'humeur•, enfante la haine ; et de
frivoles plaisirs sont payés enfin par de longues infortunes.

Voilà, ma chère amie, ma façon de penser sur l'objet qui
120 nous occupe ; je ne la défends pas, je l'expose seulement ;
c'est à vous à décider. [...]

Paris, ce 4 octobre 17**.

LETTRE CV

LA MARQUISE• DE MERTEUIL
À CÉCILE VOLANGES

Hé bien ! Petite, vous voilà donc bien fâchée, bien honteuse, et ce M. de Valmont est un méchant homme,
n'est-ce pas ? Comment ! il ose vous traiter comme la
femme qu'il aimerait le mieux ! Il vous apprend ce que vous
5 mouriez d'envie de savoir ! En vérité, ces procédés-là sont
impardonnables. Et vous, de votre côté, vous voulez garder
votre sagesse pour votre Amant (qui n'en abuse pas) ; vous
ne chérissez de l'amour que les peines, et non les plaisirs !
Rien de mieux, et vous figurerez à merveille dans un
10 Roman. De la passion, de l'infortune, de la vertu par-dessus
tout, que de belles choses ! Au milieu de ce brillant cortège,
on s'ennuie quelquefois à la vérité, mais on le rend bien.

Voyez donc, la pauvre enfant, comme elle est à plaindre !
Elle avait les yeux battus le lendemain ! [...] Et puis, ne plus
15 oser lever ces yeux-là ! Oh ! par exemple, vous avez eu bien
raison ; tout le monde y aurait lu votre aventure. Croyez-
moi cependant, s'il en était ainsi, nos Femmes et même nos
Demoiselles auraient le regard plus modeste.

Malgré les louanges que je suis forcée de vous donner,
20 comme vous voyez, il faut convenir pourtant que vous avez
manqué votre chef-d'œuvre ; c'était de tout dire à votre
Maman. Vous aviez si bien commencé ! déjà vous vous étiez
jetée dans ses bras, vous sanglotiez, elle pleurait aussi ;
quelle scène pathétique ! et quel dommage de ne l'avoir pas
25 achevée ! Votre tendre mère, toute ravie d'aise•, et pour

175

aider à votre vertu, vous aurait cloîtrée, pour toute votre
vie ; et là vous auriez aimé Danceny tant que vous auriez
voulu, sans rivaux et sans péché ; vous vous seriez désolée
tout à votre aise ; et Valmont, à coup sûr, n'aurait pas été
30 troubler votre douleur par de contrariants plaisirs.

[...] Mais si vous ne vous formez pas davantage, que
voulez-vous qu'on fasse de vous ? Que peut-on espérer, si ce
qui fait venir l'esprit aux filles semble au contraire vous
l'ôter ?

35 Si vous pouviez prendre sur vous de raisonner un
moment, vous trouveriez bientôt que vous devez vous félici-
ter au lieu de vous plaindre. Mais vous êtes honteuse, et
cela vous gêne ! Hé ! tranquillisez-vous ; la honte que cause
l'amour est comme sa douleur : on ne l'éprouve qu'une
40 fois. On peut encore la feindre après ; mais on ne la sent
plus. Cependant le plaisir reste, et c'est bien quelque chose.
Je crois même avoir démêlé, à travers votre petit bavardage,
que vous pourriez le compter pour beaucoup. Allons, un
peu de bonne foi. Là, *ce trouble* qui vous empêchait de *faire*
45 *comme vous disiez,* qui vous faisait trouver *si difficile de se*
défendre, qui vous rendait *comme fâchée,* quand Valmont
s'en est allé, était-ce bien la honte qui le causait ? ou si
c'était le plaisir ? et ses *façons de dire* auxquelles *on ne sait*
comment répondre, cela ne viendrait-il pas de ses façons de
50 faire ? Ah ! petite fille, vous mentez, et vous mentez à votre
amie ! Cela n'est pas bien. Mais brisons là[1].

Ce qui pour tout le monde serait un plaisir, et pourrait
n'être que cela, devient dans votre situation un véritable
bonheur. En effet, placée entre une mère dont il vous
55 importe d'être aimée, et un Amant dont vous désirez de•
l'être toujours, comment ne voyez-vous pas que le seul
moyen d'obtenir ces succès opposés est de vous occuper
d'un tiers ? Distraite par cette nouvelle aventure, tandis que
vis-à-vis de votre Maman vous aurez l'air de sacrifier à votre
60 soumission pour elle un goût qui lui déplaît, vous acquerrez
vis-à-vis de votre Amant l'honneur d'une belle défense. [...]

Ce parti que je vous propose, ne vous paraît-il pas le plus

---

1. *brisons là* : arrêtons-nous là, cessons là.

raisonnable, comme le plus doux ? Savez-vous ce que vous
avez gagné à celui que vous avez pris ? c'est que votre
Maman a attribué votre redoublement de tristesse à un
redoublement d'amour, qu'elle en est outrée, et que pour
vous en punir elle n'attend que d'en être plus sûre. Elle
vient de m'en écrire ; elle tentera tout pour obtenir cet aveu
de vous-même. Elle ira, peut-être, me dit-elle, jusqu'à vous
proposer Danceny pour époux ; et cela, pour vous engager à
parler. Et si, vous laissant séduire par cette trompeuse
tendresse, vous répondiez, selon votre cœur, bientôt
renfermée pour longtemps, peut-être pour toujours, vous
pleureriez à loisir votre aveugle crédulité[1].

Cette ruse qu'elle veut employer contre vous, il faut la
combattre par une autre. Commencez donc, en lui mon-
trant moins de tristesse, à lui faire croire que vous songez
moins à Danceny. [...]

Une fois plus contente de vous, votre Maman vous mariera
enfin ; et alors, plus libre dans vos démarches, vous pourrez,
à votre choix, quitter Valmont pour prendre Danceny, ou
même les garder tous deux. Car, prenez-y garde, votre Danceny est gentil : mais c'est un de ces hommes qu'on a quand
on veut et tant qu'on veut ; on peut donc se mettre à l'aise
avec lui. Il n'en est pas de même de Valmont : on le garde
difficilement ; et il est dangereux de le quitter. [...]

Vous tâcherez donc, si vous êtes sage, de vous rac-
commoder• avec Valmont, qui doit être très en colère
contre vous ; et comme il faut savoir réparer ses sottises, ne
craignez pas de lui faire quelques avances ; aussi bien
apprendrez-vous bientôt, que si les hommes nous font les
premières, nous sommes presque toujours obligées de faire
les secondes. [...]

Adieu, bel Ange, suivez mes conseils, et vous me mande-
rez• si vous vous en trouvez bien.

P.-S. - À propos, j'oubliais... un mot encore. Voyez donc
à soigner davantage votre style. Vous écrivez toujours
comme un enfant. Je vois bien d'où cela vient ; c'est que
vous dites tout ce que vous pensez, et rien de ce que vous

1. *crédulité* : naïveté.

100 ne pensez pas. Cela peut passer ainsi de vous à moi, qui
devons n'avoir rien de caché l'une pour l'autre : mais avec
tout le monde ! avec votre Amant surtout ! vous aurez toujours l'air d'une petite sotte. Vous voyez bien que, quand
vous écrivez à quelqu'un, c'est pour lui et non pas pour
105 vous : vous devez donc moins chercher à lui dire ce que
vous pensez, que ce qui lui plaît davantage.

Adieu, mon cœur : je vous embrasse au lieu de vous
gronder dans l'espérance que vous serez plus raisonnable.

Paris, ce 4 octobre 17**.

LETTRE CVI

LA MARQUISE• DE MERTEUIL
AU VICOMTE• DE VALMONT

À merveille, Vicomte, et pour le coup, je vous aime à la
fureur ! Au reste, après la première de vos deux Lettres, on
pouvait s'attendre à la seconde : aussi ne m'a-t-elle point
étonnée ; et tandis que déjà fier de vos succès à venir, vous
5 en sollicitiez la récompense, et que vous me demandiez si
j'étais prête, je voyais bien que je n'avais pas tant besoin de
me presser. Oui, d'honneur, en lisant le beau récit de cette
scène tendre, et qui vous avait si *vivement ému•* ; en voyant
votre retenue, digne des plus beaux temps de notre Che-
10 valerie, j'ai dit vingt fois : « Voilà une affaire manquée ! »

Mais c'est que cela ne pouvait pas être autrement. Que
voulez-vous que fasse une pauvre femme qui se rend et
qu'on ne prend pas ? [...]

[...] C'est que réellement vous n'avez pas le génie de
15 votre état ; vous n'en savez que ce que vous en avez appris,
et vous n'inventez rien. Aussi, dès que les circonstances ne
se prêtent plus à vos formules d'usage, et qu'il vous faut
sortir de la routine ordinaire, vous restez court comme un
Écolier. [...] Et quand vous avez fait sottises sur sottises,
20 vous recourez à moi ! Il semble que je n'aie rien autre chose
à faire que de les réparer. Il est vrai que ce serait bien assez
d'ouvrage•.

Quoi qu'il en soit, de ces deux aventures, l'une est entreprise contre mon gré, et je ne m'en mêle point ; pour l'autre, comme vous y avez mis quelque complaisance pour moi, j'en fais mon affaire. La Lettre que je joins ici, que vous lirez d'abord, et que vous remettrez ensuite à la petite Volanges, est plus que suffisante pour vous la ramener : mais, je vous en prie, donnez quelques soins à cet enfant, et faisons-en, de concert, le désespoir de sa mère et de Gercourt. Il n'y a pas à craindre de forcer les doses. Je vois clairement que la petite personne n'en sera point effrayée ; et nos vues sur elle une fois remplies, elle deviendra ce qu'elle pourra.

Je me désintéresse entièrement sur son compte. J'avais eu quelque envie d'en faire au moins une intrigante[1] subalterne, et de la prendre pour jouer *les seconds* sous moi : mais je vois qu'il n'y a pas d'étoffe ; elle a une sotte ingénuité[2] qui n'a pas cédé même au spécifique[3] que vous avez employé, lequel pourtant n'en manque guère ; et c'est selon moi la maladie la plus dangereuse que femme puisse avoir. Elle dénote, surtout, une faiblesse de caractère presque toujours incurable et qui s'oppose à tout ; de sorte que, tandis que nous nous occuperions à former cette petite fille pour l'intrigue•, nous n'en ferions qu'une femme facile. Or, je ne connais rien de si plat que cette facilité de bêtise, qui se rend sans savoir ni comment ni pourquoi, uniquement parce qu'on l'attaque et qu'elle ne sait pas résister. Ces sortes de femmes ne sont absolument que des machines à plaisir.

Vous me direz qu'il n'y a qu'à n'en faire que cela, et que c'est assez pour nos projets•. À la bonne heure ! mais n'oublions pas que de ces machines-là, tout le monde parvient bientôt à en connaître les ressorts et les moteurs ; ainsi, que pour se servir de celle-ci sans danger, il faut se dépêcher, s'arrêter de bonne heure, et la briser ensuite. À la vérité, les moyens ne nous manquerons pas pour nous en défaire, et

---

1. *intrigante* : manœuvrière, comploteuse.
2. *ingénuité* : nature si naïve qu'elle ne peut être pervertie.
3. *spécifique* : remède.

Gercourt la fera toujours bien enfermer quand nous voudrons. [...]

60   [...]

Savez-vous [...] que l'étoile de Gercourt a pensé l'emporter sur ma prudence? Madame de Volanges n'a-t-elle pas eu un moment de faiblesse maternelle? ne voulait-elle pas donner sa fille à Danceny? C'était là ce qu'annonçait cet

65 intérêt plus tendre, que vous aviez remarqué *le lendemain*. C'est encore vous qui auriez été cause de ce bref chef-d'œuvre! Heureusement la tendre mère m'en a écrit[1], et j'espère que ma réponse l'en dégoûtera. J'y parle tant de vertu, et surtout je la cajole• tant, qu'elle doit trouver que

70 j'ai raison.

Je suis fâchée de n'avoir pas eu le temps de prendre copie de ma Lettre, pour vous édifier sur l'austérité de ma morale. Vous verriez comme je méprise les femmes assez dépravées• pour avoir un Amant! [...]

75 Adieu, Vicomte [...]. Pour ce qui est de moi, malgré votre citation polie, vous voyez bien qu'il faut encore attendre ; et vous conviendrez, sans doute, que ce n'est pas ma faute.

Paris, ce 4 octobre 17**.

---

1. *m'en a écrit* : m'en a parlé dans sa lettre.

Compréhension

• Lettres XCVI à XCVIII et CIV à CVI

1. *Comment se justifie l'ordre de succession de ces deux groupes de lettres symétriques? En observant le développement de l'action, que pouvez-vous en déduire du sens des lettres CIV à CVI?*

• Lettre CIV

2. *Quel propos de la marquise*• *révèle l'importance de l'argent dans le monde aristocratique où se meuvent les libertins*• *? Quelle réflexion vous inspire l'attitude de Mme de Merteuil face à l'argent? Est-ce un thème important dans le roman?*

Écriture

• Lettre C : rythmes binaires, antithèses, figures de correction par adjonction

3. *«Elle est partie, et je ne l'ai pas su!» s'exclame Valmont, qui ajoute : «et je n'étais pas là pour m'opposer à son départ [...].»* *Retrouvez de semblables corrections par adjonction, par exemple dans les passages suivants :*
• *lettre XCVI : «Sûr de saisir ma proie [...] presque pas ce nom»;*
• *lettre CXXIV (4ᵉ §) ou encore lettre CXLV (passim).*
Observez à cet égard le mouvement «vous n'en avez pas moins de l'amour pour votre Présidente• *; [...] Odalisque» dans la lettre CXLI. Relevez, par ailleurs, des exemples de constructions reposant sur des rythmes binaires dans cette lettre, où ils abondent, et dans d'autres, par exemple les lettres XXXIII, LXVII, LXVIII, LXXXI, XCVI, CII et CXXVIII.*
Rapprochez vos observations et essayez d'en dégager certaines constantes du style de Laclos.

• Lettre CIII

4. *«[...] il vaut mieux que ce soit avec moi qu'avec lui» : en quoi ces mots soulignent-ils que la signification d'une lettre ne dépend pas seulement de son contenu?*

• Lettre CV : le pouvoir des lettres

5. *Quelles réflexions précieuses sur le pouvoir des lettres le post-scriptum de cette lettre contient-il? Faites-en une analyse détaillée.*

LETTRE CVII

AZOLAN AU VICOMTE• DE VALMONT

Roux Azolan, *Chasseur•*.
Paris, ce 5 octobre 17**, à onze heures du soir.

LETTRE CVIII

LA PRÉSIDENTE• DE TOURVEL
À MADAME DE ROSEMONDE

Paris, ce 5 octobre 17**.

LETTRE CIX

CÉCILE VOLANGES À LA MARQUISE• DE MERTEUIL

Ce n'est que d'aujourd'hui, Madame, que j'ai remis à
M. de Valmont la Lettre que vous m'avez fait l'honneur de
m'écrire. Je l'ai gardée quatre jours, malgré les frayeurs que
j'avais souvent qu'on ne la trouvât, mais je la cachais avec
5   bien du soin ; et quand le chagrin me reprenait, je m'enfer-
mais pour la relire.
  Je vois bien que ce que je croyais un si grand malheur n'en
est presque pas un ; et il faut avouer qu'il y a bien du plaisir ;
de façon que je ne m'afflige presque plus. Il n'y a que l'idée
10   de M. Danceny qui me tourmente toujours quelquefois. Mais
il y a déjà tout plein de moments où je n'y songe pas du tout !
aussi c'est que M. de Valmont est bien aimable !
  Je me suis raccommodée• avec lui depuis deux jours : ça
m'a été bien facile ; car je ne lui avais encore dit que deux
15   paroles, qu'il m'a dit que si j'avais quelque chose à lui dire,
il viendrait le soir dans ma chambre, et je n'ai eu qu'à
répondre que je le voulais bien. Et puis, dès qu'il y a été, il
n'a pas paru plus fâché que si je ne lui avais jamais rien fait.
Il ne m'a grondée qu'après, et encore bien doucement, et
20   c'était d'une manière... Tout comme vous ; ce qui m'a
prouvé qu'il avait aussi bien de l'amitié pour moi.

Je ne saurais vous dire combien il m'a raconté de drôles de choses et que je n'aurais jamais crues, particulièrement sur Maman. Vous me feriez bien plaisir de me mander• si
25 tout cela est vrai. Ce qui est bien sûr, c'est que je ne pouvais pas me retenir de rire ; si bien qu'une fois j'ai ri aux éclats, ce qui nous a fait bien peur ; car Maman aurait pu entendre ; et si elle était venue voir, qu'est-ce que je serais devenue ? C'est bien pour le coup qu'elle m'aurait remise au Couvent !
30 [...]

Du Château de..., ce 10 octobre 17**.

LETTRE CX

LE VICOMTE• DE VALMONT
À LA MARQUISE• DE MERTEUIL

Puissances du Ciel, j'avais une âme pour la douleur : donnez-m'en une pour la félicité*! C'est, je crois, le tendre Saint-Preux[1] qui s'exprime ainsi. Mieux partagé que lui, je possède à la fois les deux existences. Oui, mon amie, je
5 suis, en même temps, très heureux et très malheureux ; et puisque vous avez mon entière confiance, je vous dois le double récit de mes peines et de mes plaisirs.

Sachez donc que mon ingrate Dévote• me tient toujours rigueur. J'en suis à ma quatrième Lettre renvoyée. [...]
10 J'ai découvert [...] que la légère personne a changé de Confidente ; au moins me suis-je assuré que, depuis son départ du Château, il n'y est venu aucune Lettre d'elle pour Madame de Volanges, tandis qu'il en est venu deux pour la vieille Rosemonde ; et comme celle-ci ne nous en a rien dit,
15 comme elle n'ouvre plus la bouche de *sa chère Belle,* dont auparavant elle parlait sans cesse, j'en ai conclu que c'était elle qui avait la confidence. [...]

Le seul moyen de me mettre au fait, est, comme vous

* *Nouvelle Héloïse.*

---

1. *Saint-Preux* : héros de *Julie ou la Nouvelle Héloïse* de Rousseau (1761).

voyez, d'intercepter le commerce clandestin. J'en ai déjà
20 envoyé l'ordre à mon Chasseur• ; et j'en attends l'exécution
de jour en jour. Jusque-là, je ne puis rien faire qu'au
hasard : aussi, depuis huit jours, je repasse inutilement tous
les moyens connus, tous ceux des Romans et de mes
Mémoires secrets ; je n'en trouve aucun qui convienne, ni
25 aux circonstances de l'aventure, ni au caractère de l'Héroïne. La difficulté ne serait pas de m'introduire chez elle,
même la nuit, même encore de l'endormir, et d'en faire une
nouvelle Clarisse[1] : mais après plus de deux mois de soins
et de peines, recourir à des moyens qui me soient étran-
30 gers ! me traîner servilement sur la trace des autres, et
triompher sans gloire !... Non, elle n'aura pas *les plaisirs du
vice et les honneurs de la vertu**. Ce n'est pas assez pour moi
de la posséder, je veux qu'elle se livre. [...]

La tête m'en tournerait, je crois, sans les heureuses distrac-
35 tions que me donne notre commune Pupille• ; c'est à elle que
je dois d'avoir encore à faire autre chose que des Élégies[2].

[...] ce n'est que Samedi qu'on est venu tourner autour de
moi et me balbutier quelques mots ; encore prononcés si
bas et tellement étouffés par la honte, qu'il était impossible
40 de les entendre. Mais la rougeur qu'ils causèrent m'en fit
deviner le sens. Jusque-là, je m'étais tenu fier : mais fléchi
par un si plaisant repentir je voulus bien promettre d'aller
trouver le soir même la jolie Pénitente [...].

Comme je ne perds jamais de vue ni vos projets• ni les
45 miens, j'ai résolu de profiter de cette occasion pour
connaître au juste la valeur de cette enfant, et aussi pour
accélérer son éducation. Mais pour suivre ce travail avec
plus de liberté j'avais besoin de changer le lieu de nos
rendez-vous ; car un simple cabinet, qui sépare la chambre
50 de votre Pupille de celle de sa mère, ne pouvait lui
inspirer assez de sécurité, pour la laisser se déployer à l'aise.
Je m'étais donc promis de faire *innocemment* quelque bruit,

* *Nouvelle Héloïse.*

1. *Clarisse* : héroïne du roman épistolaire *Clarisse Harlowe* de Richardson (1748),
déshonorée pendant son sommeil par le libertin Lovelace, qui l'a droguée.
2. *Élégies* : poèmes tendres et mélancoliques.

qui pût lui causer assez de crainte pour la décider à prendre, à l'avenir, un asile• plus sûr ; elle m'a encore épar-
55 gné ce soin.

La petite personne est rieuse ; et, pour favoriser sa gaieté, je m'avisai, dans nos entractes, de lui raconter toutes les aventures scandaleuses qui me passaient par la tête ; et pour les rendre plus piquantes et fixer davantage son attention,
60 je les mettais toutes sur le compte de sa Maman, que je me plaisais à chamarrer[1] ainsi de vices et de ridicules.

[...] J'ai remarqué depuis longtemps, que si ce moyen n'est pas toujours nécessaire à employer pour séduire une jeune fille, il est indispensable, et souvent même le plus
65 efficace, quand on veut la dépraver• ; car celle qui ne respecte pas sa mère ne se respectera pas elle-même : vérité morale que je crois si utile que j'ai été bien aise• de fournir un exemple à l'appui du précepte.

Cependant votre Pupille•, qui ne songeait pas à la
70 morale, étouffait de rire à chaque instant ; et enfin, une fois, elle pensa éclater. Je n'eus pas de peine à lui faire croire qu'elle avait fait *un bruit affreux*. Je feignis une grande frayeur, qu'elle partagea facilement. Pour qu'elle s'en ressouvînt mieux, je ne permis plus au plaisir de reparaître, et
75 la laissai seule trois heures plus tôt que de coutume : aussi convînmes-nous, en nous séparant, que dès le lendemain ce serait dans ma chambre que nous nous rassemblerions.

Je l'y ai déjà reçue deux fois ; et dans ce court intervalle l'écolière est devenue presque aussi savante que le maître.
80 Oui, en vérité, je lui ai tout appris, jusqu'aux complaisances ! je n'ai excepté que les précautions.

[...]

J'occupe mon loisir en rêvant aux moyens de reprendre sur mon ingrate les avantages que j'ai perdus, et aussi à
85 composer une espèce de catéchisme de débauche, à l'usage de mon écolière. Je m'amuse à n'y rien nommer que par le mot technique ; et je ris d'avance de l'intéressante conversation que cela doit fournir entre elle et Gercourt la première nuit de leur mariage. Rien n'est plus plaisant que

---

1. *chamarrer* : décorer, orner.

90 l'ingénuité avec laquelle elle se sert déjà du peu qu'elle sait de cette langue! elle n'imagine pas qu'on puisse parler autrement. Cette enfant est réellement séduisante![1] Ce contraste de la candeur• naïve avec le langage de l'effronte-rie ne laisse pas de faire de l'effet; et, je ne sais pourquoi, il

95 n'y a plus que les choses bizarres qui me plaisent.

[...]

Vous voilà, ma belle amie, au courant de mes affaires comme moi-même. Je désire avoir bientôt des nouvelles plus intéressantes à vous apprendre; et je vous prie de

100 croire que, dans le plaisir que je m'en promets, je compte pour beaucoup la récompense que j'attends de vous.

Du Château de..., ce 11 octobre 17**.

LETTRE CXI

LE COMTE• DE GERCOURT
À MADAME DE VOLANGES

Bastia, ce 10 octobre 17**.

LETTRE CXII

MADAME DE ROSEMONDE
À LA PRÉSIDENTE• DE TOURVEL
(Dictée seulement.)

Du Château de..., ce 14 octobre 17**.

---

1. *Cette enfant est réellement séduisante!* : variante du manuscrit : «*Cette enfant est réellement [attachante* est biffé] *séduisante!*»

LETTRE CXIII

LA MARQUISE● DE MERTEUIL
AU VICOMTE● DE VALMONT

Je crois devoir vous prévenir, Vicomte, qu'on commence
à s'occuper de vous à Paris ; qu'on y remarque votre
absence, et que déjà on en devine la cause. J'étais hier à un
souper● fort nombreux ; il y fut dit positivement que vous
5 étiez retenu au Village par un amour romanesque et malheureux : aussitôt la joie se peignit sur le visage de tous les
envieux de vos succès et de toutes les femmes que vous
avez négligées. Si vous m'en croyez, vous ne laisserez pas
prendre consistance à ces bruits dangereux, et vous vien-
10 drez sur-le-champ les détruire par votre présence.
    [...]
    Revenez donc, Vicomte, et ne sacrifiez pas votre réputa-
tion à un caprice puéril. Vous avez fait tout ce que nous
voulions de la petite Volanges ; et pour votre Présidente●, ce
15 ne sera pas apparemment en restant à dix lieues● d'elle,
que vous vous en passerez la fantaisie. [...]
    [...]
    Malgré l'enchantement où vous me paraissez être de votre
petite écolière, je ne peux pas croire qu'elle entre pour quel-
20 que chose dans vos projets●. Vous l'avez trouvée sous la main,
vous l'avez prise : à la bonne heure ! mais ce ne peut pas être
là un goût. Ce n'est même pas, à vrai dire, une entière
jouissance : vous ne possédez absolument que sa personne !
je ne parle pas de son cœur, dont je me doute bien que vous
25 ne vous souciez guère : mais vous n'occupez seulement pas sa
tête. Je ne sais pas si vous vous en êtes aperçu, mais moi j'en ai
la preuve dans la dernière Lettre qu'elle m'a écrite* ; je vous
l'envoie pour que vous en jugiez. Voyez donc que quand elle y
parle de vous, c'est toujours *M. de Valmont* ; que toutes ses
30 idées, même celles que vous lui faites naître, n'aboutissent
jamais qu'à Danceny ; et lui, elle ne l'appelle pas Monsieur,
c'est bien toujours *Danceny* seulement. Par là, elle le distingue
de tous les autres ; et même en se livrant à vous, elle ne se
familiarise qu'avec lui. Si une telle conquête vous paraît *sédui-*
35 *sante,* si les plaisirs qu'elle donne *vous attachent,* assurément

* Voyez la Lettre CIX.

vous êtes modeste et peu difficile! Que vous la gardiez, j'y consens; cela entre même dans mes projets. Mais il me semble que cela ne vaut pas de se déranger un quart d'heure; qu'il faudrait aussi avoir quelque empire•, et ne lui
40 permettre, par exemple, de se rapprocher de Danceny qu'après le lui avoir fait un peu plus oublier.

[...]

Je ne sais pourquoi, depuis l'aventure de Prévan, Belleroche m'est devenu insupportable. Il a tellement redoublé
45 d'attention, de tendresse, de *vénération*, que je n'y peux plus tenir. [...] Il me prise donc bien peu, s'il croit valoir assez pour me fixer! [...] Voilà, certes, un plaisant Monsieur, pour avoir un droit exclusif! Je conviens qu'il est bien fait et d'une assez belle figure : mais, à tout prendre, ce n'est, au
50 fait, qu'un Manœuvre d'amour. Enfin le moment est venu, il faut nous séparer.

J'essaie déjà depuis quinze jours, et j'ai employé, tour à tour, la froideur, le caprice, l'humeur•, les querelles•; mais le tenace personnage ne quitte pas prise ainsi : il faut donc
55 prendre un parti plus violent; en conséquence je l'emmène à ma campagne. Nous partons après-demain. [...] Là, je le surchargerai à tel point d'amour et de caresses, nous y vivrons si bien l'un pour l'autre uniquement, que je parie bien qu'il désirera plus que moi la fin de ce voyage, dont il
60 se fait un si grand bonheur; et s'il n'en revient pas plus ennuyé de moi que je ne le suis de lui, dites, j'y consens, que je n'en sais pas plus que vous.

Le prétexte de cette espèce de retraite est de m'occuper sérieusement de mon grand procès, qui en effet se jugera
65 enfin au commencement de l'hiver. J'en suis bien aise•; car il est vraiment désagréable d'avoir ainsi toute sa fortune en l'air[1]. Ce n'est pas que je sois inquiète de l'événement[2]; d'abord j'ai raison, tous mes Avocats me l'assurent; et quand je ne l'aurais pas! je serais donc bien maladroite, si je ne
70 savais pas gagner un procès, où je n'ai pour adversaires que des mineures encore en bas âge, et leur vieux tuteur[3]! Comme

---

1. *en l'air* : en suspens.
2. *l'événement* : l'issue [du procès].
3. *tuteur* : personne chargée de veiller sur les intérêts d'un(e) mineur(e).

il ne faut pourtant rien négliger dans une affaire si importante, j'aurai effectivement avec moi deux Avocats. Ce voyage ne vous paraît-il pas gai? cependant s'il me fait gagner mon
75 procès et perdre Belleroche, je ne regretterai pas mon temps.

À présent, Vicomte•, devinez le successeur; je vous le donne en cent. Mais bon! ne sais-je pas que vous ne devinez jamais rien? hé bien, c'est Danceny. Vous êtes étonné, n'est-ce pas? car enfin je ne suis pas encore réduite à l'édu-
80 cation des enfants! Mais celui-ci mérite d'être excepté; il n'a que les grâces de la jeunesse, et non la frivolité. [...] Ce n'est pas que j'en aie déjà eu avec lui pour mon compte, je ne suis encore que sa confidente; mais sous ce voile de l'amitié, je crois lui voir un goût très vif pour moi, et je sens
85 que j'en prends beaucoup pour lui. [...]

J'ai bien songé à emmener le jeune homme avec moi: mais j'en ai fait le sacrifice à ma prudence ordinaire; et puis, j'aurais craint qu'il ne s'aperçût de quelque chose entre Belleroche et moi, et je serais au désespoir qu'il eût la
90 moindre idée de ce qui se passe. Je veux au moins m'offrir à son imagination, pure et sans tache; telle enfin qu'il faudrait être, pour être vraiment digne de lui.

*Paris, ce 15 octobre 17**.*

LETTRE CXIV

LA PRÉSIDENTE• DE TOURVEL
À MADAME DE ROSEMONDE

*Paris, ce 16 octobre 17**.*

LETTRE CXV

LE VICOMTE• DE VALMONT
À LA MARQUISE• DE MERTEUIL

C'est une chose inconcevable, ma belle amie, comme aussitôt qu'on s'éloigne, on cesse facilement de s'entendre•. Tant que j'étais auprès de vous, nous n'avions

jamais qu'un même sentiment, une même façon de voir ; et
5   parce que, depuis près de trois mois, je ne vous vois plus,
nous ne sommes plus du même avis sur rien. [...]

D'abord, je vous remercie de l'avis que vous me donnez
des bruits qui courent sur mon compte ; mais je ne m'en
inquiète pas encore : je me crois sûr d'avoir bientôt de quoi
10 les faire cesser. [...]

J'espère qu'on me comptera même pour quelque chose
l'aventure de la petite Volanges, dont vous paraissez faire si
peu de cas : comme si ce n'était rien que d'enlever en une
soirée une jeune fille à son Amant aimé, d'en user ensuite
15 tant qu'on le veut et absolument comme de son bien, et
sans plus d'embarras ; d'en obtenir ce qu'on n'ose pas
même exiger de toutes les filles dont c'est le métier ; et cela,
sans la déranger en rien de son tendre amour ; sans la
rendre inconstante, pas même infidèle : car, en effet, je
20 n'occupe seulement pas sa tête ! en sorte qu'après ma fantaisie passée, je la remettrai entre les bras de son Amant,
pour ainsi dire, sans qu'elle se soit aperçue de rien. Est-ce
donc là une marche si ordinaire ? [...]

Si pourtant on aime mieux le genre héroïque, je montre-
25 rai la Présidente•, ce modèle cité de toutes les vertus ! res-
pectée même de nos plus libertins• ! telle enfin qu'on avait
perdu jusqu'à l'idée de l'attaquer ! je la montrerai, dis-je,
oubliant ses devoirs et sa vertu, sacrifiant sa réputation et
deux ans de sagesse, pour courir après le bonheur de me
30 plaire, pour s'enivrer de celui de m'aimer, se trouvant suffisamment dédommagée de tant de sacrifices, par un mot,
par un regard qu'encore elle n'obtiendra pas toujours. Je
ferai plus, je la quitterai ; et je ne connais pas cette femme,
ou je n'aurais point de successeur[1] [...]

35 Vous allez me demander d'où vient aujourd'hui cet excès
de confiance ? c'est que depuis huit jours je suis dans la
confidence de ma Belle ; elle ne me dit pas ses secrets, mais
je les surprends. Deux Lettres d'elle à Madame de Rosemonde m'ont suffisamment instruit•, et je ne lirai plus les
40 autres que par curiosité. [...]

---

1. *Je ne connais [...] de successeur* : Je parie que cette femme n'aimera personne
après moi (si cette femme aime quelqu'un après moi, c'est que je ne la connais pas).

[...]

D'ici à votre arrivée, mes grandes affaires seront termi-
nées de manière ou d'autre ; et sûrement, ni la petite
Volanges, ni la Présidente• elle-même, ne m'occuperont
45 pas assez alors pour que je ne sois pas à vous autant que
vous le désirez. Peut-être même, d'ici là, aurai-je déjà remis
la petite fille aux mains de son discret Amant. Sans
convenir[1], quoi que vous en disiez, que ce ne soit pas une
jouissance *attachante,* comme j'ai le projet• qu'elle garde de
50 moi toute sa vie une idée supérieure à celle de tous les
autres hommes, je me suis mis, avec elle, sur un ton que je
ne pourrais soutenir longtemps sans altérer ma santé ; et
dès ce moment, je ne tiens plus à elle que par le soin qu'on
doit aux affaires de famille...

55 Vous ne m'entendez• pas ? C'est que j'attends une seconde
époque pour confirmer mon espoir, et m'assurer que j'ai
pleinement réussi dans mes projets. Oui, ma belle amie, j'ai
déjà un premier indice que le mari de mon écolière ne courra
pas le risque de mourir sans postérité ; et que le Chef de la
60 maison de Gercourt ne sera à l'avenir qu'un Cadet[2] de celle de
Valmont. Mais laissez-moi finir, à ma fantaisie, cette aventure
que je n'ai entreprise qu'à votre prière. [...]

[...] Ayant donc trouvé hier votre Pupille• occupée à lui
écrire, et l'ayant dérangée d'abord de cette douce occupation
65 pour une autre plus douce encore, je lui ai demandé, après, de
voir sa Lettre ; et comme je l'ai trouvée froide et contrainte, je
lui ai fait sentir que ce n'était pas ainsi qu'elle consolerait son
Amant, et je l'ai décidée à en écrire une autre sous ma dictée ;
où, en imitant du mieux que j'ai pu son petit radotage•, j'ai
70 tâché de nourrir l'amour du jeune homme par un espoir plus
certain. La petite personne était toute ravie, me disait-elle, de
se trouver parler si bien ; et dorénavant, je serai chargé de la
correspondance. Que n'aurais-je pas fait pour ce Danceny ?
J'aurai été à la fois son ami, son confident, son rival et sa
75 maîtresse ! [...]

[...]

*Du Château de..., ce 19 octobre 17**.*

1. *convenir :* admettre.
2. *un Cadet :* (ici) une personne occupant le second rang.

Questions

Compréhension

• Lettre CIX

1. *Comparez le langage de Cécile avec celui qu'elle avait dans les premières lettres, par exemple dans la lettre XIV : son écriture s'est-elle modifiée dans sa nouvelle situation ?*

• Lettre CX

2. *« Mais pour suivre ce travail avec plus de liberté [...] » dit Valmont en parlant de la séduction de Cécile : l'image est-elle exagérée ? Recherchez-en d'autres occurrences (par exemple dans les lettres V, X, LXXXI, C, CXXV ou CXXXIII). N'y a-t-il pas quelque contradiction chez le libertin• à transformer en « travail » le soin de conquérir ?*

• Lettre CXV

3. *En quoi le contrat épistolaire est-il ici perverti par Valmont ? Rapprochez cette lettre des lettres XXV, XXXIV, XXXVI, XLIV, XLVIII, et surtout les lettres LXIV et LXV : à quelles conclusions ces rapprochements peuvent-ils vous conduire ?*

*Colin Firth (Valmont) et Meg Tilly (Mme de Tourvel)
dans le film de Milos Forman, 1989.*

LETTRE CXVI

LE CHEVALIER[*] DANCENY
À CÉCILE VOLANGES

Madame de Merteuil est partie ce matin pour la campagne ; ainsi, ma charmante Cécile, me voilà privé du seul plaisir qui me restait en votre absence, celui de parler de vous à votre amie et à la mienne. Depuis quelque temps, elle m'a permis de lui donner ce titre ; et j'en ai profité avec d'autant plus d'empressement, qu'il me semblait, par là, me rapprocher de vous davantage. Mon Dieu ! que cette femme est aimable et quel charme flatteur elle sait donner à l'amitié ! Il semble que ce doux sentiment s'embellisse et se fortifie chez elle de tout ce qu'elle refuse à l'amour. Si vous saviez comme elle vous aime, comme elle se plaît à m'entendre lui parler de vous !... C'est là sans doute[*] ce qui m'attache autant à elle. Quel bonheur de pouvoir vivre uniquement pour vous deux, de passer sans cesse des délices de l'amour aux douceurs de l'amitié, d'y consacrer toute mon existence, d'être en quelque sorte le point de réunion de votre attachement réciproque ; et de sentir toujours que, m'occupant du bonheur de l'une, je travaillerais également à celui de l'autre ! Aimez, aimez beaucoup, ma charmante amie, cette femme adorable. L'attachement que j'ai pour elle, donnez-y plus de prix encore, en le partageant. [...]
[...]
Adieu, ma Cécile ; adieu, ma bien-aimée. Songez que votre Amant s'afflige, et que vous pouvez seule lui rendre le bonheur.

Paris, ce 17 octobre 17**.

LETTRE CXVII

CÉCILE VOLANGES AU CHEVALIER DANCENY
(Dictée par Valmont.)

Croyez-vous donc, mon bon ami, que j'aie besoin d'être

grondée pour être triste, quand je sais que vous vous affligez ? et doutez-vous que je ne souffre autant que vous de toutes vos peines ? Je partage même celles que je vous cause
5 volontairement ; et j'ai de plus que vous, de voir que vous ne me rendez pas justice. Oh ! cela n'est pas bien. Je vois bien ce qui vous fâche ; c'est que les deux dernières fois que vous m'avez demandé de venir ici je ne vous ai pas répondu à cela : mais cette réponse est-elle donc si aisée à faire ?
10 Croyez-vous que je ne sache pas que ce que vous voulez est bien mal ? Et pourtant, si j'ai déjà tant de peine à vous refuser de loin, que serait-ce donc si vous étiez là ? Et puis pour avoir voulu vous consoler un moment, je resterais affligée toute ma vie.
15 [...] comme, depuis quelque temps, Maman me témoigne beaucoup plus d'amitié ; comme, de mon côté, je la caresse[1] le plus que je peux, qui sait ce que je pourrai obtenir d'elle ? [...]
Écoutez, je vous promets que, si je ne peux pas éviter le
20 malheur d'épouser M. de Gercourt, que je hais déjà tant avant de le connaître, rien ne me retiendra plus pour être à vous autant que je pourrai, et même avant tout. Comme je ne me soucie d'être aimée que de vous, et que vous verrez bien si je fais mal, il n'y aura pas de ma faute, le reste me
25 sera bien égal ; pourvu que vous me promettiez de m'aimer toujours autant que vous faites. Mais, mon ami, jusque-là, laissez-moi continuer comme je fais [...].
Je voudrais bien aussi que M. de Valmont ne fût pas si pressant pour vous ; cela ne sert qu'à me rendre plus cha-
30 grine encore. Oh ! vous avez là un bien bon ami, je vous assure ! Il fait tout comme vous feriez vous-même. Mais adieu, mon cher ami ; j'ai commencé bien tard à vous écrire, et j'y ai passé une partie de la nuit. Je vas• me coucher et réparer le temps perdu. Je vous embrasse, mais
35 ne me grondez plus.

Du Château de..., ce 18 octobre 17**.

---

1. *je la caresse* : je cherche à lui complaire, je l'enjôle.

LETTRE CXVIII

LE CHEVALIER[•] DANCENY
À LA MARQUISE[•] DE MERTEUIL

Si j'en crois mon Almanach[1], il n'y a, mon adorable[•]
amie, que deux jours que vous êtes absente ; mais si j'en
crois mon cœur, il y a deux siècles. Or, je le tiens de vous-
même, c'est toujours son cœur qu'il faut croire [...].

5   N'est-ce pas cependant une véritable infidélité, une noire
trahison, que de laisser votre ami loin de vous, après l'avoir
accoutumé à ne pouvoir plus se passer de votre présence ?
[...]

Pour moi, vous m'avez tant dit que c'était par raison que
10   vous faisiez ce voyage, que vous m'avez tout à fait brouillé
avec elle. Je ne veux plus du tout l'entendre ; pas même
quand elle me dit de vous oublier. [...]

Nos plus jolies femmes, celles qu'on dit les plus
aimables, sont encore si loin de vous qu'elles ne pourraient
15   en donner qu'une bien faible idée. Je crois même qu'avec
des yeux exercés, plus on a cru d'abord qu'elles vous ressemblaient, plus on y trouve après de différence : elles ont
beau faire, beau y mettre tout ce qu'elles savent, il leur
manque toujours d'être vous, et c'est positivement là qu'est
20   le charme. Malheureusement, quand les journées sont si
longues, et qu'on est désoccupé, on rêve, on fait des châteaux en Espagne, on se crée sa chimère[2] ; peu à peu l'imagination s'exalte : on veut embellir son ouvrage, on ras-
semble tout ce qui peut plaire, on arrive enfin à la
25   perfection ; et dès qu'on en est là, le portrait ramène au
modèle, et on est tout étonné de voir qu'on n'a fait que
songer à vous.

[...] J'avais cent choses à vous dire dont vous n'étiez pas
l'objet, qui, comme vous savez, m'intéressent bien vive-
30   ment ; et ce sont celles-là pourtant dont j'ai été distrait. Et

---

1. *Almanach* : calendrier.
2. *sa chimère* : son rêve.

depuis quand le charme de l'amitié distrait-il donc de celui
de l'amour ? [...]

Aussi pourquoi n'êtes-vous pas là pour me répondre,
pour me ramener si je m'égare ; pour me parler de ma
35 Cécile, pour augmenter, s'il est possible, le bonheur que je
goûte à l'aimer, par l'idée si douce que c'est votre amie que
j'aime ? [...]

Je n'ai rien de nouveau à vous apprendre sur ma situation. La dernière Lettre que j'ai reçue *d'elle* augmente et
40 assure mon espoir, mais le retarde encore. Cependant ses
motifs sont si tendres et si honnêtes que je ne puis l'en
blâmer ni m'en plaindre. Peut-être n'entendrez•-vous pas
trop bien ce que je vous dis là ; mais pourquoi n'êtes-vous
pas ici ? Quoiqu'on dise tout à son amie, on n'ose pas tout
45 écrire. [...] Ah ! revenez donc, mon adorable• amie ; vous
voyez bien que votre retour est nécessaire. Oubliez enfin les
mille raisons qui vous retiennent où vous êtes, ou apprenez-
moi à vivre où vous n'êtes pas.

J'ai l'honneur d'être, etc.

*Paris, ce 19 octobre 17**.*

Jeanne Moreau et Annette Vadim dans l'adaptation de Roger Vadim, 1959.

Questions

Compréhension

• Lettres CXVI à CXVIII

1. *Quel intérêt présente la succession de ces trois lettres dans le recueil ?*

Écriture

• Lettre CXVII

2. *Cette lettre représente un petit tour de force stylistique : pourquoi ?*

Annette Benning (Mme de Merteuil) dans l'adaptation cinématographique de Milos Forman.

LETTRE CXIX

MADAME DE ROSEMONDE
À LA PRÉSIDENTE° DE TOURVEL

Du Château de..., ce 20 octobre 17**.

LETTRE CXX

LE VICOMTE° DE VALMONT
AU PÈRE ANSELME
(Feuillant¹ du Couvent de la rue Saint-Honoré.)

Du Château de..., ce 22 octobre 17**.

LETTRE CXXI

LA MARQUISE° DE MERTEUIL
AU CHEVALIER° DANCENY

Du Château de..., ce 22 octobre 17**.

LETTRE CXXII

MADAME DE ROSEMONDE
À LA PRÉSIDENTE° DE TOURVEL

Du Château de..., ce 25 octobre 17**.

---

1. Feuillant : Religieux.

LETTRE CXXIII

LE PÈRE ANSELME
AU VICOMTE DE VALMONT

Paris, ce 25 octobre 17**.

LETTRE CXXIV

LA PRÉSIDENTE DE TOURVEL
À MADAME DE ROSEMONDE

Paris, ce 25 octobre 17**.

Bilan

L'action

• Ce que nous savons

Comme Mme de Volanges a interdit toute correspondance, Valmont s'est institué l'officieux messager du courrier qu'échangent Cécile et Danceny. Il lit et fait lire leurs lettres, dicte parfois les siennes à Cécile : la perversion des lois de l'échange épistolaire est une providence tant pour les roués que pour l'auteur.
La défaite des deux victimes est pour ainsi dire consommée : la lettre XC, par son désordre, est l'aveu que la Présidente•est sur le point de succomber ; la lettre XCVI nous révèle que Valmont est parvenu à forcer Cécile. Les intrigues• continuent à se développer selon un parallélisme frappant. Soudain, coup de théâtre : la Présidente, sur le point de tomber, s'est enfuie du château.

• À quoi nous attendre ?

Cécile est déjà condamnée. On se demande comment Valmont pourra renouer sa relation épistolaire avec Mme de Tourvel. Plus il s'attarde auprès d'elle, plus le persiflage s'envenime chez Mme de Merteuil. Jalouse, elle pousse Valmont à l'échec en tâchant de lui faire brusquer l'assaut de la Présidente. Elle s'érige en mauvaise conscience libertine• de son complice. Valmont proteste : il s'en tient toujours, dit-il, à ses «principes», autrement dit, à son «éthique» du libertinage.

Les personnages

• *Le vicomte• de Valmont*, s'il persifle la religion de sa «belle Dévote•», a perdu la dimension théologique du Don Juan de Molière : son athéisme est d'indifférence, non de révolte. Dieu est absent de ses préoccupations. Face à la Présidente de Tourvel, ce calculateur s'ouvre à un horizon nouveau pour lui, celui de l'amour et de la sensibilité.
• *Mme de Tourvel*, déchirée entre son honnêteté foncière et sa passion, a moralement succombé à l'amour que lui inspire Valmont (lettre XC). Pour achever sa chute, il ne lui manque plus que de se donner à son vainqueur.

L'écriture

Nous lisons le récit d'un même événement, la séduction de Cécile, à la fois sous la plume de la victime, qui se confesse à Mme de Merteuil en rougissant, et sous celle de Valmont, qui s'en glorifie auprès de la même. Dans un roman par lettres «à plusieurs voix», la succession des missives organise une rotation des points de vue qui donne de l'univers évoqué une vision «stéréoscopique*» (T. Todorov). Sur la scène narrative, le romancier, narrateur absent et Dieu caché du roman épistolaire, ordonne le sens depuis la coulisse en réglant l'entrelacs des répliques. Sur la scène de lecture, le point de vue de la marquise• domine, car elle est la mieux informée. Derrière elle, le «lecteur omniscient, [s'avère seul] capable de déchiffrer correctement le sens de chaque lettre, parce qu'il les lit toutes» (R. Pomeau). Au plaisir du «voyeur» se joint ainsi celui de se sentir intelligent.

Annette Vadim et Gérard Philipe dans l'adaptation de Roger Vadim.

QUATRIÈME PARTIE

LETTRE CXXV

LE VICOMTE* DE VALMONT
À LA MARQUISE* DE MERTEUIL

La voilà donc vaincue, cette femme superbe qui avait osé
croire qu'elle pourrait me résister ! Oui, mon amie, elle est à
moi, entièrement à moi ; et depuis hier, elle n'a plus rien à
m'accorder.

5   Je suis encore trop plein de mon bonheur, pour pouvoir
l'apprécier, mais je m'étonne du charme inconnu que j'ai
ressenti. Serait-il donc vrai que la vertu augmentât le prix
d'une femme, jusque dans le moment même de sa faiblesse ? Mais reléguons cette idée puérile avec les contes de
10 bonnes femmes. Ne rencontre-t-on pas presque partout
une résistance plus ou moins bien feinte au premier
triomphe ? et ai-je trouvé nulle part le charme dont je
parle ? ce n'est pourtant pas non plus celui de l'amour ; car
enfin, si j'ai eu quelquefois auprès de cette femme éton-
15 nante des moments de faiblesse qui ressemblaient à cette
passion pusillanime[1], j'ai toujours su les vaincre et revenir à
mes principes. Quand même la scène d'hier m'aurait,
comme je le crois, emporté un peu plus loin que je ne
comptais ; quand j'aurais, un moment, partagé le trouble et
20 l'ivresse que je faisais naître : cette illusion passagère serait
dissipée à présent ; et cependant le même charme subsiste.
J'aurais même, je l'avoue, un plaisir assez doux à m'y livrer,
s'il ne me causait quelque inquiétude. Serai-je donc, à mon
âge, maîtrisé comme un écolier par un sentiment involon-
25 taire et inconnu ? Non : il faut, avant tout, le combattre et
l'approfondir.

Peut-être, au reste, en ai-je déjà entrevu la cause ! Je me

---

1. *pusillanime* : faible, craintive.

plais au moins dans cette idée, et je voudrais qu'elle fût
vraie.

30   Dans la foule des femmes auprès desquelles j'ai rempli
jusqu'à ce jour le rôle et les fonctions d'Amant, je n'en avais
encore rencontré aucune qui n'eût, au moins, autant d'envie de se rendre que j'en avais de l'y déterminer [...].

    Ici, au contraire, j'ai trouvé une première prévention
35 défavorable et fondée depuis sur les conseils et les rapports
d'une femme haineuse, mais clairvoyante ; une timidité
naturelle et extrême, que fortifiait une pudeur éclairée ; un
attachement à la vertu, que la Religion dirigeait, et qui
comptait déjà deux années de triomphe, enfin des
40 démarches éclatantes, inspirées par ces différents motifs et
qui toutes n'avaient pour but que de se soustraire à mes
poursuites.

    Ce n'est donc pas, comme dans mes autres aventures,
une simple capitulation plus ou moins avantageuse, et dont
45 il est plus facile de profiter que de s'enorgueillir• ; c'est une
victoire complète, achetée par une campagne pénible, et
décidée par de savantes manœuvres. Il n'est donc pas surprenant que ce succès, dû à moi seul, m'en devienne plus
précieux ; et le surcroît de plaisir que j'ai éprouvé dans mon
50 triomphe, et que je ressens encore, n'est que la douce
impression du sentiment de la gloire. [...]
    [...]

    Vous verrez par les deux copies des Lettres ci-jointes*,
quel médiateur j'avais choisi pour me rapprocher de ma
55 Belle, et avec quel zèle• le saint personnage s'est employé
pour nous réunir. Ce qu'il faut vous dire encore, et que
j'avais appris par une Lettre interceptée suivant l'usage,
c'est que la crainte et la petite humiliation d'être quittée
avaient un peu dérangé la pruderie• de l'austère Dévote• ; et
60 avaient rempli son cœur et sa tête de sentiments et d'idées,
qui, pour n'avoir pas le sens commun, n'en étaient pas
moins intéressants. C'est après ces préliminaires, nécessaires à savoir, qu'hier Jeudi 28, jour préfix[1] et donné par

* Lettres CXX et CXXIII.

---

1. *préfix* : fixé à l'avance.

l'ingrate, je me suis présenté chez elle en esclave timide et
repentant, pour en sortir en vainqueur couronné.

65   Il était six heures du soir quand j'arrivai chez la belle
Recluse[1], car depuis son retour, sa porte était restée fermée
à tout le monde. Elle essaya de se lever quand on
m'annonça ; mais ses genoux tremblants ne lui permirent
70   pas de rester dans cette situation : elle se rassit sur-le-
champ. Comme le Domestique qui m'avait introduit eut
quelque service à faire dans l'appartement, elle en parut
impatientée. Nous remplîmes cet intervalle par les compliments d'usage. Mais pour ne rien perdre d'un temps dont
75   tous les moments étaient précieux, j'examinais soigneusement le local[2] ; et dès lors, je marquai de l'œil le théâtre de
ma victoire. J'aurais pu en choisir un plus commode : car,
dans cette même chambre[3], il se trouvait une ottomane•.
Mais je remarquai qu'en face d'elle était un portrait du
80   mari ; et j'eus peur, je l'avoue, qu'avec une femme si singu-
lière, un seul regard que le hasard dirigerait de ce côté ne
détruisît en un moment l'ouvrage• de tant de soins. Enfin,
nous restâmes seuls et j'entrai en matière.

Après avoir exposé, en peu de mots, que le Père Anselme
85   l'avait dû informer des motifs de ma visite, je me suis plaint
du traitement rigoureux que j'avais éprouvé ; et j'ai particulièrement appuyé sur le *mépris* qu'on m'avait témoigné.
On s'en est défendu, comme je m'y attendais ; et, comme
vous vous y attendiez bien aussi, j'en ai fondé la preuve sur
90   la méfiance et l'effroi que j'avais inspirés, sur la fuite scandaleuse qui s'en était suivie, le refus de répondre à mes
Lettres, celui même de les recevoir, etc. Comme on
commençait une justification qui aurait été bien facile, j'ai
cru devoir l'interrompre ; et pour me faire pardonner cette
95   manière brusque je l'ai couverte aussitôt par une cajolerie•.
« Si tant de charmes, ai-je donc repris, ont fait sur mon
cœur une impression si profonde, tant de vertus n'en ont
pas moins fait sur mon âme. Séduit, sans doute•, par le

---

1. *Recluse* : retirée du monde.
2. *le local* : la disposition des lieux.
3. *chambre* : pièce.

désir de m'en rapprocher, j'avais osé m'en croire digne. Je
100 ne vous reproche point d'en avoir jugé autrement ; mais je
me punis de mon erreur. » Comme on gardait le silence de
l'embarras, j'ai continué : « J'ai désiré, Madame, ou de me
justifier à vos yeux, ou d'obtenir de vous le pardon des torts
que vous me supposez ; afin de pouvoir au moins terminer,
105 avec quelque tranquillité, des jours auxquels je n'attache
plus de prix, depuis que vous avez refusé de les embellir. »
      Ici, on a pourtant essayé de répondre. « Mon devoir ne
me permettait pas... » Et la difficulté d'achever le mensonge
que le devoir exigeait n'a pas permis de finir la phrase. J'ai
110 donc repris du ton le plus tendre : « Il est donc vrai que
c'est moi que vous avez fui ? – Ce départ était nécessaire. –
Et que vous m'éloignez de vous ? – Il le faut. – Et pour
toujours ? – Je le dois. » Je n'ai pas besoin de vous dire que
pendant ce court dialogue, la voix de la tendre Prude• était
115 oppressée, et que ses yeux ne s'élevaient pas jusqu'à moi.
      Je jugeai devoir animer un peu cette scène languissante• ;
ainsi, me levant avec l'air du dépit : « Votre fermeté, dis-je
alors, me rend toute la mienne. Hé bien ! oui, Madame,
nous serons séparés, séparés même plus que vous ne pen-
120 sez : et vous vous féliciterez à loisir de votre ouvrage•. » Un
peu surprise de ce ton de reproche, elle voulut répliquer.
« La résolution que vous avez prise..., dit-elle. – N'est-ce
l'effet de mon désespoir, repris-je avec emportement. Vous
avez voulu que je sois malheureux ; je vous prouverai que
125 vous avez réussi au-delà de vos souhaits. – Je désire votre
bonheur », répondit-elle. Et le son de sa voix commençait à
annoncer une émotion assez forte. Aussi me précipitant à
ses genoux, et du ton dramatique que vous me connaissez :
« Ah ! cruelle, me suis-je écrié, peut-il exister pour moi un
130 bonheur que vous ne partagiez pas ? Où donc le trouver loin
de vous ? Ah ! jamais ! jamais ! » J'avoue qu'en me livrant à
ce point j'avais beaucoup compté sur le secours des
larmes : mais soit mauvaise disposition, soit peut-être seulement l'effet de l'attention pénible et continuelle que je
135 mettais à tout, il me fut impossible de pleurer.
      Par bonheur je me ressouvins que pour subjuguer une
femme tout moyen était également bon ; et qu'il suffisait de
l'étonner par un grand mouvement, pour que l'impression
en restât profonde et favorable. Je suppléai donc, par la

140 terreur, à la sensibilité qui se trouvait en défaut ; et pour
   cela, changeant seulement l'inflexion de ma voix, et gardant la même posture : « Oui, continuai-je, j'en fais le serment à vos pieds, vous posséder ou mourir. » En pronon-
   çant ces dernières paroles, nos regards se rencontrèrent. Je
145 ne sais ce que la timide personne vit ou crut voir dans les
   miens, mais elle se leva d'un air effrayé, et s'échappa de
   mes bras dont je l'avais entourée. Il est vrai que je ne fis
   rien pour la retenir : car j'avais remarqué plusieurs fois que
   les scènes de désespoir menées trop vivement tombaient
150 dans le ridicule dès qu'elles devenaient longues, ou ne laissaient que des ressources vraiment tragiques et que j'étais
   fort éloigné de vouloir prendre. Cependant, tandis qu'elle
   se dérobait à moi, j'ajoutai d'un ton bas et sinistre, mais de
   façon qu'elle pût m'entendre : « Hé bien ! la mort ! »
155   Je me relevai alors ; et gardant un moment le silence, je
   jetais sur elle, comme au hasard, des regards farouches qui,
   pour avoir l'air d'être égarés, n'en étaient pas moins clair-
   voyants et observateurs. Le maintien mal assuré, la respira-
   tion haute, la contraction de tous les muscles, les bras trem-
160 blants, et à demi élevés, tout me prouvait assez que l'effet
   était tel que j'avais voulu le produire ; mais, comme en
   amour rien ne se finit que de très près, et que nous étions
   alors assez loin l'un de l'autre, il fallait avant tout se rapprocher. Ce fut pour y parvenir que je passai le plus tôt pos-
165 sible à une apparente tranquillité, propre à calmer les effets
   de cet état violent, sans en affaiblir l'impression.
      Ma transition fut : « Je suis bien malheureux. J'ai voulu
   vivre pour votre bonheur, et je l'ai troublé. Je me dévoue
   pour votre tranquillité, et je la trouble encore. » Ensuite
170 d'un air composé, mais contraint : « Pardon, Madame ; peu
   accoutumé aux orages des passions, je sais mal en réprimer
   les mouvements. Si j'ai eu tort de m'y livrer, songez au
   moins que c'est pour la dernière fois. Ah ! calmez-vous,
   calmez-vous, je vous en conjure. » Et pendant ce long dis-
175 cours je me rapprochais insensiblement. « Si vous voulez
   que je me calme, répondit la Belle effarouchée, vous-même
   soyez donc plus tranquille. – Hé bien ! oui, je vous le promets », lui dis-je. J'ajoutai d'une voix plus faible : « Si l'effort
   est grand, au moins ne doit-il pas être long. Mais, repris-je
180 aussitôt d'un air égaré, je suis venu, n'est-il pas vrai, pour

vous rendre vos Lettres ? De grâce, daignez les reprendre.
Ce douloureux sacrifice me reste à faire : ne me laissez rien
qui puisse affaiblir mon courage. » Et tirant de ma poche
le précieux recueil : « Le voilà, dis-je, ce dépôt trompeur
185 des assurances de votre amitié ! Il m'attachait à la vie,
reprenez-le. Donnez ainsi vous-même le signal qui doit me
séparer de vous pour jamais. »

Ici l'Amante craintive céda entièrement à sa tendre
inquiétude. « Mais, Monsieur de Valmont, qu'avez-vous, et
190 que voulez-vous dire ? La démarche que vous faites aujourd'hui n'est-elle pas volontaire ? n'est-ce pas le fruit de vos
propres réflexions ? et ne sont-ce pas elles qui vous ont fait
approuver vous-même le parti nécessaire que j'ai suivi par
devoir ? – Hé bien, ai-je repris, ce parti a décidé le mien.
195 – Et quel est-il ? – Le seul qui puisse, en me séparant de
vous, mettre un terme à mes peines. – Mais, répondez-moi,
quel est-il ? » Là, je la pressai de mes bras, sans qu'elle se
défendît aucunement ; et jugeant par cet oubli des bienséances combien l'émotion était forte et puissante :
200 « Femme adorable, lui dis-je en risquant l'enthousiasme,
vous n'avez pas d'idée de l'amour que vous inspirez ; vous
ne saurez jamais à quel point vous fûtes adorée*, et de
combien ce sentiment m'était plus cher que l'existence !
Puissent tous vos jours être fortunés[1] et tranquilles ;
205 puissent-ils s'embellir de tout le bonheur dont vous m'avez
privé ! Payez au moins ce vœu sincère par un regret, par
une larme ; et croyez que le dernier de mes sacrifices ne
sera pas le plus pénible à mon cœur. Adieu. »

Tandis que je parlais ainsi, je sentais son cœur palpiter
210 avec violence ; j'observais l'altération[2] de sa figure ; je
voyais, surtout, les larmes la suffoquer, et ne couler cependant que rares et pénibles. Ce ne fut qu'alors que je pris le
parti de feindre de m'éloigner ; aussi, me retenant avec
force : « Non, écoutez-moi, dit-elle vivement. – Laissez-
215 moi, répondis-je – Vous m'écouterez, je le veux. – Il faut
vous fuir, il le faut ! – Non ! » s'écria-t-elle... À ce dernier

---

1. *fortunés* : heureux.
2. *l'altération* : la modification.

mot, elle se précipita ou plutôt tomba évanouie entre mes
bras. Comme je doutais encore d'un si heureux succès, je
feignis un grand effroi ; mais tout en m'effrayant, je la
220 conduisais, ou la portais vers le lieu précédemment désigné
pour le champ de ma gloire ; et en effet elle ne revint à elle
que soumise et déjà livrée à son heureux vainqueur.

Jusque-là, ma belle amie, vous me trouverez, je crois, une
pureté de méthode qui vous fera plaisir ; et vous verrez que
225 je ne me suis écarté en rien des vrais principes de cette
guerre, que nous avons remarqué souvent être si semblable
à l'autre. Jugez-moi donc comme Turenne[1] ou Frédéric[2].
J'ai forcé à combattre l'ennemi qui ne voulait que temporiser[3] ; je me suis donné, par de savantes manœuvres, le
230 choix du terrain et celui des dispositions ; j'ai su inspirer la
sécurité à l'ennemi, pour le joindre plus facilement dans sa
retraite ; j'ai su y faire succéder la terreur, avant d'en venir
au combat ; je n'ai rien mis au hasard, que par la considération d'un grand avantage en cas de succès, et la certitude
235 des ressources en cas de défaite ; enfin, je n'ai engagé l'action qu'avec une retraite assurée, par où je pusse couvrir et
conserver tout ce que j'avais conquis précédemment. C'est,
je crois, tout ce qu'on peut faire ; mais je crains, à présent,
de m'être amolli comme Annibal dans les délices[4] de
240 Capoue. Voilà ce qui s'est passé depuis.

Je m'attendais bien qu'un si grand événement ne se pas-
serait pas sans les larmes et le désespoir d'usage ; et si je
remarquai d'abord un peu plus de confusion, et une sorte
de recueillement, j'attribuai l'un et l'autre à l'état de
245 Prude• : aussi, sans m'occuper de ces légères différences
que je croyais purement locales, je suivais simplement la

---

1. *Turenne* : maréchal de France (1611-1675) à seulement 32 ans, stratège militaire de premier plan.
2. *Frédéric* : Frédéric II le Grand ou l'Unique (1712-1786), roi de Prusse, exemple
même du despote éclairé, surnommé le «philosophe-soldat».
3. *temporiser* : gagner du temps, différer, retarder.
4. *Annibal dans les délices* : Hannibal (247-183 av. J.-C.), général et chef d'État
carthaginois (de l'actuelle Tunisie) qui, lors de la 2ᵉ Guerre punique (219-201 av.
J.-C.), multiplia les succès contre les armées romaines, mais, au lieu de marcher sur
Rome qui était à sa portée, préféra établir ses quartiers d'hiver à Capoue, où son
armée s'«amollit» dans les «délices» (215 av. J.-C.).

grande route des consolations, bien persuadé que, comme
il arrive d'ordinaire, les sensations aideraient le sentiment
et qu'une seule action ferait plus que tous les discours, que
250 pourtant je ne négligeais pas. Mais je trouvai une résistance
vraiment effrayante, moins encore par son excès que par la
forme sous laquelle elle se montrait.

Figurez-vous une femme assise, d'une raideur immobile,
et d'une figure invariable ; n'ayant l'air ni de penser, ni
255 d'écouter, ni d'entendre• ; dont les yeux fixes laissent
échapper des larmes assez continues, mais qui coulent sans
effort. Telle était Mme de Tourvel, pendant mes discours ;
mais si j'essayais de ramener son attention vers moi par une
caresse, par le geste même le plus innocent, à cette appa-
260 rente apathie succédaient aussitôt la terreur, la suffocation,
les convulsions, les sanglots, et quelques cris par intervalles, mais sans un mot articulé.

Ces crises revinrent plusieurs fois, et toujours plus fortes ;
la dernière même fut si violente que j'en fus entièrement
265 découragé et craignis un moment d'avoir remporté une victoire inutile. Je me rabattis sur les lieux communs d'usage ;
et dans le nombre se trouva celui-ci : «Et vous êtes dans le
désespoir, parce que vous avez fait mon bonheur?» À ce
mot, l'adorable femme se tourna vers moi ; et sa figure,
270 quoique encore un peu égarée, avait pourtant déjà repris
son expression céleste•. «Votre bonheur», me dit-elle.
Vous devinez ma réponse. «Vous êtes donc heureux?» Je
redoublai les protestations. «Et heureux par moi !» J'ajoutai
les louanges et les tendres propos. Tandis que je parlais,
275 tous ses membres s'assouplirent ; elle retomba avec mollesse, appuyée sur son fauteuil ; et m'abandonnant une
main que j'avais osé prendre : «Je sens, dit-elle, que cette
idée me console et me soulage.»

Vous jugez qu'ainsi remis sur la voie, je ne la quittai plus ;
280 c'était réellement la bonne, et peut-être la seule. Aussi
quand je voulus tenter un second succès, j'éprouvai d'abord
quelque résistance, et ce qui s'était passé auparavant me
rendait circonspect[1] : mais ayant appelé à mon secours

---

1. *circonspect* : prudent.

cette même idée de mon bonheur, j'en ressentis bientôt les
285 favorables effets : «Vous avez raison, me dit la tendre personne ; je ne puis plus supporter mon existence qu'autant
qu'elle servira à vous rendre heureux. Je m'y consacre tout
entière, dès ce moment je me donne à vous, et vous
n'éprouverez de ma part ni refus, ni regrets.» Ce fut avec
290 cette candeur• naïve ou sublime qu'elle me livra sa personne et ses charmes, et qu'elle augmenta mon bonheur en
le partageant. L'ivresse fut complète et réciproque ; et, pour
la première fois, la mienne survécut au plaisir. Je ne sortis
de ses bras que pour tomber à ses genoux, pour lui jurer un
295 amour éternel ; et, il faut tout avouer, je pensais ce que je
disais. Enfin, même après nous être séparés, son idée ne
me quittait point, et j'ai eu besoin de me travailler pour
m'en distraire.

Ah ! pourquoi n'êtes-vous pas ici, pour balancer• au
300 moins le charme de l'action par celui de la récompense ?
Mais je ne perdrai rien pour attendre, n'est-il pas vrai ? et
j'espère pouvoir regarder, comme convenu entre nous,
l'heureux arrangement que je vous ai proposé dans ma dernière Lettre. Vous voyez que je m'exécute, et que, comme
305 je vous l'ai promis, mes affaires seront assez avancées pour
pouvoir vous donner une partie de mon temps. Dépêchez-
vous donc de renvoyer votre pesant Belleroche et laissez là
le doucereux• Danceny, pour ne vous occuper que de moi.
Mais que faites-vous donc tant à cette campagne que vous
310 ne me répondez seulement pas ? Savez-vous que je vous
gronderais volontiers ? Mais le bonheur porte à l'indulgence. Et puis je n'oublie pas qu'en me replaçant au
nombre de vos soupirants je dois me soumettre, de nouveau, à vos petites fantaisies. Souvenez-vous cependant que
315 le nouvel Amant ne veut rien perdre des anciens droits de
l'ami.

Adieu, comme autrefois... *Oui, adieu, mon Ange ! Je t'en-*
voie tous les baisers de l'amour.

P.-S. – Savez-vous que Prévan, au bout de son mois de
320 prison, a été obligé de quitter son Corps ? C'est aujourd'hui
la nouvelle de tout Paris. En vérité, le voilà cruellement
puni d'un tort qu'il n'a pas eu, et votre succès est complet !
*Paris, ce 29 octobre 17**.*

210

LETTRE CXXVI

MADAME DE ROSEMONDE
À LA PRÉSIDENTE• DE TOURVEL

Je vous aurais répondu plus tôt, mon aimable Enfant, si la fatigue de ma dernière Lettre ne m'avait rendu mes douleurs, ce qui m'a encore privée tous ces jours-ci de l'usage de mon bras. J'étais bien pressée de vous remercier des
5 bonnes nouvelles que vous m'avez données de mon neveu, et je ne l'étais pas moins de vous en faire pour votre compte de sincères félicitations. On est forcé de reconnaître véritablement là un coup de la Providence, qui, en touchant l'un, a aussi sauvé l'autre. Oui, ma chère Belle, Dieu, qui ne
10 voulait que vous éprouver, vous a secourue au moment où vos forces étaient épuisées ; et malgré votre petit murmure, vous avez, je crois, quelques actions de grâces à lui rendre. [...]
    Vous éprouverez bientôt, ma chère fille, que les peines
15 que vous redoutez s'allégeront d'elles-mêmes ; et quand elles devraient subsister toujours et dans leur entier, vous n'en sentiriez pas moins qu'elles seraient encore plus faciles à supporter, que les remords du crime et le mépris de soi-même. Inutilement vous aurais-je parlé plus tôt avec
20 cette apparente sévérité : l'amour est un sentiment indépendant, que la prudence peut faire éviter, mais qu'elle ne saurait vaincre ; et qui, une fois né, ne meurt que de sa belle mort ou du défaut¹ absolu d'espoir. C'est ce dernier cas, dans lequel vous êtes, qui me rend le courage et le droit de
25 vous dire librement mon avis. Il est cruel d'effrayer un malade désespéré, qui n'est plus susceptible que de consolations et de palliatifs² : mais il est sage d'éclairer un convalescent sur les dangers qu'il a courus, pour lui inspirer la prudence dont il a besoin, et la soumission aux conseils qui
30 peuvent encore lui être nécessaires.
    Puisque vous me choisissez pour votre Médecin, c'est

---

1. *du défaut* : du manque, de l'absence.
2. *palliatifs* : remèdes qui n'ont qu'une efficacité incomplète ou provisoire.

comme tel que je vous parle, et que je vous dis que les petites incommodités que vous ressentez à présent, et qui peut-être exigent quelques remèdes, ne sont pourtant rien
35 en comparaison de la maladie effrayante dont voilà la guérison assurée. [...]

[...]

Du Château de... ce 30 octobre 17**.

Meg Tilly interprétant le rôle de Mme de Tourvel.

Questions

Compréhension

• **Lettre CXXV**

1. *Quel peut être l'effet de ce récit sur Mme de Merteuil ?*

2. *Le séducteur libertin• dans ses œuvres : analysez ses valeurs, ses «principes» et sa «pureté de méthode».*

3. *Retrouvez les étapes et les raisons de la chute de Mme de Tourvel.*

4. *L'ambivalence de Valmont : est-ce la défaite du «système» par le «sentiment»?*

Écriture

• **«Le romancier, Dieu caché du roman épistolaire»** (René Pomeau)

5. *Pourquoi l'effet de la lettre CXXVI est-il entièrement dû à sa place dans la série ?*

6. *Quelle est la place de la lettre CXXV dans la série (à l'ouverture de la quatrième partie, entre les lettres CXXIV et CXXVI) ?*

7. *La lettre CXXV est un pur chef-d'œuvre de narration. Analysez l'art du conteur chez Valmont à travers :*
• *l'histoire racontée (découpage et progression, cadre et objets) ;*
• *la narration de l'histoire par le personnage (fonction de l'analyse précédant le récit, valeur des temps verbaux, traces dans l'énoncé de la subjectivité de celui qui raconte, formules d'interlocution, pantomime, mise en scène, persiflage, ironie*, esprit).*

8. *Quel pan de l'histoire impliquent la formule finale de la lettre et les italiques* que Valmont y emploie ? Le roman dévoile-t-il ou occulte-t-il l'aspect des choses auquel il est ici fait allusion ? Pourquoi ? D'autres événements sont-ils traités de la même façon ?*

LETTRE CXXVII

LA MARQUISE• DE MERTEUIL
AU VICOMTE• DE VALMONT

Si je n'ai pas répondu, Vicomte, à votre Lettre du 19, ce n'est pas que je n'en aie eu le temps ; c'est tout simplement qu'elle m'a donné de l'humeur•, et que je ne lui ai pas trouvé le sens commun[1]. J'avais donc cru n'avoir rien de
5 mieux à faire que de la laisser dans l'oubli ; mais puisque vous revenez sur elle, que vous paraissez tenir aux idées qu'elle contient, et que vous prenez mon silence pour un consentement, il faut vous dire clairement mon avis.

J'ai pu avoir quelquefois la prétention de remplacer à
10 moi seule tout un sérail[2] ; mais il ne m'a jamais convenu d'en faire partie. Je croyais que vous saviez cela. Au moins à présent que vous ne pouvez plus l'ignorer, vous jugerez facilement combien votre proposition a dû me paraître ridicule. Qui, moi ! je sacrifierais un goût, et encore un goût
15 nouveau, pour m'occuper de vous ? Et pour m'en occuper comment ? en attendant à mon tour, et en esclave soumise, les sublimes faveurs de votre *Hautesse*. Quand, par exemple, vous voudrez vous distraire un moment de *ce charme inconnu que l'adorable•, la céleste•* Mme de Tourvel vous a
20 fait seule éprouver, ou quand vous craindrez de compromettre, auprès de *l'attachante Cécile*, l'idée supérieure que vous êtes bien aise• qu'elle conserve de vous : alors descendant jusqu'à moi, vous y viendrez chercher des plaisirs, moins vifs à la vérité, mais sans conséquence ; et vos pré-
25 cieuses bontés, quoique un peu rares, suffiront de reste à mon bonheur !

Certes, vous êtes riche en bonne opinion de vous-même : mais apparemment je ne le suis pas en modestie ; car j'ai beau me regarder, je ne peux pas me trouver déchue
30 jusque-là. C'est peut-être un tort que j'ai ; mais je vous préviens que j'en ai beaucoup d'autres encore.

1. *je ne lui ai pas trouvé le sens commun* : je l'ai trouvée tout à fait déraisonnable.
2. *sérail* : harem.

J'ai surtout celui de croire que *l'écolier, le doucereux*• Danceny, uniquement occupé de moi, me sacrifiant, sans s'en faire un mérite, une première passion, avant même
35 qu'elle ait été satisfaite, et m'aimant enfin comme on aime à son âge, pourrait, malgré ses vingt ans, travailler plus efficacement que vous à mon bonheur et à mes plaisirs. Je me permettrai même d'ajouter que, s'il me venait en fantaisie de lui donner un adjoint, ce ne serait pas vous, au moins
40 pour le moment.

Et par quelles raisons, m'allez-vous demander ? Mais d'abord il pourrait fort bien n'y en avoir aucune : car le caprice qui vous ferait préférer peut également vous faire exclure. Je veux pourtant bien, par politesse, vous motiver
45 mon avis[1]. Il me semble que vous auriez trop de sacrifices à me faire ; et moi, au lieu d'en avoir la reconnaissance que vous ne manqueriez pas d'en attendre, je serais capable de croire que vous m'en devriez encore ! Vous voyez bien, qu'aussi éloignés l'un de l'autre par notre façon de penser,
50 nous ne pouvons nous rapprocher d'aucune manière ; et je crains qu'il ne me faille beaucoup de temps, mais beaucoup, avant de changer de sentiment. Quand je serai corrigée, je vous promets de vous avertir. Jusque-là, croyez-moi, faites d'autres arrangements, et gardez vos baisers, vous
55 avez tant à les placer mieux !...

Adieu, comme autrefois, dites-vous ? Mais autrefois, ce me semble, vous faisiez un peu plus de cas de moi ; vous ne m'aviez pas destinée tout à fait aux troisièmes Rôles ; et surtout vous vouliez bien attendre que j'eusse dit oui, avant
60 d'être sûr de mon consentement. Trouvez donc bon qu'au lieu de vous dire aussi adieu comme autrefois, je vous dise adieu comme à présent.

Votre servante, Monsieur le Vicomte•.

*Du Château de..., ce 31 octobre 17**.*

---

1. *motiver mon avis* : justifier mon point de vue.

LETTRE CXXVIII

LA PRÉSIDENTE[•] DE TOURVEL
À MADAME DE ROSEMONDE

Je n'ai reçu qu'hier, Madame, votre tardive réponse. Elle m'aurait tuée sur-le-champ, si j'avais eu encore mon existence en moi : mais un autre en est possesseur, et cet autre est M. de Valmont. Vous voyez que je ne vous cache rien. Si
5 vous devez ne me plus trouver digne de votre amitié, je crains moins encore de la perdre que de la surprendre. Tout ce que je puis vous dire, c'est que, placée par M. de Valmont entre sa mort ou son bonheur, je me suis décidée pour ce dernier parti. Je ne m'en vante, ni ne m'en accuse :
10 je dis simplement ce qui est.

Vous sentirez aisément, d'après cela, quelle impression a dû me faire votre Lettre, et les vérités sévères qu'elle contient. Ne croyez pas cependant qu'elle ait pu faire naître un regret en moi, ni qu'elle puisse jamais me faire changer
15 de sentiment ni de conduite. Ce n'est pas que je n'aie des moments cruels : mais quand mon cœur est le plus déchiré, quand je crains de ne pouvoir plus supporter mes tourments, je me dis : Valmont est heureux ; et tout disparaît devant cette idée, ou plutôt elle change tout en plaisirs.

20 C'est donc à votre neveu que je me suis consacrée ; c'est pour lui que je me suis perdue. Il est devenu le centre unique de mes pensées, de mes sentiments, de mes actions. Tant que ma vie sera nécessaire à son bonheur, elle me sera précieuse, et je la trouverai fortunée. Si quelque jour il en
25 juge autrement..., il n'entendra de ma part ni plainte ni reproche. J'ai déjà osé fixer les yeux sur ce moment fatal[•], et mon parti est pris.

Vous voyez à présent combien peu doit m'affecter la crainte que vous paraissez avoir, qu'un jour M. de Valmont
30 ne me perde[1] : car avant de le vouloir, il aura donc cessé de m'aimer ; et que me feront alors de vains reproches que je n'entendrai pas ? Seul, il sera mon juge. Comme je n'aurai

---

1. *me perde* : cause ma déchéance morale ou ma mort.

vécu que pour lui, ce sera en lui que reposera ma mémoire ; et s'il est forcé de reconnaître que je l'aimais, je serai suffisamment justifiée.

Vous venez, Madame, de lire dans mon cœur. J'ai préféré le malheur de perdre votre estime par ma franchise, à celui de m'en rendre indigne par l'avilissement du mensonge. J'ai cru devoir cette entière confiance à vos anciennes bontés pour moi. Ajouter un mot de plus pourrait vous faire soupçonner que j'ai l'orgueil d'y compter encore, quand au contraire je me rends justice en cessant d'y prétendre.

Je suis avec respect, Madame, votre très humble et très obéissante servante.

Paris, ce 1er novembre 17**.

LETTRE CXXIX

LE VICOMTE• DE VALMONT
À LA MARQUISE• DE MERTEUIL

Dites-moi donc, ma belle amie, d'où peut venir ce ton d'aigreur et de persiflage qui règne dans votre dernière Lettre ? Quel est donc ce crime que j'ai commis, apparemment sans m'en douter, et qui vous donne tant d'humeur• ? J'ai eu l'air, me reprochez-vous, de compter sur votre consentement avant de l'avoir obtenu : mais je croyais que ce qui pourrait paraître de la présemption pour tout le monde ne pouvait jamais être pris, de vous à moi, que pour de la confiance : et depuis quand ce sentiment nuit-il à l'amitié ou à l'amour ? En réunissant l'espoir au désir, je n'ai fait que céder à l'impulsion naturelle, qui nous fait nous placer toujours le plus près possible du bonheur que nous cherchons[1] [...].

Il me semble même que cette marche franche et libre, quand elle est fondée sur une ancienne liaison•, est bien

---

1. *du bonheur que nous cherchons* : variante du manuscrit : «*du bonheur que nous cherchons [à obtenir* est biffé] ».

préférable à l'insipide• cajolerie• qui affadit si souvent l'amour. [...]

Voilà pourtant le seul tort que je me connaisse : car je n'imagine pas que vous ayez pu penser sérieusement qu'il existât une femme dans le monde qui me parût préférable à vous ; et encore moins que j'aie pu vous apprécier aussi mal que vous feignez de le croire. Vous vous êtes regardée, me dites-vous, à ce sujet, et vous ne vous êtes pas trouvée déchue à ce point. Je le crois bien, et cela prouve seulement que votre miroir est fidèle. Mais n'auriez-vous pas pu en conclure avec plus de facilité et de justice qu'à coup sûr je n'avais pas jugé ainsi de vous ?

Je cherche vainement une cause à cette étrange idée. Il me semble pourtant qu'elle tient, de plus ou moins près, aux éloges que je me suis permis de donner à d'autres femmes. Je l'infère[1] au moins de votre affectation à relever les épithètes *d'adorable•, de céleste•, d'attachante,* dont je me suis servi en vous parlant de Mme de Tourvel, ou de la petite Volanges. Mais ne savez-vous pas que ces mots, plus souvent pris au hasard que par réflexion, expriment moins le cas que l'on fait de la personne que la situation dans laquelle on se trouve quand on en parle ? Et si, dans le moment même où j'étais si vivement affecté ou par l'une ou par l'autre, je ne vous en désirais pourtant pas moins ; si je vous donnais une préférence marquée sur toutes deux, puisque enfin je ne pouvais renouveler notre première liaison• qu'au préjudice des deux autres, je ne crois pas qu'il y ait là si grand sujet de reproche.

[...]

Pour la petite Cécile, je crois bien inutile de vous en parler. Vous n'avez pas oublié que c'est à votre demande que je me suis chargé de cette enfant, et je n'attends que votre congé[2] pour m'en défaire. J'ai pu remarquer son ingénuité et sa fraîcheur ; j'ai pu même la croire un moment *attachante,* parce que, plus ou moins, on se complaît tou-

---

1. *je l'infère* : je le déduis.
2. *votre congé* : votre autorisation.

jours un peu dans son ouvrage[•] : mais assurément, elle n'a
assez de consistance en aucun genre pour fixer en rien l'attention.

    À présent, ma belle amie, j'en appelle à votre justice, à
55 vos premières bontés pour moi ; à la longue et parfaite amitié, à l'entière confiance qui depuis ont resserré nos liens :
ai-je mérité le ton rigoureux que vous prenez avec moi ?
Mais qu'il vous sera facile de m'en dédommager quand
vous voudrez ! Dites seulement un mot, et vous verrez si
60 tous les charmes et tous les attachements me retiendront
ici, non pas un jour mais une minute. Je volerai à vos pieds
et dans vos bras, et je vous prouverai, mille fois et de mille
manières, que vous êtes, que vous serez toujours, la véritable souveraine de mon cœur.

65 Adieu, ma belle amie ; j'attends votre Réponse avec beaucoup d'empressement.

Paris, ce 3 novembre 17**.

LETTRE CXXX

MADAME DE ROSEMONDE
À LA PRÉSIDENTE[•] DE TOURVEL

Du Château de..., ce 4 novembre 17**.

LETTRE CXXXI

LA MARQUISE[•] DE MERTEUIL
AU VICOMTE[•] DE VALMONT

    À la bonne heure, Vicomte, et je suis plus contente de
vous cette fois-ci que l'autre ; mais à présent, causons de
bonne amitié et j'espère vous convaincre que, pour vous
comme pour moi, l'arrangement que vous paraissez désirer
5 serait une véritable folie.

    N'avez-vous pas encore remarqué que le plaisir, qui est

bien en effet l'unique mobile de la réunion des deux sexes, ne suffit pourtant pas pour former une liaison● entre eux ? et que, s'il est précédé du désir qui rapproche, il n'est pas
10 moins suivi du dégoût qui repousse ? C'est une loi de la nature, que l'amour seul peut changer ; et de l'amour, en a-t-on quand on veut ? [...]

[...] Croyez-moi, [...] ne perdons pas ensemble un temps que nous pouvons si bien employer ailleurs.

15 Pour vous prouver qu'ici votre intérêt me décide autant que le mien, et que je n'agis ni par humeur●, ni par caprice, je ne vous refuse pas le prix convenu entre nous : je sens à merveille que pour une seule soirée nous nous suffirons de reste ; et je ne doute même pas que nous ne sachions assez
20 l'embellir pour ne la voir finir qu'à regret. Mais n'oublions pas que ce regret est nécessaire au bonheur ; et quelque douce que soit notre illusion, n'allons pas croire qu'elle puisse être durable.

Vous voyez que je m'exécute à mon tour, et cela, sans
25 que vous vous soyez encore mis en règle avec moi ; car enfin je devais avoir la première Lettre de la céleste● Prude● ; et pourtant, soit que vous y teniez encore, soit que vous ayez oublié les conditions d'un marché qui vous inté-resse peut-être moins que vous ne voulez me le faire croire,
30 je n'ai rien reçu, absolument rien. Cependant, ou je me trompe ou la tendre Dévote● doit beaucoup écrire : car que ferait-elle quand elle est seule ? [...]

À présent, Vicomte●, il ne me reste plus qu'à vous faire une demande et elle est encore autant pour vous que pour
35 moi : c'est de différer un moment que je désire peut-être autant que vous, mais dont il me semble que l'époque doit être retardée jusqu'à mon retour à la Ville. [...]

Savez-vous que je regrette quelquefois que nous en soyons réduits à ces ressources ! Dans le temps où nous nous
40 aimions, car je crois que c'était de l'amour, j'étais heureuse ; et vous, Vicomte ?... Mais pourquoi s'occuper encore d'un bonheur qui ne peut revenir ? Non, quoi que vous en disiez, c'est un retour impossible. D'abord, j'exigerais des sacrifices que sûrement vous ne pourriez ou ne voudriez pas me faire,
45 et qu'il se peut bien que je ne mérite pas ; et puis, comment vous fixer ? Oh ! non, non, je ne veux seulement pas m'occuper de cette idée ; et malgré le plaisir que je trouve

en ce moment à vous écrire, j'aime mieux vous quitter
brusquement.
50   Adieu, Vicomte•.

Du Château de..., ce 6 novembre 17**.

LETTRE CXXXII

LA PRÉSIDENTE• DE TOURVEL
À MADAME DE ROSEMONDE

Paris, ce 7 novembre 17**.

LETTRE CXXXIII

LE VICOMTE DE VALMONT
À LA MARQUISE• DE MERTEUIL

Quels sont donc, ma belle amie, ces sacrifices que vous
jugez que je ne ferais pas, et dont pourtant le prix serait de
vous plaire ? Faites-les-moi connaître seulement, et si je
balance• à vous les offrir, je vous permets d'en refuser
5   l'hommage. Eh ! comment me jugez-vous depuis quelque
temps, si, même dans votre indulgence, vous doutez de mes
sentiments ou de mon énergie ? Des sacrifices que je ne
voudrais ou ne pourrais pas faire ! Ainsi, vous me croyez
amoureux, subjugué ? et le prix que j'ai mis au succès, vous
10   me soupçonnez de l'attacher à la personne ? Ah ! grâces au
Ciel, je n'en suis pas encore réduit là et je m'offre à vous le
prouver. Oui, je vous le prouverai, quand même ce devrait
être envers Mme de Tourvel. Assurément, après cela, il ne
doit pas vous rester de doute.

15   J'ai pu, je crois, sans me compromettre, donner quelque
temps à une femme, qui a au moins le mérite d'être d'un
genre qu'on rencontre rarement. [...]

[...] Cette femme est naturellement timide ; dans les premiers temps, elle doutait sans cesse de son bonheur, et ce

221

20 doute suffisait pour le troubler : en sorte que je commence
à peine à pouvoir remarquer jusqu'où va ma puissance en
ce genre. [...]

D'abord, pour beaucoup de femmes, le plaisir est toujours le plaisir et n'est jamais que cela [...].

25 Dans une autre classe, peut-être la plus nombreuse
aujourd'hui, la célébrité de l'Amant, le plaisir de l'avoir
enlevé à une rivale, la crainte de se le voir enlever à son
tour, occupent les femmes presque tout entières [...].

Il fallait donc trouver, pour mon observation, une femme
30 délicate et sensible, qui fît son unique affaire de l'amour, et
qui, dans l'amour même, ne vît que son Amant ; dont
l'émotion, loin de suivre la route ordinaire, partît toujours
du cœur, pour arriver aux sens ; que j'ai vue par exemple
(et je ne parle pas du premier jour) sortir du plaisir tout
35 éplorée[1], et le moment d'après retrouver la volupté dans un
mot qui répondait à son âme. Enfin, il fallait qu'elle réunît
encore cette candeur• naturelle, devenue insurmontable
par l'habitude de s'y livrer, et qui ne lui permet de dissimuler aucun des sentiments de son cœur. Or, vous en
40 conviendrez, de telles femmes sont rares ; et je puis croire
que, sans celle-ci, je n'en aurais peut-être jamais rencontré.

[...] Mais de ce que l'esprit est occupé, s'ensuit-il que le
cœur soit esclave ? non, sans doute. Aussi le prix que je ne
me défends pas de mettre à cette aventure ne m'empêchera
45 pas d'en courir d'autres, ou même de la sacrifier à de plus
agréables.

Je suis tellement libre, que je n'ai seulement pas négligé
la petite Volanges, à laquelle pourtant je tiens si peu. Sa
mère la ramène à la Ville dans trois jours ; et moi, depuis
50 hier, j'ai su assurer mes communications : quelque argent
au portier et quelques fleurettes à sa femme en ont fait
l'affaire. Concevez-vous que Danceny n'ait pas su trouver
ce moyen si simple ? et puis, qu'on dise que l'amour rend
ingénieux ! il abrutit au contraire ceux qu'il domine. [...]
55 [...]

---

1. *éplorée* : en larmes.

Mais laissons ce couple enfantin, et revenons à nous ; que je puisse m'occuper uniquement de l'espoir si doux que m'a donné votre Lettre. Oui, sans doute° vous me fixerez, et je ne vous pardonnerais pas d'en douter. Ai-je donc
60 jamais cessé d'être constant pour vous ? Nos liens ont été dénoués, et non pas rompus ; notre prétendue rupture ne fut qu'une erreur de notre imagination : nos sentiments, nos intérêts n'en sont pas moins restés unis. Semblable au voyageur, qui revient détrompé, je reconnaîtrai comme lui
65 que j'avais laissé le bonheur pour courir après l'espérance et je dirai comme d'Harcourt :

> *Plus je vis d'étrangers, plus j'aimai ma patrie*.*

Ne combattez donc plus l'idée ou plutôt le sentiment qui vous ramène à moi ; et après avoir essayé de tous les plaisirs
70 dans nos courses différentes, jouissons du bonheur de sentir qu'aucun d'eux n'est comparable à celui que nous avions éprouvé, et que nous retrouverons plus délicieux encore !

Adieu, ma charmante amie. Je consens à attendre votre retour : mais pressez-le donc, et n'oubliez pas combien je
75 le désire.

Paris, ce 8 novembre 17**.

LETTRE CXXXIV

LA MARQUISE° DE MERTEUIL
AU VICOMTE° DE VALMONT

En vérité, Vicomte, vous êtes bien comme les enfants, devant qui il ne faut rien dire, et à qui on ne peut rien montrer qu'ils ne veuillent s'en emparer aussitôt ! [...] Je vous le redis, et me le répète plus souvent encore, l'ar-
5 rangement que vous me proposez est réellement impossible. [...]

* Du Belloi, Tragédie du *Siège de Calais*[1].

---

1. *Tragédie du* Siège de Calais : le vers cité par Valmont se trouve à l'acte II, scène 3, de cette tragédie « patriotique » (1763).

Or, est-il vrai, Vicomte•, que vous vous faites illusion sur le sentiment qui vous attache à Mme de Tourvel ? C'est de l'amour, ou il n'en exista jamais : vous le niez bien de
10 cent façons ; mais vous le prouvez de mille. [...]

C'est ainsi qu'en remarquant votre politesse, qui vous a fait supprimer soigneusement tous les mots que vous vous êtes imaginé m'avoir déplu, j'ai vu cependant que, peut-être sans vous en apercevoir, vous n'en conserviez pas
15 moins les mêmes idées. En effet, ce n'est plus l'adorable•, la céleste• Mme de Tourvel, mais c'est *une femme étonnante, une femme délicate et sensible,* et cela, à l'exclusion de toutes les autres ; *une femme rare enfin,* et telle *qu'on n'en rencontrerait pas une seconde.* Il en est de même de ce charme
20 inconnu qui n'est pas *le plus fort.* Hé bien ! soit : mais puisque vous ne l'aviez jamais trouvé jusque-là, il est bien à croire que vous ne le trouveriez pas davantage à l'avenir, et la perte que vous feriez n'en serait pas moins irréparable. Ou ce sont là, Vicomte, des symptômes assurés d'amour, ou
25 il faut renoncer à en trouver aucun.

[...]

J'exigerais donc, voyez la cruauté ! que cette rare, cette étonnante Mme de Tourvel ne fût plus pour vous qu'une femme ordinaire, une femme telle qu'elle est seulement :
30 car il ne faut pas s'y tromper ; ce charme qu'on croit trouver dans les autres, c'est en nous qu'il existe ; et c'est l'amour seul qui embellit tant l'objet aimé. [...]

Ce n'est pas tout encore, je serais capricieuse. Ce sacrifice de la petite Cécile, que vous m'offrez de si bonne grâce,
35 je ne m'en soucierais pas du tout. Je vous demanderais au contraire de continuer ce pénible service, jusqu'à nouvel ordre de ma part [...] !

Il est vrai qu'alors je me croirais obligée de vous remercier ; que sait-on ? peut-être même de vous récompenser. [...]
40 Savez-vous que mon procès m'inquiète un peu ? J'ai voulu enfin connaître au juste quels étaient mes moyens ; mes Avocats me citent bien quelques Lois, et surtout beaucoup d'*autorités*[1], comme ils les appellent : mais je n'y

---

1. d'autorités : de juristes dont les avis font jurisprudence.

vois pas autant de raison et de justice. J'en suis presque à
45 regretter d'avoir refusé l'accommodement. Cependant je
me rassure en songeant que le Procureur est adroit, l'Avocat
éloquent, et la Plaideuse jolie. Si ces trois moyens devaient
ne plus valoir, il faudrait changer tout le train des affaires,
et que deviendrait le respect pour les anciens usages ?

50 Ce procès est actuellement la seule chose qui me
retienne ici. Celui de Belleroche est fini : hors de Cour,
dépens compensés[1]. Il en est à regretter le bal de ce soir
[...].

Adieu, Vicomte•, écrivez-moi souvent : le détail de vos
55 plaisirs me dédommagera au moins en partie des ennuis
que j'éprouve.

Du Château de..., ce 11 novembre 17**.

LETTRE CXXXV

LA PRÉSIDENTE• DE TOURVEL
À MADAME DE ROSEMONDE

J'essaie de vous écrire, sans savoir encore si je le pourrai.
Ah ! Dieu, quand je songe qu'à ma dernière Lettre c'était
l'excès de mon bonheur qui m'empêchait de la continuer !
C'est celui de mon désespoir qui m'accable à présent ; qui
5 ne me laisse de force que pour sentir mes douleurs, et
m'ôte celle de les exprimer.

Valmont... Valmont ne m'aime plus, il ne m'a jamais
aimée. L'amour ne s'en va pas ainsi. Il me trompe, il me
trahit, il m'outrage. Tout ce qu'on peut réunir d'infortunes,
10 d'humiliations, je les éprouve, et c'est de lui qu'elles me
viennent.

[...]

Il est donc vrai qu'il m'a sacrifiée, livrée même... et à

---

1. *dépens compensés* : les frais de justice engagés par les parties en présence sont respectivement à la charge de chacune.

qui ?... une vile[1] créature... Mais que dis-je ? Ah ! j'ai perdu
15 jusqu'au droit de la mépriser. Elle a trahi moins de devoirs,
elle est moins coupable que moi. [...]

Je viens de relire ma Lettre, et je m'aperçois qu'elle ne
peut vous instruire• de rien ; je vais donc tâcher d'avoir le
courage de vous raconter ce cruel événement. C'était hier ;
20 je devais pour la première fois, depuis mon retour, souper•
hors de chez moi. Valmont vint me voir à cinq heures ;
jamais il ne m'avait paru si tendre. Il me fit connaître que
mon projet de sortir le contrariait, et vous jugerez que j'eus
bientôt celui de rester chez moi. Cependant, deux heures
25 après, et tout à coup, son air et son ton changèrent sen-
siblement. Je ne sais s'il me sera échappé quelque chose
qui aura pu lui déplaire ; quoi qu'il en soit, peu de temps
après, il prétendit se rappeler une affaire qui l'obligeait de
me quitter, et il s'en alla : ce ne fut pourtant pas sans
30 m'avoir témoigné des regrets très vifs, qui me parurent
tendres, et qu'alors je crus sincères.

Rendue à moi-même, je jugeai plus convenable de ne pas
me dispenser de mes premiers engagements, puisque j'étais
libre de les remplir. Je finis ma toilette, et montai en voi-
35 ture. Malheureusement mon Cocher me fit passer devant
l'Opéra, et je me trouvai dans l'embarras de la sortie ;
j'aperçus à quatre pas devant moi, et dans la file à côté de la
mienne, la voiture de Valmont. Le cœur me battit aussitôt,
mais ce n'était pas de crainte ; et la seule idée qui m'oc-
40 cupait était le désir que ma voiture avançât. Au lieu de cela,
ce fut la sienne qui fut forcée de reculer, et qui se trouva à
côté de la mienne. Je m'avançai sur-le-champ : quel fut
mon étonnement de trouver à ses côtés une fille[2], bien
connue pour telle ! Je me retirai, comme vous pouvez pen-
45 ser, et c'en était déjà bien assez pour navrer[3] mon cœur :
mais ce que vous aurez peine à croire, c'est que cette même
fille, apparemment instruite par une odieuse confidence,

---

1. *vile* : sans valeur, méprisable.
2. *fille* : femme débauchée, courtisane.
3. *navrer* : blesser profondément.

n'a pas quitté la portière de la voiture, ni cessé de me regarder, avec des éclats de rire à faire scène[1].
50   [...]

Paris, ce 15 novembre 17**.

LETTRE CXXXVI

LA PRÉSIDENTE• DE TOURVEL
AU VICOMTE• DE VALMONT

Sans doute•, Monsieur, après ce qui s'est passé hier, vous ne vous attendez plus à être reçu chez moi, et sans doute aussi vous le désirez peu! Ce billet a donc moins pour objet de vous prier de n'y plus venir, que de vous redemander
5   des Lettres qui n'auraient jamais dû exister; et qui, si elles ont pu vous intéresser un moment, comme des preuves de l'aveuglement que vous aviez fait naître, ne peuvent que vous être indifférentes à présent qu'il est dissipé, et qu'elles n'expriment plus qu'un sentiment que vous avez détruit.

Paris, ce 15 novembre 17**.

LETTRE CXXXVII

LE VICOMTE DE VALMONT
À LA PRÉSIDENTE DE TOURVEL

On vient seulement, Madame, de me rendre votre Lettre; j'ai frémi en la lisant, et elle me laisse à peine la force d'y répondre. Quelle affreuse idée avez-vous donc de moi! Ah! sans doute, j'ai des torts; et tels que je ne me les pardonnerai de ma vie, quand même vous les couvririez de votre
5   indulgence. Mais que ceux que vous me reprochez ont toujours été loin de mon âme! Qui, moi! vous humilier! vous

---

1. *scène* : scandale.

avilir! quand je vous respecte autant que je vous chéris;
quand je n'ai connu l'orgueil que du moment où vous
m'avez jugé digne de vous. Les apparences vous ont déçue;
et je conviens qu'elles ont pu être contre moi: mais
n'aviez-vous donc pas dans votre cœur ce qu'il fallait pour
les combattre? et ne s'est-il pas révolté à la seule idée qu'il
pouvait avoir à se plaindre du mien? Vous l'avez cru cependant! [...]

[...] Que vous dirai-je enfin? j'ai tout perdu, et tout perdu
par ma faute; mais je puis tout recouvrer[1] par vos bienfaits.
C'est à vous à décider maintenant. Je n'ajoute plus qu'un
mot. Hier encore, vous me juriez que mon bonheur était
bien sûr tant qu'il dépendrait de vous! Ah! Madame, me
livrerez-vous aujourd'hui à un désespoir éternel?

Paris, ce 15 novembre 17**.

LETTRE CXXXVIII

LE VICOMTE° DE VALMONT
À LA MARQUISE° DE MERTEUIL

Je persiste, ma belle amie: non, je ne suis point amoureux; et ce n'est pas ma faute, si les circonstances me
forcent d'en jouer le rôle. Consentez seulement, et revenez; vous verrez bientôt par vous-même combien je suis
sincère. J'ai fait mes preuves hier, et elles ne peuvent être
détruites par ce qui se passe aujourd'hui.
J'étais donc chez la tendre Prude°, et j'y étais bien sans
aucune autre affaire: car la petite Volanges, malgré son
état, devait passer toute la nuit au bal précoce de
Mme V***. Le désœuvrement m'avait fait désirer d'abord
de prolonger cette soirée; et j'avais même, à ce sujet, exigé
un petit sacrifice; mais à peine fut-il accordé, que le plaisir
que je me promettais fut troublé par l'idée de cet amour que

---

1. *recouvrer* : récupérer.

vous vous obstinez à me croire, ou au moins à me reprocher
15 [...].

Je pris donc un parti violent ; et sous un prétexte assez
léger je laissai là ma Belle, toute surprise, et sans doute
encore plus affligée. Mais moi, j'allai tranquillement joindre
Émilie à l'Opéra [...].

20 [...] Vous saurez que j'étais à peine à quatre maisons de
l'Opéra, et ayant Émilie dans ma voiture, que celle de l'austère Dévote* vint exactement ranger[1] la mienne, et qu'un
embarras survenu nous laissa près d'un demi-quart d'heure
à côté l'un de l'autre. On se voyait comme à midi, et il n'y
25 avait pas moyen d'échapper.

Mais ce n'est pas tout ; je m'avisai de confier à Émilie que
c'était la femme à la Lettre. (Vous vous rappellerez peut-
être cette folie-là, et qu'Émilie était le pupitre*.) Elle qui ne
l'avait pas oubliée, et qui est rieuse, n'eut de cesse qu'elle
30 n'eût considéré tout à son aise *cette vertu,* disait-elle, et cela,
avec des éclats de rire d'un scandale à en donner de
l'humeur*.

Ce n'est pas tout encore ; la jalouse femme n'envoya-
t-elle pas[2], chez moi, dès le soir même ? Je n'y étais pas :
35 mais, dans son obstination, elle y envoya une seconde fois,
avec ordre de m'attendre. Moi, dès que j'avais été décidé à
rester chez Émilie, j'avais renvoyé ma voiture, sans autre
ordre au Cocher que de venir me reprendre ce matin ; et
comme en arrivant chez moi, il y trouva l'amoureux Messa-
40 ger, il crut tout simple de lui dire que je ne rentrerais pas de
la nuit. Vous devinez bien l'effet de cette nouvelle, et qu'à
mon retour j'ai trouvé mon congé signifié[3] avec toute la
dignité que comportait la circonstance.

Ainsi cette aventure, interminable selon vous, aurait pu,
45 comme vous voyez, être finie de[4] ce matin ; si même elle ne
l'est pas, ce n'est point, comme vous l'allez croire, que je

---

* Lettres XLVII et XLVIII.

---

1. *ranger* : longer.
2. *n'envoya-t-elle pas* : n'envoya-t-elle pas des domestiques.
3. *j'ai trouvé mon congé signifié* : j'ai appris mon renvoi, la rupture de nos relations.
4. *de* : dès.

mette du prix à la continuer : c'est que, d'une part, je n'ai pas trouvé décent de me laisser quitter ; et, de l'autre, que j'ai voulu vous réserver l'honneur de ce sacrifice.

50 J'ai donc répondu au sévère billet par une grande Épître• de sentiments ; j'ai donné de longues raisons, et je me suis reposé sur l'amour du soin de les faire trouver bonnes. J'ai déjà réussi. Je viens de recevoir un second billet, toujours bien rigoureux, et qui confirme l'éternelle rupture, comme

55 cela devait être ; mais dont le ton n'est pourtant plus le même. Surtout, on ne veut plus me voir : ce parti pris y est annoncé quatre fois de la manière la plus irrévocable. J'en ai conclu qu'il n'y avait pas un moment à perdre pour me présenter. J'ai déjà envoyé mon Chasseur•, pour s'emparer

60 du Suisse ; et dans un moment, j'irai moi-même faire signer mon pardon : car dans les torts de cette espèce, il n'y a qu'une seule formule qui porte absolution générale, et celle-là ne s'expédie qu'en présence.

Adieu, ma charmante amie ; je cours tenter ce grand
65 événement.

*Paris, ce 15 novembre 17**.*

John Malkovich dans le rôle de Valmont.

Questions

Écriture

• **Lettre CXXIX**

1. «Le bonheur que nous cherchons» : *observez la variante citée en note. Rapprochez cette phrase, par exemple, des passages suivants :*
• *lettre V :* «Des traits réguliers, si vous voulez [...] menton»;
• *lettre XLIV :* «Mon heureuse adresse [...] secret»;
• *lettre C :* «Il n'est plus moi [...] de cette femme».
Quelle qualité vise le style, non des personnages, mais de Laclos romancier?

• **Lettre CXXXIV**

2. «En effet ce n'est plus l'adorable, la céleste• Mme de Tourvel [...]» : *à quelles qualités positivement définissables se réfèrent des adjectifs comme* «étonnante», «délicate et sensible», «rare»? *Mme de Merteuil se montre-t-elle plus attentive aux expressions employées par Valmont ou aux réalités qu'elles désignent? Pourquoi?*

• **Lettres CXXXV à CXXXVIII**

3. *À quel type appartient la lettre CXXXV?*

4. *Entre la lettre envoyée à Mme de Tourvel et celle qui est destinée à Mme de Merteuil, laquelle dit vrai? Qu'en pouvez-vous déduire sur le statut de la réalité de référence dans ce roman?*

LETTRE CXXXIX

LA PRÉSIDENTE* DE TOURVEL
À MADAME DE ROSEMONDE

Que je me reproche, ma sensible amie, de vous avoir parlé trop et trop tôt de mes peines passagères ! je suis cause que vous vous affligez à présent ; ces chagrins qui vous viennent de moi durent encore, et moi, je suis heu-
5 reuse. Oui, tout est oublié, pardonné ; disons mieux, tout est réparé. À cet état de douleur et d'angoisse, ont succédé le calme et les délices. Ô joie de mon cœur, comment vous exprimer ! Valmont est innocent [...].
[...] Ô ma tendre mère, grondez votre fille inconsidérée
10 de vous avoir affligée par trop de précipitation ; grondez-la d'avoir jugé témérairement et calomnié celui qu'elle ne devait pas cesser d'adorer ; mais en la reconnaissant impru-dente, voyez-la heureuse, et augmentez sa joie en la partageant.

Paris, ce 16 novembre 17**, au soir.

LETTRE CXL

LE VICOMTE* DE VALMONT
À LA MARQUISE* DE MERTEUIL

Comment donc se fait-il, ma belle amie, que je ne reçoive point de réponse de vous ? Ma dernière Lettre pour-tant me paraissait en mériter une ; et depuis trois jours que je devrais l'avoir reçue, je l'attends encore ! [...]
5 [...] Sans l'événement imprévu de la nuit dernière, je ne vous écrirais pas du tout. Mais comme celui-là regarde votre Pupille*, et que vraisemblablement elle ne sera pas dans le cas de vous en informer elle-même, au moins de quelque temps, je me charge de ce soin.
10 Par des raisons que vous devinerez, ou que vous ne devi-nerez pas, Mme de Tourvel ne m'occupait plus depuis quel-ques jours, et comme ces raisons-là ne pouvaient exister

chez la petite Volanges, j'en étais devenu plus assidu auprès d'elle. [...]

15   Nous ne dormions pas, mais nous étions dans le repos et l'abandon qui suivent la volupté, quand nous avons entendu la porte de la chambre s'ouvrir tout à coup. Aussitôt je saute à mon épée, tant pour ma défense que pour celle de notre commune Pupille•; je m'avance et ne vois
20 personne : mais en effet la porte était ouverte. Comme nous avions de la lumière, j'ai été à la recherche, et n'ai trouvé âme qui vive. Alors je me suis rappelé que nous avions oublié nos précautions ordinaires; et sans doute• la porte poussée seulement, ou mal fermée, s'était ouverte
25 d'elle-même.

En allant rejoindre ma timide compagne pour la tranquilliser, je ne l'ai plus trouvée dans son lit; elle était tombée, ou s'était sauvée dans sa ruelle[1] : enfin, elle y était étendue sans connaissance, et sans autre mouvement que d'assez
30 fortes convulsions. Jugez de mon embarras! Je parvins pourtant à la remettre dans son lit, et même à la faire revenir; mais elle s'était blessée dans sa chute, et elle ne tarda pas à en ressentir les effets.

Des maux de reins, de violentes coliques, des symptômes
35 moins équivoques encore, m'ont eu bientôt éclairé sur son état : mais, pour le lui apprendre, il a fallu lui dire d'abord celui où elle était auparavant; car elle ne s'en doutait pas. Jamais peut-être, jusqu'à elle, on n'avait conservé tant d'innocence, en faisant si bien tout ce qu'il fallait pour s'en
40 défaire! Oh! celle-là ne perd pas son temps à réfléchir!

Mais elle en perdait beaucoup à se désoler, et je sentais qu'il fallait prendre un parti. Je suis donc convenu avec elle que j'irais sur-le-champ chez le Médecin et le Chirurgien de la maison, et qu'en les prévenant qu'on allait venir les cher-
45 cher, je leur confierais le tout, sous le secret [...].

J'ai fait mes deux courses et mes deux confessions le plus lestement que j'ai pu, et de là, je suis rentré chez moi, d'où je ne suis pas encore sorti; mais le Chirurgien, que je connaissais d'ailleurs, est venu à midi me rendre compte de

---

1. *ruelle* : espace laissé libre entre un lit et un mur.

50 l'état de la malade. Je ne m'étais pas trompé ; mais il espère
que, s'il ne survient pas d'accident, on ne s'apercevra de
rien dans la maison. La Femme de chambre est du secret ;
le Médecin a donné un nom à la maladie ; et cette affaire
s'arrangera comme mille autres, à moins que par la suite il
55 ne nous soit utile qu'on en parle.

Mais y a-t-il encore quelque intérêt commun entre vous
et moi ? Votre silence m'en ferait douter [...].

Adieu, ma belle amie ; je vous embrasse, rancune
tenante.

Paris, ce 21 novembre 17**

LETTRE CXLI

LA MARQUISE˙ DE MERTEUIL
AU VICOMTE˙ DE VALMONT

Mon Dieu, Vicomte, que vous me gênez[1] par votre obstination ! Que vous importe mon silence ? croyez-vous, si je le
garde, que ce soit faute de raisons pour me défendre. Ah !
plût à Dieu ! Mais non, c'est seulement qu'il m'en coûte de
5 vous les dire.

Parlez-moi vrai ; vous faites-vous illusion à vous-même,
ou cherchez-vous à me tromper ? [...]

Vous paraissez vous faire un grand mérite de votre dernière scène avec la Présidente˙ ; mais qu'est-ce donc qu'elle
10 prouve pour votre système, ou contre le mien ? Assurément
je ne vous ai jamais dit que vous aimiez assez cette femme
pour ne la pas tromper, pour n'en pas saisir toutes les occasions qui vous paraîtraient agréables ou faciles ; je ne doutais même pas qu'il ne vous fût à peu près égal de satisfaire
15 avec une autre, avec la première venue, jusqu'aux désirs
que celle-ci seule aurait fait naître ; et je ne suis pas surprise
que, pour un libertinage d'esprit qu'on aurait tort de vous

---

1. *gênez* : tourmentez.

disputer, vous ayez fait une fois par projet• ce que vous
aviez fait mille autres par occasion. [...]

20   Mais ce que j'ai dit, ce que j'ai pensé, ce que je pense
encore, c'est que vous n'en avez pas moins de l'amour pour
votre Présidente• : non pas, à la vérité, de l'amour bien pur
ni bien tendre, mais de celui que vous pouvez avoir ; de
celui, par exemple, qui fait trouver à une femme les agré-
25   ments ou les qualités qu'elle n'a pas ; qui la place dans une
classe à part, et met toutes les autres en second ordre ; qui
vous tient encore attaché à elle, même alors que vous
l'outragez ; tel enfin que je conçois qu'un Sultan peut le
ressentir pour sa Sultane favorite, ce qui ne l'empêche pas
30   de lui préférer souvent une simple Odalisque[1]. Ma comparaison me paraît d'autant plus juste que, comme lui, jamais
vous n'êtes ni l'Amant ni l'ami d'une femme ; mais toujours
son tyran ou son esclave. Aussi suis-je bien sûre que vous
vous êtes bien humilié, bien avili, pour rentrer en grâce
35   avec ce bel objet ! et trop heureux d'y être parvenu, dès que
vous croyez le moment arrivé d'obtenir votre pardon, vous
me quittez *pour ce grand événement*.

Encore dans votre dernière Lettre, si vous ne m'y parlez
pas de cette femme uniquement, c'est que vous ne voulez
40   m'y rien dire *de vos grandes affaires* ; elles vous semblent si
importantes que le silence que vous gardez à ce sujet vous
semble une punition pour moi. Et c'est après ces mille
preuves de votre préférence décidée pour une autre que
vous me demandez tranquillement s'il y a encore *quelque*
45   *intérêt commun entre vous et moi* ! Prenez-y garde,
Vicomte• ! si une fois je réponds, ma réponse sera irrévocable ; et craindre de la faire en ce moment, c'est peut-être
déjà en dire trop. Aussi je n'en veux absolument plus
parler.

50   Tout ce que je peux faire, c'est de vous raconter une
histoire. Peut-être n'aurez-vous pas le temps de la lire, ou
celui d'y faire assez attention pour la bien entendre• ? libre
à vous. Ce ne sera, au pis aller[2], qu'une histoire de perdue.

---

1. *Odalisque* : esclave au service des femmes du Sultan.
2. *au pis aller* : dans le pire des cas.

Un homme de ma connaissance s'était empêtré[1], comme
55 vous, d'une femme qui lui faisait peu d'honneur. Il avait
bien, par intervalles, le bon esprit de sentir que, tôt ou tard,
cette aventure lui ferait tort : mais quoiqu'il en rougît, il
n'avait pas le courage de rompre. Son embarras était d'autant plus grand qu'il s'était vanté à ses amis d'être entière-
60 ment libre ; et qu'il n'ignorait pas que le ridicule qu'on a
augmente toujours en proportion qu'on s'en défend. Il passait ainsi sa vie, ne cessant de faire des sottises, et ne cessant de dire après : *Ce n'est pas ma faute.* Cet homme avait
une amie qui fut tentée un moment de le livrer au Public en
65 cet état d'ivresse, et de rendre ainsi son ridicule ineffa-
çable ; mais pourtant, plus généreuse que maligne, ou peut-
être encore par quelque autre motif, elle voulut tenter un
dernier moyen, pour être, à tout événement, dans le cas de
dire comme son ami : *Ce n'est pas ma faute.* Elle lui fit donc
70 parvenir sans aucun autre avis la Lettre qui suit, comme un
remède dont l'usage pourrait être utile à son mal.

«On s'ennuie de tout, mon Ange, c'est une Loi de la
Nature ; ce n'est pas ma faute.

Si, donc je m'ennuie aujourd'hui d'une aventure qui m'a
75 occupé entièrement depuis quatre mortels mois, ce n'est
pas ma faute.

Si, par exemple, j'ai eu juste autant d'amour que toi de
vertu, et c'est sûrement beaucoup dire, il n'est pas étonnant
que l'un ait fini en même temps que l'autre. Ce n'est pas
80 ma faute.

Il suit de là que depuis quelque temps je t'ai trompée :
mais aussi, ton impitoyable tendresse m'y forçait en quelque sorte ! Ce n'est pas ma faute.

Aujourd'hui, une femme que j'aime éperdument exige
85 que je te sacrifie. Ce n'est pas ma faute.

Je sens bien que voilà une belle occasion de crier au
parjure : mais si la Nature n'a accordé aux hommes que la
constance, tandis qu'elle donnait aux femmes l'obstination,
ce n'est pas ma faute.

---

1. *empêtré* : embarrassé.

90   Crois-moi, choisis un autre Amant, comme j'ai fait une
autre Maîtresse. Ce conseil est bon, très bon ; si tu le
trouves mauvais, ce n'est pas ma faute.

    Adieu, mon Ange, je t'ai prise avec plaisir, je te quitte
sans regret : je te reviendrai peut-être. Ainsi va le monde.
95 Ce n'est pas ma faute. »

    De vous dire, Vicomte•, l'effet de cette dernière tentative,
et ce qui s'en est suivi, ce n'est pas le moment : mais
je vous promets de vous le dire dans ma première Lettre.
Vous y trouverez aussi mon *ultimatum* sur le renouvelle-
100 ment du traité que vous me proposez. Jusque-là, adieu tout
simplement...

    À propos, je vous remercie de vos détails sur la petite
Volanges ; c'est un article à réserver jusqu'au lendemain du
mariage, pour la Gazette de médisance. En attendant, je
105 vous fais mon compliment de condoléance sur la perte de
votre postérité. Bonsoir, Vicomte.

                 *Du Château de..., ce 24 novembre 17**.*

LETTRE CXLII

LE VICOMTE DE VALMONT
À LA MARQUISE• DE MERTEUIL

    Ma foi, ma belle amie, je ne sais si j'ai mal lu ou mal
entendu•, et votre Lettre, et l'histoire que vous m'y faites, et
le petit modèle épistolaire qui y était compris. Ce que je
puis vous dire, c'est que ce dernier m'a paru original et
5 propre à faire de l'effet : aussi je l'ai copié tout simplement,
et tout simplement encore je l'ai envoyé à la céleste• Pré-
sidente•. Je n'ai pas perdu un moment, car la tendre missive[1] a été expédiée dès hier au soir. Je l'ai préféré ainsi,
parce que d'abord je lui avais promis de lui écrire hier ; et
10 puis aussi, parce que j'ai pensé qu'elle n'aurait pas trop de

---

1. *missive* : lettre.

toute la nuit, pour se recueillir et méditer *sur ce grand événement,* dussiez-vous une seconde fois me reprocher l'expression.

15 J'espérais pouvoir vous renvoyer ce matin la réponse de ma bien-aimée : mais il est près de midi, et je n'ai encore rien reçu. J'attendrai jusqu'à trois heures ; et si alors je n'ai pas eu de nouvelles, j'irai en chercher moi-même ; car, surtout en fait de procédés[1], il n'y a que le premier pas qui coûte.

20 [...]

À deux heures après-midi.

Toujours rien, l'heure me presse beaucoup ; je n'ai pas le temps d'ajouter un mot : mais cette fois, refuserez-vous encore les plus tendres baisers de l'amour ?

Paris, ce 27 novembre 17**.

LETTRE CXLIII

LA PRÉSIDENTE• DE TOURVEL
À MADAME DE ROSEMONDE

Le voile est déchiré, Madame, sur lequel était peinte l'illusion de mon bonheur. La funeste vérité m'éclaire, et ne me laisse voir qu'une mort assurée et prochaine, dont la route m'est tracée entre la honte et le remords. Je la sui-
5 vrai... je chérirai mes tourments s'ils abrègent mon existence. Je vous envoie la Lettre que j'ai reçue hier ; je n'y joindrai aucune réflexion, elle les porte avec elle. Ce n'est plus le temps de se plaindre, il n'y a plus qu'à souffrir. Ce n'est pas de pitié que j'ai besoin, c'est de force.
10 Recevez, Madame, le seul adieu que je ferai, et exaucez[2] ma dernière prière ; c'est de me laisser à mon sort, de m'oublier entièrement, de ne plus me compter sur la terre. Il est un terme dans le malheur, où l'amitié même augmente nos

---

1. *procédés* : civilités.
2. *exaucez* : satisfaites.

15 souffrances et ne peut les guérir. Quand les blessures sont mortelles, tout secours devient inhumain. Tout autre sentiment m'est étranger, que celui du désespoir. Rien ne peut plus me convenir que la nuit profonde où je vais ensevelir ma honte. J'y pleurerai mes fautes, si je puis pleurer encore ! car, depuis hier, je n'ai pas versé une larme. Mon cœur flétri[1]
20 n'en fournit plus.

Adieu, Madame. Ne me répondez point. J'ai fait le serment sur cette Lettre cruelle de n'en plus recevoir aucune.

Paris, ce 27 novembre 17**

LETTRE CXLIV

LE VICOMTE• DE VALMONT
À LA MARQUISE• DE MERTEUIL

Hier, à trois heures du soir, ma belle amie, impatienté de n'avoir pas de nouvelles, je me suis présenté chez la belle délaissée ; on m'a dit qu'elle était sortie. Je n'ai vu, dans cette phrase, qu'un refus de me recevoir, qui ne m'a ni
5 fâché ni surpris ; et je me suis retiré, dans l'espérance que cette démarche engagerait au moins une femme si polie à m'honorer d'un mot de réponse. L'envie que j'avais de la recevoir m'a fait passer exprès chez moi vers les neuf heures, et je n'y ai rien trouvé. Étonné de ce silence, auquel
10 je ne m'attendais pas, j'ai chargé mon Chasseur• d'aller aux informations, et de savoir si la sensible personne était morte ou mourante. Enfin, quand je suis rentré, il m'a appris que Mme de Tourvel était sortie en effet à onze heures du matin, avec sa Femme de chambre ; qu'elle
15 s'était fait conduire au Couvent de..., et qu'à sept heures du soir, elle avait renvoyé sa voiture et ses gens•, en faisant dire qu'on ne l'attendît pas chez elle. Assurément, c'est se mettre en règle. Le Couvent est le véritable asile• d'une veuve ; et si elle persiste dans une résolution si louable, je

---

1. *flétri* : à la fois tari, fané, et grièvement blessé.

239

20 joindrai à toutes les obligations que je lui ai déjà celle de la
célébrité que va prendre cette aventure.

[...] Qu'ils se montrent donc, ces Critiques sévères, qui
m'accusaient d'un amour romanesque et malheureux ;
qu'ils fassent des ruptures plus promptes et plus brillantes
25 [...].

Ce parti qu'elle a pris flatte mon amour-propre, j'en
conviens : mais je suis fâché qu'elle ait trouvé en elle une
force suffisante pour se séparer autant de moi. [...] Est-ce
donc ainsi qu'on aime ? et croyez-vous, ma belle amie, que
30 je doive le souffrir• ? Ne pourrais-je pas par exemple, et ne
vaudrait-il pas mieux tenter de ramener cette femme au
point de prévoir la possibilité d'un raccommodement•,
qu'on désire toujours tant qu'on l'espère ? je pourrais
essayer cette démarche sans y mettre d'importance, et par
35 conséquent, sans qu'elle vous donnât d'ombrage. Au
contraire ! ce serait un simple essai que nous ferions de
concert¹ ; et quand même je réussirais, ce ne serait qu'un
moyen de plus de renouveler, à votre volonté, un sacrifice
qui a paru vous être agréable. À présent, ma belle amie, il
40 me reste à en recevoir le prix, et tous mes vœux sont pour
votre retour. Venez donc vite retrouver votre Amant, vos
plaisirs, vos amis, et le courant des aventures.

Celle de la petite Volanges a tourné à merveille. [...]

J'ai encore à vous dire que cet accident de la petite fille a
45 pensé rendre fou votre *sentimentaire*² Danceny. D'abord,
c'était de chagrin ; aujourd'hui c'est de joie. *Sa Cécile* était
malade ! [...]

[...]

Adieu, ma belle amie ; revenez donc au plus tôt jouir de
50 vore empire• sur moi, en recevoir l'hommage et m'en payer
le prix.

*Paris, ce 28 novembre 17**.*

---

1. *de concert* : d'un commun accord.
2. sentimentaire : sentimental (néologisme de Laclos).

LETTRE CXLV

LA MARQUISE* DE MERTEUIL
AU VICOMTE* DE VALMONT

Sérieusement, Vicomte, vous avez quitté la Présidente*? vous lui avez envoyé la Lettre que je vous avais faite pour elle? En vérité, vous êtes charmant; et vous avez surpassé mon attente! J'avoue de bonne foi que ce triomphe me
5 flatte plus que tous ceux que j'ai pu obtenir jusqu'à présent. [...]

Oui, Vicomte, vous aimiez beaucoup Mme de Tourvel, et même vous l'aimez encore; vous l'aimez comme un fou: mais parce que je m'amusais à vous en faire honte, vous
10 l'avez bravement sacrifiée. Vous en auriez sacrifié mille, plutôt que de souffrir* une plaisanterie. Où nous conduit pourtant la vanité! Le Sage a bien raison, quand il dit qu'elle est l'ennemie du bonheur.

Où en seriez-vous à présent, si je n'avais voulu que vous
15 faire une malice? Mais je suis incapable de tromper, vous le savez bien; et dussiez-vous, à mon tour, me réduire au désespoir et au Couvent, j'en cours les risques, et je me rends à mon vainqueur.

Cependant si je capitule, c'est en vérité pure faiblesse:
20 car si je voulais, que de chicanes[1] n'aurais-je pas encore à faire! et peut-être le mériteriez-vous? J'admire, par exemple, avec quelle finesse ou quelle gaucherie* vous me proposez en douceur de vous laisser renouer avec la Présidente. Il vous conviendrait beaucoup, n'est-ce pas, de
25 vous donner le mérite de cette rupture sans y perdre les plaisirs de la jouissance? [...]
[...]

Quoi! vous aviez l'idée de renouer, et vous avez pu écrire ma Lettre! Vous m'avez donc crue bien gauche à mon tour!
30 Ah! croyez-moi, Vicomte, quand une femme frappe dans le cœur d'une autre, elle manque rarement de trouver l'endroit sensible, et la blessure est incurable. Tandis que je

---

1. *chicanes* : complications, difficultés volontairement créées.

frappais celle-ci, ou plutôt que je dirigeais vos coups, je n'ai pas oublié que cette femme était ma rivale, que vous l'aviez
35 trouvée un moment préférable à moi, et qu'enfin, vous m'aviez placée au-dessous d'elle. [...] Parlons d'autre chose.

Par exemple, de la santé de la petite Volanges. Vous m'en direz des nouvelles positives à mon retour, n'est-il pas vrai ? Je serai bien aise• d'en avoir. Après cela, ce sera à vous de
40 juger s'il vous conviendra mieux de remettre la petite fille à son Amant, ou de tenter de devenir une seconde fois le fondateur d'une nouvelle branche des Valmont, sous le nom de Gercourt. Cette idée m'avait paru assez plaisante, et en vous laissant le choix je vous demande pourtant de ne pas
45 prendre de parti définitif, sans que nous en ayons causé ensemble. Ce n'est pas vous remettre à un terme éloigné, car je serai à Paris incessamment. Je ne peux pas vous dire positivement[1] le jour ; mais vous ne doutez pas que, dès que je serai arrivée, vous n'en soyez le premier informé.
50 Adieu, Vicomte• ; malgré mes querelles, mes malices et mes reproches, je vous aime toujours beaucoup, et je me prépare à vous le prouver. Au revoir, mon ami.

Du Château de..., ce 29 novembre 17**

LETTRE CXLVI

LA MARQUISE• DE MERTEUIL
AU CHEVALIER• DANCENY

Enfin, je pars, mon jeune ami, et demain au soir, je serai de retour à Paris. Au milieu de tous les embarras qu'entraîne un déplacement, je ne recevrai personne. Cependant, si vous avez quelque confidence bien pressée à me
5 faire, je veux bien vous excepter de la règle générale ; mais je n'excepterai que vous : ainsi, je vous demande le secret sur mon arrivée. Valmont même n'en sera pas instruit•.

Qui m'aurait dit, il y a quelque temps, que bientôt vous

---

1. *positivement* : catégoriquement.

auriez ma confiance exclusive, je ne l'aurais pas cru. Mais la
10 vôtre a entraîné la mienne. Je serais tentée de croire que
vous y avez mis de l'adresse, peut-être même de la séduction. Cela serait bien mal au moins ! Au reste, elle ne serait
pas dangereuse à présent ; vous avez vraiment bien autre
chose à faire ! Quand l'Héroïne est en scène on ne s'occupe
15 guère de la Confidente.

[...] Quand votre Cécile était absente, les jours n'étaient
pas assez longs pour écouter vos tendres plaintes. [...] Mais
à présent que celle que vous aimez est à Paris, qu'elle se
porte bien, et surtout que vous la voyez quelquefois, elle
20 suffit à tout, et vos amis ne vous sont plus rien.

Je ne vous en blâme pas ; c'est la faute de vos vingt ans.
Depuis Alcibiade[1] jusqu'à vous, ne sait-on pas que les
jeunes gens n'ont jamais connu l'amitié que dans leurs chagrins ? Le bonheur les rend quelquefois indiscrets, mais
25 jamais confiants. Je dirai bien comme Socrate[2] : *J'aime que
mes amis viennent à moi quand ils sont malheureux** ; mais en
sa qualité de Philosophe, il se passait bien d'eux quand ils
ne venaient pas. En cela, je ne suis pas tout à fait si sage
que lui, et j'ai senti votre silence avec toute la faiblesse
30 d'une femme.

N'allez pourtant pas me croire exigeante : il s'en faut
bien que je le sois ! [...] Je ne compte donc sur vous pour
demain au soir, qu'autant que l'amour vous laissera libre et
désoccupé, et je vous défends de me faire le moindre sacri-
35 fice.

Adieu, Chevalier• ; je me fais une vraie fête de vous
revoir : viendrez-vous ?

Du Château de..., ce 29 novembre 17**.

* Marmontel, *Conte moral d'Alcibiade*[3].

---

1. *Alcibiade* : général athénien (450-404 av. J.-C.), à la fois intelligent et sans
scrupules, qui décida, en 405, lors de la guerre du Péloponnèse entre Sparte et
Athènes, l'expédition de Sicile – désastreuse pour Athènes. Il fut l'élève de Socrate.
2. *Socrate* : philosophe grec (470-399 av. J.-C.), qui n'écrivit aucun livre mais dont
l'enseignement – essentiel dans l'histoire de la pensée – nous est connu par les
dialogues de Platon et de Xénophon.
3. Le titre exact de l'œuvre de Marmontel (1723-1799) est *Alcibiade ou le moi*,
conte inclus dans les *Contes moraux* (1775), et la citation exacte est : «*J'aime bien
qu'on vienne à moi dans l'adversité.*»

Questions

Compréhension

• Lettres CXLV et CXLVI

1. *Comme il est au théâtre des «scènes à faire», il y avait ici une «lettre à écrire» : celle de Mme de Merteuil à sa rivale. Laclos s'y dérobe-t-il absolument? Justifiez le procédé.*

2. *Quel sentiment la marquise* avoue-t-elle à Valmont dans la lettre CXLV? Vous paraît-elle sincère? Quel rôle ce sentiment joue-t-il dans le développement de l'action tout au long du roman? Quels autres sentiments – non avoués, ceux-là – percent à travers son propos ou son ton? De quoi la voyons-nous se rendre manifestement coupable lorsque nous confrontons les lettres CXLV et CXLVI?*

Écriture

• Lettres CXXV à CXLV

3. *Observez l'ordre de succession des vingt et une premières lettres de la quatrième partie. Quelles conclusions en tirez-vous?*

4. *Comparez les rythmes et la tonalité générale de l'écriture dans les lettres qu'échangent entre eux les deux roués avec ceux des lettres qu'écrivent les autres personnages.*

• Lettres CXLI à CXLIII

5. *«J'ai pu même la croire un moment* <u>attachante</u> *», écrivait Valmont dans la lettre CXXIX : reconstituez le trajet de ce mot dans les lettres CX (pensez à la variante signalée en note), CXIII, CXV, CXXVII et CXXIX. Observez de même, ensuite, le jeu des citations dans les lettres CXXXVIII et CXLI à CXLIII. Quelle fonction revêt l'italique* dans l'ensemble de ces textes? Quel est l'enjeu de cette guerre des mots que se livrent les deux roués dans leurs échanges?*

• Lettre CXLI

6. *Deux phrases du billet à refrain meurtrier ont une histoire dans la succession des lettres échangées. Recherchez leurs occurrences précédentes dans la lettre CXXI pour l'une, dans les lettres XVII, XXX, LXXXII, XCIV, CVI, CXVII et CXXXVIII pour l'autre. Quelles sont les intentions de Laclos?*

7. *En quoi peut-on dire que ce modèle de lettre de rupture est écrit à la manière d'une chanson?*

• **Lettre CXLII**

8. *Rapprochez les éléments d'intrigue qui se trouvent dans les lettres XI, XVIII, XLI, XLIX, XC, XCVI, CXL et CXLII : quelles conclusions pouvez-vous en tirer concernant l'architecture d'ensemble du roman?*

Bernard Giraudeau dans le rôle du libertin Valmont.

LETTRE CXLVII

MADAME DE VOLANGES
À MADAME DE ROSEMONDE

Vous serez sûrement aussi affligée que je le suis, ma
digne amie, en apprenant l'état où se trouve Mme de Tourvel ; elle est malade depuis hier : sa maladie a pris si vivement, et se montre avec des symptômes si graves, que j'en
5   suis vraiment alarmée.
[...]

Paris, ce 29 novembre 17**.

LETTRE CXLVIII

LE CHEVALIER• DANCENY
À LA MARQUISE• DE MERTEUIL

Ô vous, que j'aime ! ô toi, que j'adore ! ô vous, qui avez
commencé mon bonheur ! ô toi, qui l'as comblé ! Amie sensible, tendre Amante, pourquoi le souvenir de ta douleur
vient-il troubler le charme que j'éprouve ? Ah ! Madame,
5   calmez-vous, c'est l'amitié qui vous le demande. Ô mon
amie, sois heureuse, c'est la prière de l'amour.
[...]
Adieu, toi que j'adore ! Je te verrai ce soir, mais te trouve-
rai-je seule ? Je n'ose l'espérer. Ah ! tu ne le désires pas
10 autant que moi.

Paris, ce 1ᵉʳ décembre 17**.

LETTRE CXLIX

MADAME DE VOLANGES
À MADAME DE ROSEMONDE

[...]
Il était environ trois heures après-midi, et jusqu'à cinq,
notre amie fut assez tranquille : en sorte que nous avions

246

tous repris de l'espoir. Par malheur, on apporta alors une
Lettre pour elle. Quand on voulut la lui remettre, elle
répondit d'abord n'en vouloir recevoir aucune et personne
n'insista. Mais de ce moment, elle parut plus agitée. Bientôt
après, elle demanda d'où venait cette Lettre ? elle n'était
pas timbrée : qui l'avait apportée ? on l'ignorait : de quelle
part on l'avait remise ? on ne l'avait pas dit aux Tourières[1].
Ensuite elle garda quelque temps le silence ; après quoi, elle
recommença à parler, mais ses propos sans suite nous
apprirent seulement que le délire était revenu.

Cependant il y eut encore un intervalle tranquille, jusqu'à ce qu'enfin elle demanda qu'on lui remît la Lettre
qu'on avait apportée pour elle. Dès qu'elle eut jeté les yeux
dessus, elle s'écria : « De lui ! grand Dieu ! » et puis d'une
voix forte mais oppressée : « Reprenez-la, reprenez-la. »
Elle fit sur-le-champ fermer les rideaux de son lit, et défen-
dit que personne approchât : mais presque aussitôt nous
fûmes bien obligés de revenir auprès d'elle. Le transport
avait repris plus violent que jamais, et il s'y était joint des
convulsions vraiment effrayantes. Ces accidents n'ont plus
cessé de la soirée ; et le bulletin de ce matin m'apprend que
la nuit n'a pas été moins orageuse. Enfin, son état est tel
que je m'étonne qu'elle n'y ait pas déjà succombé, et je ne
vous cache point qu'il ne me reste que bien peu d'espoir.

Je suppose que cette malheureuse Lettre est de M. de
Valmont ; mais que peut-il encore oser lui dire ? Pardon, ma
chère amie, je m'interdis toute réflexion : mais il est bien
cruel de voir périr si malheureusement une femme,
jusqu'alors si heureuse et si digne de l'être.

Paris, ce 2 décembre 17**.

---

1. *Tourières* : religieuses non cloîtrées, chargées des relations avec l'extérieur.

LETTRE CL

LE CHEVALIER• DANCENY
À LA MARQUISE• DE MERTEUIL

En attendant le bonheur de te voir, je me livre, ma tendre amie, au plaisir de t'écrire ; et c'est en m'occupant de toi, que je charme le regret d'en être éloigné. Te tracer mes sentiments, me rappeler les tiens est pour mon cœur
5 une vraie jouissance ; et c'est par elle que le temps même des privations m'offre encore mille biens précieux à mon amour. Cependant, s'il faut t'en croire, je n'obtiendrai point de réponse de toi : cette Lettre même sera la dernière ; et nous nous priverons d'un commerce[1] qui, selon
10 toi, est dangereux, *et dont nous n'avons pas besoin.* [...]
 [...]
Sans doute, une Lettre paraît bien peu nécessaire, quand on peut se voir librement. Que dirait-elle, qu'un mot, un regard, ou même le silence, n'exprimassent cent fois mieux encore ?
15 Mais depuis, nous nous sommes séparés ; et dès que tu n'as plus été là, cette idée de Lettre est revenue me tourmenter. Pourquoi, me suis-je dit, cette privation de plus ? [...] une Lettre est si précieuse ; si on ne la lit pas, du moins on la regarde... Ah ! sans doute, on peut regarder une Lettre
20 sans la lire, comme il me semble que la nuit j'aurais encore quelque plaisir à toucher ton portrait...
Ton portrait, ai-je dit ? Mais une Lettre est le portrait de l'âme. Elle n'a pas, comme une froide image, cette stagnance[2] si éloignée de l'amour ; elle se prête à tous nos
25 mouvements : tour à tour elle s'anime, elle jouit, elle se repose... Tes sentiments me sont tous si précieux ! me priveras-tu d'un moyen de les recueillir ?
 [...]
Adieu, ma charmante amie ; l'heure approche enfin où je
30 pourrai te voir : je te quitte bien vite, pour t'aller retrouver plus tôt.

*Paris, ce 3 décembre 17**.*

---

1. *d'un commerce* : d'une relation.
2. *stagnance* : stagnation (néologisme).

LETTRE CLI

LE VICOMTE• DE VALMONT
À LA MARQUISE• DE MERTEUIL

Sans doute, Marquise, que vous ne me croyez pas assez
peu d'usage pour penser que j'aie pu prendre le change sur
le tête-à-tête où je vous ai trouvée ce soir, et sur l'*étonnant
hasard* qui avait conduit Danceny chez vous ! Ce n'est pas
5   que votre physionomie exercée n'ait su prendre à merveille
l'expression du calme et de la sérénité, ni que vous vous
soyez trahie par aucune de ces phrases qui quelquefois
échappent au trouble ou au repentir. [...] Mais, pour ne pas
déployer en vain d'aussi grands talents, pour en obtenir le.
10   succès que vous vous en promettiez, pour produire enfin
l'illusion que vous cherchiez à faire naître, il fallait donc
auparavant former votre Amant novice avec plus de soin.

Puisque vous commencez à faire des éducations, apprenez à vos élèves à ne pas rougir et se déconcerter à la
15   moindre plaisanterie [...].

[...] Oh ! qu'avec toute autre femme je serais bientôt
vengé ! [...]

Vous êtes à Paris depuis quatre jours ; et chaque jour vous
avez vu Danceny, et vous n'avez vu que lui seul. Aujour-
20   d'hui même votre porte était encore fermée ; et il n'a manqué à votre Suisse, pour m'empêcher d'arriver jusqu'à vous,
qu'une assurance égale à la vôtre. Cependant je ne devais
pas douter, me mandiez-vous, d'être le premier informé de
votre arrivée ; de cette arrivée dont vous ne pouviez pas
25   encore me dire le jour, tandis que vous m'écriviez la veille
de votre départ. Nierez-vous ces faits, ou tenterez-vous de
vous en excuser ? L'un et l'autre sont également impossibles ; et pourtant je me contiens encore ! Reconnaissez là
votre empire• ; mais croyez-moi, contente de l'avoir
30   éprouvé, n'en abusez pas plus longtemps. Nous nous
connaissons tous deux, Marquise ; ce mot doit vous suffire.
[...]

Adieu, Marquise ; je ne vous dis rien de mes sentiments
pour vous. Tout ce que je puis faire en ce moment, c'est de
35   ne pas scruter mon cœur. J'attends votre réponse. Songez

en la faisant, songez bien que plus il vous est facile de me faire oublier l'offense que vous m'avez faite, plus un refus de votre part, un simple délai, la graverait dans mon cœur en traits ineffaçables.

Paris, ce 3 décembre 17**, au soir.

LETTRE CLII

LA MARQUISE• DE MERTEUIL
AU VICOMTE• DE VALMONT

Prenez donc garde, Vicomte, et ménagez davantage mon extrême timidité ! Comment voulez-vous que je supporte l'idée accablante d'encourir votre indignation, et surtout que je ne succombe pas à la crainte de votre vengeance ?
5 d'autant que, comme vous savez, si vous me faisiez une noirceur•, il me serait impossible de vous la rendre. J'aurais beau parler, votre existence n'en serait ni moins brillante ni moins paisible. Au fait, qu'auriez-vous à redouter ? d'être obligé de partir, si on vous en laissait le temps. Mais ne
10 vit-on pas chez l'Étranger comme ici ? et à tout prendre, pourvu que la Cour de France vous laissât tranquille à celle où vous vous fixeriez, ce ne serait pour vous que changer le lieu de vos triomphes. Après avoir tenté de vous rendre votre sang-froid par ces considérations morales, revenons à
15 nos affaires.

Savez-vous, Vicomte, pourquoi je ne me suis jamais remariée ? ce n'est assurément pas faute d'avoir trouvé assez de partis avantageux ; c'est uniquement pour que personne n'ait le droit de trouver à redire à mes actions. [...] Et
20 voilà que vous m'écrivez la Lettre la plus maritale[1] qu'il soit possible de voir ! Vous ne m'y parlez que de torts de mon côté, et de grâces du vôtre ! Mais comment donc peut-on manquer à celui à qui on ne doit rien ? je ne saurais le concevoir• !

---

1. *maritale* : avec toutes les caractéristiques d'une lettre écrite par un mari.

25 Voyons ; de quoi s'agit-il tant ? Vous avez trouvé Danceny chez moi, et cela vous a déplu ? à la bonne heure : mais qu'avez-vous pu en conclure ? ou que c'était l'effet du hasard, comme je vous le disais, ou celui de ma volonté, comme je ne vous le disais pas. Dans le premier cas, votre
30 Lettre est injuste ; dans le second, elle est ridicule : c'était bien la peine d'écrire. Mais vous êtes jaloux, et la jalousie ne raisonne pas. Hé bien ! je vais raisonner pour vous.

Ou vous avez un rival, ou vous n'en avez pas. Si vous en avez un, il faut plaire pour lui être préféré ; si vous n'en avez
35 pas, il faut encore plaire pour éviter d'en avoir. Dans tous les cas, c'est la même conduite à tenir : ainsi, pourquoi vous tourmenter ? pourquoi, surtout, me tourmenter moi-même ? [...]

[...]
40 Adieu, Vicomte• ; redevenez donc aimable. Tenez, je ne demande pas mieux que de vous trouver charmant ; et dès que j'en serai sûre, je m'engage à vous le prouver. En vérité, je suis trop bonne.

Paris, ce 4 décembre 17**.

LETTRE CLIII

LE VICOMTE DE VALMONT
À LA MARQUISE• DE MERTEUIL

Je réponds sur-le-champ à votre Lettre, et je tâcherai d'être clair ; ce qui n'est pas facile avec vous, quand une fois vous avez pris le parti de ne pas entendre•.

De longs discours n'étaient pas nécessaires pour établir
5 que chacun de nous ayant en main tout ce qu'il faut pour perdre l'autre, nous avons un égal intérêt à nous ménager mutuellement : aussi, ce n'est pas de cela dont il s'agit. Mais encore entre le parti violent de se perdre, et celui, sans doute meilleur, de rester unis comme nous l'avons été,
10 de le devenir davantage encore en reprenant notre pre-mière liaison•, entre ces deux partis, dis-je, il y en a mille autres à prendre. Il n'était donc pas ridicule de vous dire, et

251

il ne l'est pas de vous répéter que, de ce jour même, je serai
ou votre Amant ou votre ennemi.

15   Je sens à merveille que ce choix vous gêne ; qu'il vous
conviendrait mieux de tergiverser[1] ; et je n'ignore pas que
vous n'avez jamais aimé à• être placée ainsi entre le oui et
le non : mais vous devez sentir aussi que je ne puis vous
laisser sortir de ce cercle étroit sans risquer d'être joué ; et
20   vous avez dû prévoir que je ne le souffrirais• pas. C'est
maintenant à vous à décider : je peux vous laisser le choix
mais non pas rester dans l'incertitude.

Je vous préviens seulement que vous ne m'abuserez pas
par vos raisonnements, bons ou mauvais ; que vous ne me
25   séduirez pas davantage par quelques cajoleries• dont vous
chercheriez à parer vos refus, et qu'enfin, le moment de la
franchise est arrivé. Je ne demande pas mieux que de vous
donner l'exemple ; et je vous déclare avec plaisir que je
préfère la paix et l'union : mais s'il faut rompre l'une ou
30   l'autre, je crois en avoir le droit et les moyens.

J'ajoute donc que le moindre obstacle mis de votre part
sera pris de la mienne pour une véritable déclaration de
guerre : vous voyez que la réponse que je vous demande
n'exige ni longues ni belles phrases. Deux mots suffisent.

*Paris, ce 4 décembre 17**.*

RÉPONSE DE LA MARQUISE• DE MERTEUIL
écrite au bas de la même Lettre.

Hé bien ! la guerre.

LETTRE CLIV

MADAME DE VOLANGES
À MADAME DE ROSEMONDE

Les bulletins vous instruisent• mieux que je ne pourrais

---

1.   *tergiverser* : temporiser, attendre.

le faire, ma chère amie, du fâcheux état de notre malade. Tout entière aux soins que je lui donne, je ne prends sur eux le temps de vous écrire qu'autant qu'il y a d'autres 5 événements que ceux de la maladie. En voici un, auquel certainement je ne m'attendais pas. C'est une Lettre que j'ai reçue de M. de Valmont[1], à qui il a plu de me choisir pour sa confidente, et même pour sa médiatrice[2] auprès de Mme de Tourvel, pour qui il avait aussi joint une Lettre à la 10 mienne. J'ai renvoyé l'une en répondant à l'autre. Je vous fais passer cette dernière, et je crois que vous jugerez comme moi que je ne pouvais ni ne devais rien faire de ce qu'il me demande. Quand je l'aurais voulu, notre malheureuse amie n'aurait pas été en état de m'entendre•. Son 15 délire est continuel. Mais que direz-vous de ce désespoir de M. de Valmont ? D'abord faut-il y croire, ou veut-il seulement tromper tout le monde, et jusqu'à la fin* ? Si pour cette fois il est sincère, il peut bien dire qu'il a lui-même fait son malheur. Je crois qu'il sera peu content de ma 20 réponse : mais j'avoue que tout ce qui me fixe sur cette malheureuse aventure me soulève de plus en plus contre son auteur.

Adieu, ma chère amie ; je retourne à mes tristes soins, qui le deviennent bien davantage encore par le peu d'espoir 25 que j'ai de les voir réussir. Vous connaissez mes sentiments pour vous.

Paris, ce 5 décembre 17**.

* C'est parce qu'on n'a rien trouvé dans la suite de cette Correspondance qui pût résoudre ce doute, qu'on a pris le parti de supprimer la Lettre de M. de Valmont.

1. *une Lettre que j'ai reçue de M. de Valmont* : le manuscrit contient cette lettre de Valmont à Mme de Volanges, que Laclos a supprimée dans l'édition. Valmont y priait sa correspondante d'assurer Mme de Tourvel « *de* [son] *repentir, de* [ses] *regrets et surtout de* [son] *amour* ». Il confessait ses « *torts affreux* », etc.
2. *sa médiatrice* : son intermédiaire.

LETTRE CLV

LE VICOMTE[•] DE VALMONT
AU CHEVALIER[•] DANCENY

J'ai passé deux fois chez vous, mon cher Chevalier : mais depuis que vous avez quitté le rôle d'Amant pour celui d'homme à bonnes fortunes, vous êtes, comme de raison, devenu introuvable. Votre Valet de chambre m'a assuré
5 cependant que vous rentreriez chez vous ce soir ; qu'il avait ordre de vous attendre : mais moi, qui suis instruit[•] de vos projets[•], j'ai très bien compris que vous ne rentreriez que pour un moment, pour prendre le costume de la chose[1], et que sur-le-champ vous recommenceriez vos courses victo-
10 rieuses. [...] Vous ne savez encore que la moitié de vos affaires ; il faut vous mettre au courant de l'autre, et puis, vous vous déciderez. Prenez donc le temps de lire ma Lettre. [...]
    [...]
15 Vous avez un rendez-vous pour cette nuit, n'est-il pas vrai ? avec une femme charmante et que vous adorez[•] ? car à votre âge, quelle femme n'adore-t-on pas, au moins les huit premiers jours ! Le lieu de la scène doit encore ajouter à vos plaisirs. Une petite maison délicieuse, *et qu'on n'a*
20 *prise que pour vous,* doit embellir la volupté, des charmes de la liberté, et de ceux du mystère. [...] Voilà ce que nous savons tous deux, quoique vous ne m'en ayez rien dit. Maintenant, voici ce que vous ne savez pas, et qu'il faut que je vous dise.
25 Depuis mon retour à Paris, je m'occupais des moyens de vous rapprocher de Mlle de Volanges, je vous l'avais promis ; et encore la dernière fois que je vous en parlai, j'eus lieu de juger par vos réponses, je pourrais dire par vos transports[•], que c'était m'occuper de votre bonheur. [...] Depuis deux
30 jours, m'a-t-elle dit ce soir, tous les obstacles sont surmon-tés, et votre bonheur ne dépend plus que de vous.
Depuis deux jours aussi, elle se flattait de vous apprendre

---

1. *pour prendre le costume de la chose* : pour vous changer en vue de votre soirée.

cette nouvelle elle-même, et malgré l'absence de la Maman,
vous auriez été reçu; mais vous ne vous êtes seulement pas
35 présenté! et pour vous dire tout, soit caprice ou raison, la
petite personne m'a paru un peu fâchée de ce manque
d'empressement de votre part. Enfin, elle a trouvé le
moyen de me faire aussi parvenir jusqu'à elle[1], et m'a fait
promettre de vous rendre le plus tôt possible la Lettre que
40 je joins ici. À l'empressement qu'elle y a mis, je parierais
bien qu'il y est question d'un rendez-vous pour ce soir.
Quoi qu'il en soit, j'ai promis sur l'honneur et sur l'amitié
que vous auriez la tendre missive[2] dans la journée, et je ne
puis ni ne veux manquer à ma parole.

45   À présent, jeune homme, quelle conduite allez-vous
tenir? Placé entre la coquetterie et l'amour, entre le plaisir
et le bonheur, quel va être votre choix? Si je parlais au
Danceny d'il y a trois mois, seulement à celui d'il y a huit
jours, bien sûr de son cœur, je le serais de ses démarches :
50 mais le Danceny d'aujourd'hui, arraché par les femmes,
courant les aventures, et devenu, suivant l'usage, un peu
scélérat•, préférera-t-il une jeune fille bien timide, qui n'a
pour elle que sa beauté, son innocence et son amour, aux
agréments d'une femme parfaitement *usagée*!

55   Pour moi, mon cher ami, il me semble que, même dans
vos nouveaux principes, que j'avoue bien être aussi un peu
les miens, les circonstances me décideraient pour la jeune
Amante. D'abord, c'en est une de plus, et puis la nouveauté,
et encore la crainte de perdre le fruit de vos soins en négli-
60 geant de le cueillir; car enfin, de ce côté, ce serait véritablement l'occasion manquée, et elle ne revient pas toujours,
surtout pour une première faiblesse : souvent, dans ce cas,
il ne faut qu'un moment d'humeur•, un soupçon jaloux,
moins encore, pour empêcher le plus beau triomphe. La
65 vertu qui se noie se raccroche quelquefois aux branches; et
une fois réchappée, elle se tient sur ses gardes, et n'est plus
facile à surprendre.

---

1. *me faire aussi parvenir jusqu'à elle* : expression à double entente, singulièrement
grivoise.
2. *missive* : lettre.

Au contraire, de l'autre côté, que risquez-vous? Pas même une rupture; une brouillerie tout au plus, où l'on
70 achète de quelques soins le plaisir d'un raccommodement•. Quel autre parti reste-t-il à une femme déjà rendue, que celui de l'indulgence? Que gagnerait-elle à la sévérité? la perte de ses plaisirs, sans profit pour sa gloire.

Si, comme je le suppose, vous prenez le parti de l'amour,
75 qui me paraît aussi celui de la raison, je crois qu'il est de la prudence de ne point vous faire excuser au rendez-vous manqué; laissez-vous attendre tout simplement : si vous risquez de donner une raison, on sera peut-être tenté de la vérifier. Les femmes sont curieuses et obstinées; tout peut
80 se découvrir : je viens, comme vous savez, d'en être moi-même un exemple. Mais si vous laissez l'espoir, comme il sera soutenu par la vanité•, il ne sera perdu que longtemps après l'heure propre aux informations : alors demain vous aurez à choisir l'obstacle insurmontable qui vous aura
85 retenu; vous aurez été malade, mort s'il le faut, ou tout autre chose dont vous serez également désespéré, et tout se raccommodera.

Au reste, pour quelque côté que vous vous décidiez, je vous prie seulement de m'en instruire•; et comme je n'y ai
90 pas d'intérêt, je trouverai toujours que vous avez bien fait. Adieu, mon cher ami.

Ce que j'ajoute encore, c'est que je regrette Mme de Tourvel; c'est que je suis au désespoir d'être séparé d'elle; c'est que je paierais de la moitié de ma vie le bonheur de lui
95 consacrer l'autre. Ah! croyez-moi, on n'est heureux que par l'amour.

Paris, ce 5 décembre 17**.

LETTRE CLVI

CÉCILE VOLANGES
AU CHEVALIER• DANCENY
(*Jointe à la précédente.*)

Paris, ce 4 décembre 17**, au soir.

LETTRE CLVII

LE CHEVALIER* DANCENY
AU VICOMTE* DE VALMONT

Ne doutez pas, mon cher Vicomte, ni de mon cœur, ni de mes démarches : comment résisterais-je à un désir de ma Cécile ? Ah ! c'est bien elle, elle seule que j'aime, que j'aimerai toujours ! son ingénuité, sa tendresse ont un charme pour moi, dont j'ai pu avoir la faiblesse de me laisser distraire, mais que rien n'effacera jamais. Engagé dans une autre aventure, pour ainsi dire sans m'en être aperçu, souvent le souvenir de Cécile est venu me troubler jusque dans les plus doux plaisirs [...].

J'ai mérité, je le sens, la plaisanterie que vous me faite sur ce que vous appelez mes nouveaux principes : mais vous pouvez m'en croire, ce n'est point par eux que je me conduis dans ce moment ; et dès demain je suis décidé à le prouver. J'irai m'accuser à celle même qui a causé mon égarement[1], et qui l'a partagé ; je lui dirai : « Lisez dans mon cœur ; il a pour vous l'amitié la plus tendre ; l'amitié unie au désir ressemble tant à l'amour !... Tous deux nous sommes trompés ; mais susceptible d'erreur, je ne suis point capable de mauvaise foi. » Je connais mon amie ; elle est honnête autant qu'indulgente ; elle fera plus que m'approuver, elle me pardonnera. [...]

Adieu, mon cher Vicomte. L'excès de ma joie ne m'empêche point de songer à vos peines, et d'y prendre part. Que ne puis-je vous être utile ! Mme de Tourvel reste donc inexorable ? On la dit aussi bien malade. Mon Dieu, que je vous plains ! Puisse-t-elle reprendre à la fois de la santé et de l'indulgence, et faire à jamais votre bonheur ! Ce sont les vœux de l'amitié ; j'ose espérer qu'ils seront exaucés par l'amour.

Je voudrais causer plus longtemps avec vous ; mais l'heure me presse, et peut-être Cécile m'attend déjà.

Paris, ce 5 décembre 17**.

---

1. *égarement* : le mot fait, bien sûr, écho à l'œuvre maîtresse de Crébillon fils (1707-1777), *Les Égarements du cœur et de l'esprit* (1736 et 1738).

Questions

Compréhension

• **Lettre CLVII**

1. *Rapprochez les lettres CLV et CLVII des lettres CXLV et CXLVIII : quel élément de l'intrigue s'y dessine-t-il ? À quel autre élément fait-il écho dans le roman ?*

Écriture

2. *Quelles conclusions pouvez-vous tirer des rapprochements suggérés dans la question 1, relativement à l'art de la composition chez Laclos ?*

• **Lettres CLI à CLIII**

3. *Que révèle la longueur relative des quatre messages inclus dans ces trois lettres ?*

• **Lettre CLV**

4. « Danceny, *demande Valmont*, préférera-t-il une jeune fille bien timide [...] aux agréments d'une femme parfaitement *usagée* ? » *Le mot «usagée» est mis en italique : pour quelle raison ? Retrouvez-le dans les lettres LI et LVII, par exemple, et demandez-vous dans quel sens on doit ici l'entendre*•. *Ces deux complices sont-ils toujours d'accord sur le sens de leurs mots de passe ? Quelle conclusion en tirez-vous ?*

LETTRE CLVIII

LE VICOMTE• DE VALMONT
À LA MARQUISE• DE MERTEUIL
(À son réveil.)

Hé bien, Marquise, comment vous trouvez-vous des plaisirs de la nuit dernière ? n'en êtes-vous pas un peu fatiguée ? Convenez donc que Danceny est charmant ! Il fait des prodiges, ce garçon-là. Vous n'attendiez pas cela de lui, n'est-il
5 pas vrai ? Allons, je me rends justice, un pareil rival méritait bien que je lui fusse sacrifié. Sérieusement, il est plein de bonnes qualités ! Mais surtout, que d'amour, de constance, de délicatesse ! Ah ! si jamais vous êtes aimée de lui comme l'est sa Cécile, vous n'aurez point de rivales à craindre : il
10 vous l'a prouvé cette nuit. Peut-être à force de coquetterie, une autre femme pourra vous l'enlever un moment ; un jeune homme ne sait guère se refuser à des agaceries[1] provocantes : mais un seul mot de l'objet aimé suffit, comme vous voyez, pour dissiper cette illusion ; ainsi il ne vous manque
15 plus que d'être cet objet-là pour être parfaitement heureuse.

[...] Cependant l'amitié qui nous unit [...] m'a fait désirer pour vous l'épreuve de cette nuit ; c'est l'ouvrage de mon zèle• ; il a réussi : mais point de remerciements [...].

[...] Au fait, que m'en a-t-il coûté ? [...] J'ai consenti à
20 partager avec le jeune homme les faveurs de sa Maîtresse [...]. La lettre que la jeune personne lui a écrite, c'est bien moi qui l'ai dictée [...]. Celle que j'y ai jointe, oh ! ce n'était rien, presque rien ; quelques réflexions de l'amitié pour guider le choix du nouvel Amant : mais en honneur, elles
25 étaient inutiles ; il faut dire la vérité, il n'a pas balancé• un moment.

Et puis, dans sa candeur•, il doit aller chez vous aujourd'hui vous raconter tout ; et sûrement ce récit-là vous fera grand plaisir ! il vous dira : *Lisez dans mon cœur* ; il me le
30 mande• : et vous voyez bien que cela raccommode• tout.
[...]

---

1. *agaceries* : coquetteries, tentatives de séduction.

Compréhension

• **Le chant du cygne**

1. *En quoi Mme de Tourvel se distingue-t-elle de tous les autres personnages du roman ? Justifiez votre réponse.*

Écriture

2. *Retracez les étapes de la chute de la Présidente*. Ce personnage évolue : dans quelle mesure son style s'infléchit-il selon la courbe de son destin ? (Vous pourriez, par exemple, prendre appui sur les lettres XXVI, XLI, XLIII, LVI, XC et CXXXII.)*

3. *Le dérèglement de la raison se traduit par un dérèglement de l'échange épistolaire : quels en sont les symptômes ?*

4. *Le texte de la lettre CLXI est à la fois incohérent et cohérent. Quels sont les facteurs de désagrégation et les facteurs de cohérence de ce discours ? De quels modèles littéraires Laclos s'inspire-t-il ici ?*

Madame de Volanges se rendant au Couvent.

LETTRE CLXII

LE CHEVALIER• DANCENY
AU VICOMTE• DE VALMONT

Je suis instruit•, Monsieur, de vos procédés envers moi. Je sais aussi que, non content de m'avoir indignement joué, vous ne craignez pas de vous en vanter, de vous en applaudir. J'ai vu la preuve de votre trahison écrite de votre main.
5 J'avoue que mon cœur en a été navré[1], et que j'ai ressenti quelque honte d'avoir autant aidé moi-même à l'odieux abus que vous avez fait de mon aveugle confiance ; pourtant je ne vous envie pas ce honteux avantage ; je suis seulement curieux de savoir si vous les conserverez tous également sur
10 moi. J'en serai instruit, si, comme je l'espère, vous voulez bien vous trouvez demain, entre huit et neuf heures du matin, à la porte du bois de Vincennes, Village de Saint-Mandé. J'aurai soin d'y faire trouver tout ce qui sera nécessaire pour les éclaircissements qui me restent à prendre
15 avec vous.

LE CHEVALIER DANCENY.
*Paris, ce 6 décembre 17**, au soir.*

LETTRE CLXIII

MONSIEUR BERTRAND
À MADAME DE ROSEMONDE

Madame,
C'est avec bien du regret que je remplis le triste devoir de vous annoncer une nouvelle qui va vous causer un si cruel chagrin. Permettez-moi de vous inviter d'abord à
5 cette pieuse résignation que chacun a si souvent admirée en vous, et qui peut seule nous faire supporter les maux dont est semée notre misérable vie.

---

1. *navré* : profondément blessé.

Monsieur votre neveu... Mon Dieu! faut-il que j'afflige tant une si respectable dame! M. votre neveu a eu le malheur de succomber dans un combat singulier qu'il a eu ce matin avec M. le Chevalier• Danceny. J'ignore entièrement le sujet de la querelle : mais il paraît par le billet que j'ai trouvé encore dans la poche de M. le Vicomte•, et que j'ai l'honneur de vous envoyer ; il paraît, dis-je, qu'il n'était pas l'agresseur. Et il faut que ce soit lui que le Ciel ait permis qui succombât !

J'étais chez M. le Vicomte à l'attendre, à l'heure même où on l'a ramené à l'Hôtel. Figurez-vous mon effroi, en voyant M. votre neveu porté par deux de ses gens, et tout baigné dans son sang. Il avait deux coups d'épée dans le corps, et il était déjà bien faible. M. Danceny était aussi là, et même il pleurait. Ah ! sans doute, il doit pleurer : mais il est bien temps de répandre des larmes, quand on a causé un malheur irréparable !

Pour moi, je ne me possédais pas ; et malgré le peu que je suis, je ne lui en disais pas moins ma façon de penser. Mais c'est là que M. le Vicomte s'est montré véritablement grand. Il m'a ordonné de me taire ; et celui-là même qui était son meurtrier, il lui a pris la main, l'a appelé son ami, l'a embrassé devant nous tous, et nous a dit : «Je vous ordonne d'avoir pour Monsieur tous les égards qu'on doit à un brave[1] et galant homme.» Il lui a de plus fait remettre, devant moi, des papiers fort volumineux, que je ne connais pas, mais auxquels je sais bien qu'il attachait beaucoup d'importance. [...] Moins d'une demi-heure après, M. le Vicomte était sans connaissance. Il n'a pu recevoir que l'Extrême-Onction[2], et la cérémonie était à peine achevée qu'il a rendu son dernier soupir.

[...] Vous n'ignorez pas, Madame, que ce malheureux événement finit la substitution, et rend vos dispositions entièrement libres. [...]

BERTRAND.
Paris, ce 7 décembre 17**.

---

1. *brave* : physiquement courageux et moralement élégant.
2. *l'Extrême-Onction* : sacrement catholique destiné aux fidèles sur le point ou en train de mourir.

Écriture

1. *Cette lettre marque le véritable dénouement du roman. Elle est datée du 7 décembre : sur combien de temps se déroule l'intrigue de ce long roman ? Par comparaison avec d'autres romans de même dimension, cela vous semble-t-il long ou bref ?*

2. *Grâce aux dates que portent les lettres, comparez les quatre parties du roman relativement à leurs durées respectives et à la fréquence à laquelle s'y succèdent les lettres : ces données sont-elles homogènes ? Observez-vous des accélérations ou des ralentissements dans le tempo de l'histoire ?*

Présentation de Cécile Volanges au Comte de Gercourt,
dans la libre adaptation de Stephen Frears.

LETTRE CLXIV

MADAME DE ROSEMONDE
À MONSIEUR BERTRAND

Du château de..., ce 8 décembre 17**.

LETTRE CLXV

MADAME DE VOLANGES
À MADAME DE ROSEMONDE

Je vous sais déjà instruite•, ma chère et digne amie, de la
perte que vous venez de faire ; je connaissais votre tendresse pour M. de Valmont, et je partage bien sincèrement
l'affliction• que vous devez ressentir. Je suis vraiment pei-
5　née d'avoir à ajouter de nouveaux regrets à ceux que vous
éprouvez déjà : mais hélas ! il ne vous reste non plus que
des larmes à donner à notre malheureuse amie. Nous
l'avons perdue, hier, à onze heures du soir. Par une fatalité
attachée à son sort, et qui semblait se jouer de toute pru-
10　dence humaine, ce court intervalle qu'elle a survécu à M. de
Valmont lui a suffi pour en apprendre la mort ; et, comme
elle a dit elle-même, pour n'avoir pu succomber sous le
poids de ses malheurs qu'après que la mesure en a été
comblée.
15　En effet, vous avez su que depuis plus de deux jours elle
était absolument sans connaissance ; et encore hier matin,
quand son Médecin arriva, et que nous nous approchâmes
de son lit, elle ne nous reconnut ni l'un ni l'autre, et nous
ne pûmes en obtenir ni une parole, ni le moindre signe. Hé
20　bien ! à peine étions-nous revenus à la cheminée, et pendant que le Médecin m'apprenait le triste événement de la
mort de M. de Valmont, cette femme infortunée a retrouvé
toute sa tête, soit que la nature seule ait produit cette révolution, soit qu'elle ait été causée par ses mots répétés de
25　*M. de Valmont* et de *mort,* qui ont pu rappeler à la malade
les seules idées dont elle s'occupait depuis longtemps.

Quoi qu'il en soit, elle ouvrit précipitamment les rideaux de son lit en s'écriant : « Quoi ! que dites-vous ? M. de Val-mont est mort ? » J'espérais lui faire croire qu'elle s'était trompée, et je l'assurai d'abord qu'elle avait mal entendu : mais loin de se laisser persuader ainsi, elle exigea du Méde-cin qu'il recommençât ce cruel récit ; et sur ce que je voulus essayer encore de la dissuader, elle m'appela et me dit à voix basse : « Pourquoi vouloir me tromper ? n'était-il pas déjà mort pour moi ! » Il a donc fallu céder.

Notre malheureuse amie a écouté d'abord d'un air assez tranquille, mais bientôt après, elle a interrompu le récit en disant : « Assez, j'en ai assez. » Elle a demandé sur-le-champ qu'on fermât ses rideaux ; et lorsque le Médecin a voulu s'occuper ensuite des soins de son état, elle n'a jamais voulu souffrir* qu'il approchât d'elle.

Dès qu'il a été sorti, elle a pareillement renvoyé sa garde et sa Femme de chambre ; et quand nous avons été seules, elle m'a priée de l'aider à se mettre à genoux sur son lit, et de l'y soutenir. Là, elle est restée quelque temps en silence, et sans autre expression que celle de ses larmes qui cou-laient abondamment. Enfin, joignant ses mains et les éle-vant vers le Ciel : « Dieu tout-puissant, a-t-elle dit d'une voix faible, mais fervente, je me soumets à ta justice : mais pardonne à Valmont. Que mes malheurs, que je reconnais avoir mérités, ne lui soient pas un sujet de reproche, et je bénirai ta miséricorde ! » Je me suis permis, ma chère et digne amie, d'entrer dans ces détails sur un sujet que je sens bien devoir renouveler et aggraver vos douleurs, parce que je ne doute pas que cette prière de Mme de Tourvel ne porte cependant une grande consolation dans votre âme.

Après que notre amie eut proféré ce peu de mots, elle se laissa retomber dans mes bras ; et elle était à peine replacée dans son lit, qu'il lui prit une faiblesse qui fut longue, mais qui céda pourtant aux secours ordinaires. Aussitôt qu'elle eut repris connaissance, elle me demanda d'envoyer cher-cher le Père Anselme, et elle ajouta : « C'est à présent le seul médecin dont j'aie besoin ; je sens que mes maux vont bientôt finir. » Elle se plaignait de beaucoup d'oppression, et elle parlait difficilement.

Peu de temps après, elle me fit remettre, par sa Femme de chambre, une cassette que je vous envoie, qu'elle me dit

contenir des papiers à elle, et qu'elle me chargea de vous
faire passer aussitôt après sa mort*. Ensuite elle me parla de
70 vous, et de votre amitié pour elle, autant que sa situation le
lui permettait, et avec beaucoup d'attendrissement.

Le Père Anselme arriva vers les quatre heures, et resta
près d'une heure seul avec elle. Quand nous rentrâmes, la
figure de la malade était calme et sereine ; mais il était facile
75 de voir que le Père Anselme avait beaucoup pleuré. Il resta
pour assister aux dernières cérémonies de l'Église. Ce spectacle, toujours si imposant et si douloureux, le devenait
encore plus par le contraste que formait la tranquille résignation de la malade, avec la douleur profonde de son
80 vénérable Confesseur qui fondait en larmes à côté d'elle.
L'attendrissement devint général ; et celle que tout le
monde pleurait fut la seule qui ne se pleura point.

Le reste de la journée se passa dans les prières usitées[1],
qui ne furent interrompues que par les fréquentes faiblesses
85 de la malade. Enfin, vers les onze heures du soir, elle me
parut plus oppressée et plus souffrante. J'avançai ma main
pour chercher son bras ; elle eut encore la force de la
prendre, et la posa sur son cœur. Je n'en sentis plus le
battement ; et en effet, notre malheureuse amie expira dans
90 le moment même.

[...]

Je vous quitte et vais passer chez ma fille, qui est un peu
indisposée. En apprenant de moi, ce matin, cette mort si
prompte de deux personnes de sa connaissance, elle s'est
95 trouvée mal, et je l'ai fait mettre au lit. J'espère cependant
que cette légère incommodité n'aura pas de suite. À cet
âge-là, on n'a pas encore l'habitude des chagrins, et leur
impression en devient plus vive et plus forte. Cette sensibilité si active est, sans doute, une qualité louable ; mais
100 combien tout ce qu'on voit chaque jour nous apprend à la
craindre ! Adieu, ma chère et digne amie.

*Paris, ce 9 décembre 17**.*

---

* Cette cassette contenait toutes les Lettres relatives à son aventure avec M. de
Valmont.

---

1. *usitées* : habituelles.

Compréhension

• **La séquence du dénouement**

1. *Reconstituez et résumez les étapes du dénouement.*

2. *Quel sort Laclos réserve-t-il à ses personnages principaux ? Retrouvez les lettres et les dates où le destin de chacun se trouve fixé.*

3. *Par quelle arme les roués s'éliminent-ils mutuellement ?*

4. *Ce dénouement est-il vraisemblable ? Rapprochez-le de l'«Avertissement de l'éditeur» et de la «Préface du rédacteur». Quelles en sont la signification symbolique ? la portée morale ?*

Écriture

5. *Quel événement met véritablement un terme à l'action ? Sur combien de lettres s'étend ce qu'on pourrait appeler l'«épilogue» ?*

6. *Quels personnages n'écrivent-ils plus ? Relevez à partir de quel moment Laclos cesse de leur prêter la plume. Que signifient ces silences ? Qui le romancier charge-t-il alors d'assumer la relation des faits ?*

7. *Analysez, dans les derniers épisodes, comment se justifie la formation du «recueil» et la fiction d'ouverture («Avertissement» et «Préface»). Que cherche Laclos ?*

LETTRE CLXVI

MONSIEUR BERTRAND
À MADAME DE ROSEMONDE

Paris, ce 10 décembre 17**.

LETTRE CLXVII

ANONYME
À MONSIEUR LE CHEVALIER• DANCENY

Paris, ce 10 décembre 17**.

LETTRE CLXVIII

MADAME DE VOLANGES
À MADAME DE ROSEMONDE

Il se répand ici, ma chère et digne amie, sur le compte de
Mme de Merteuil, des bruits bien étonnants et bien
fâcheux. Assurément, je suis loin d'y croire, et je parierais
bien que ce n'est qu'une affreuse calomnie : mais je sais
5 trop combien les méchancetés, même les moins vraisem-
blables, prennent aisément consistance ; et combien l'impression qu'elles laissent s'efface difficilement, pour ne pas
être très alarmée de celles-ci, toutes faciles que je les crois à
détruire. [...]
10 [...] Voici ce qu'on publie, ou, pour mieux dire, ce qu'on
murmure encore, mais qui ne tardera sûrement pas à éclater davantage.
On dit donc que la querelle survenue entre M. de Valmont et le Chevalier• Danceny est l'ouvrage de Mme de
15 Merteuil, qui les trompait également tous deux ; que,
comme il arrive presque toujours, les deux rivaux ont
commencé par se battre, et ne sont venus qu'après aux
éclaircissements ; que ceux-ci ont produit une réconciliation

sincère ; et que, pour achever de faire connaître[1] Mme de
20 Merteuil au Chevalier• Danceny, et aussi pour se justifier
entièrement, M. de Valmont a joint à ses discours une foule
de Lettres, formant une correspondance régulière qu'il
entretenait avec elle, et où celle-ci raconte sur elle-même,
et dans le style le plus libre, les anecdotes les plus scanda-
25 leuses.

On ajoute que Danceny, dans sa première indignation, a
livré ces Lettres à qui a voulu les voir, et qu'à présent, elles
courent Paris. On en cite particulièrement deux* : l'une où
elle fait l'histoire entière de sa vie et de ses principes, et
30 qu'on dit le comble de l'horreur ; l'autre qui justifie entièrement M. de Prévan, dont vous vous rappelez l'histoire, par
la preuve qui s'y trouve qu'il n'a fait au contraire que céder
aux avances les plus marquées de Mme de Merteuil et que
le rendez-vous était convenu avec elle.
35   [...]

P.-S. – L'indisposition de ma fille n'a eu aucune suite ;
elle vous présente son respect.

Paris, ce 11 décembre 17**.

LETTRE CLXIX

LE CHEVALIER• DANCENY
À MADAME DE ROSEMONDE

Madame,
Peut-être trouverez-vous la démarche que je fais aujour-
d'hui, bien étrange : mais je vous en supplie, écoutez-moi
avant de me juger, et ne voyez ni audace ni témérité, où il
5   n'y a que respect et confiance. Je ne me dissimule pas les
torts que j'ai vis-à-vis de vous ; et je ne me les pardonnerais
de ma vie, si je pouvais penser un moment qu'il m'eût été
possible d'éviter de les avoir. Soyez même bien persuadée,

---

* Lettres LXXXI et LXXXV de ce Recueil.

---

1. *faire connaître* : révéler, faire découvrir.

Madame, que pour me trouver exempt de reproches, je ne
10 le suis pas de regrets ; et je peux ajouter encore avec sincérité que ceux que je vous cause entrent pour beaucoup dans
ceux que je ressens. Pour croire à ces sentiments dont j'ose
vous assurer, il doit vous suffire de vous rendre justice, et de
savoir que, sans avoir l'honneur d'être connu de vous, j'ai
15 pourtant celui de vous connaître.

    [...]

    En effet, si vous convenez que la vengeance est permise,
disons mieux, qu'on se la doit, quand on a été trahi dans
son amour, dans son amitié, et surtout, dans sa confiance ;
20 si vous en convenez, mes torts vont disparaître à vos yeux...
N'en croyez pas mes discours mais lisez, si vous en avez le
courage, la correspondance que je dépose entre vos mains*.
La quantité de Lettres qui s'y trouvent en original paraît
rendre authentiques celles dont il n'existe que des copies.
25 Au reste, j'ai reçu ces papiers, tels que j'ai l'honneur de
vous les adresser, de M. de Valmont lui-même. Je n'y ai
rien ajouté, et je n'en ai distrait[1] que deux Lettres que je me
suis permis de publier.

    L'une[2] était nécessaire à la vengeance commune de M. de
30 Valmont et de moi, à laquelle nous avions droit tous deux,
et dont il m'avait expressément chargé. J'ai cru de plus que
c'était rendre service à la société que de démasquer une
femme aussi réellement dangereuse que l'est Mme de
Merteuil, et qui, comme vous pourrez le voir, est la seule, la
35 véritable cause de tout de ce qui s'est passé entre M. de
Valmont et moi.

    Un sentiment de justice m'a porté aussi à publier la
seconde[3] pour la justification de M. de Prévan, que je
connais à peine, mais qui n'avait aucunement mérité le trai-
40 tement rigoureux qu'il vient d'éprouver, ni la sévérité des

---

* C'est de cette correspondance, de celle remise pareillement à la mort de Madame
de Tourvel, et des Lettres confiées aussi à Madame de Rosemonde par Madame de
Volanges, qu'on a formé le présent Recueil, dont les originaux subsistent entre les
mains des héritiers de Madame de Rosemonde.

---

1. *distrait* : extrait, retiré.
2. *L'une* : la lettre LXXXI.
3. *la seconde* : la lettre LXXXV.

jugements du public, plus redoutable encore, et sous laquelle il gémit depuis ce temps, sans avoir rien pour s'en défendre.

45 Vous ne trouverez donc que la copie de ces deux Lettres, dont je me dois de garder les originaux. Pour tout le reste, je ne crois pas pouvoir remettre en de plus sûres mains un dépôt qu'il m'importe peut-être qui ne soit pas détruit, mais dont je rougirais d'abuser. Je crois, Madame, en vous confiant ces papiers, servir aussi bien les personnes qu'ils 50 intéressent, qu'en les leur remettant à elles-mêmes ; et je leur sauve l'embarras de les recevoir de moi, et de me savoir instruit• d'aventures, que sans doute elles désirent que tout le monde ignore.

Je crois devoir vous prévenir à ce sujet que cette corres-55 pondance ci-jointe n'est qu'une partie d'une collection bien plus volumineuse, dont M. de Valmont l'a tirée en ma présence, et que vous devez retrouver à la levée des scellés, sous le titre, que j'ai vu, de *Compte ouvert entre la Marquise*• *de Merteuil et le Vicomte*• *de Valmont.* Vous prendrez, sur cet 60 objet, le parti que vous suggérera votre prudence.

Je suis avec respect, Madame, etc.

[...]

*Paris, ce 12 décembre 17**.*

LETTRE CLXX

MADAME DE VOLANGES
À MADAME DE ROSEMONDE

Je marche, ma chère amie, de surprise en surprise, et de chagrin en chagrin. Il faut être mère, pour avoir l'idée de ce que j'ai souffert• hier toute la matinée ; et si mes plus cruelles inquiétudes ont été calmées depuis, il me reste 5 encore une vive affliction• et dont je ne prévois pas la fin.

Hier, vers dix heures du matin, étonnée de ne pas avoir encore vu ma fille, j'envoyai ma Femme de chambre pour savoir ce qui pouvait occasionner ce retard. Elle revint le moment d'après fort effrayée, et m'effraya bien davantage,

10 en m'annonçant que ma fille n'était pas dans son appartement ; et que depuis le matin sa Femme de chambre ne l'y
avait pas trouvée. Jugez de ma situation ! [...]

[...] ce ne fut qu'à deux heures passées que je reçus à la
fois une Lettre de ma fille, et une de la Supérieure du
15 Couvent de... La Lettre de ma fille disait seulement qu'elle
avait craint que je ne m'opposasse à la vocation qu'elle
avait de se faire Religieuse, et qu'elle n'avait pas osé m'en
parler : le reste n'était que des excuses sur ce qu'elle avait
pris, sans ma permission, ce parti, que je ne désapprouve-
20 rais sûrement pas, ajoutait-elle, si je connaissais ses motifs,
que pourtant elle me priait de ne pas lui demander.

[...]

J'ai été sur-le-champ à ce Couvent ; et après avoir vu la
Supérieure, je lui ai demandé de voir ma fille ; celle-ci n'est
25 venue qu'avec peine, et bien tremblante. Je lui ai parlé
devant les Religieuses et je lui ai parlé seule ; tout ce que
j'en ai pu tirer au milieu de beaucoup de larmes est qu'elle
ne pouvait être heureuse qu'au Couvent ; j'ai pris le parti de
lui permettre d'y rester, mais sans être encore au rang des
30 Postulantes[1], comme elle le demandait. Je crains que la
mort de Mme de Tourvel et celle de M. de Valmont n'aient
trop affecté cette jeune tête. Quelque respect que j'aie pour
la vocation religieuse, je ne verrais pas sans peine, et même
sans crainte, ma fille embrasser cet état[2]. [...]

35 Ce qui redouble mon embarras, c'est le retour très prochain de M. de Gercourt ; faudra-t-il rompre ce mariage si
avantageux ? Comment donc faire le bonheur de ses
enfants, s'il ne suffit pas d'en avoir le désir et d'y donner
tous ses soins ? Vous m'obligerez beaucoup de me dire ce
40 que vous feriez à ma place [...].

[...]

Adieu, ma chère et digne amie : j'attends vos deux
réponses avec bien de l'impatience.

*Paris, ce 13 décembre 17**.*

---

1. *Postulantes* : dans une maison religieuse, personnes qui demandent à faire leur
noviciat (temps d'épreuve avant de prononcer les vœux religieux).
2. *embrasser cet état* : suivre cette vocation.

LETTRE CLXXI

MADAME DE ROSEMONDE
AU CHEVALIER DANCENY

Après ce que vous m'avez fait connaître, Monsieur, il ne reste qu'à pleurer et qu'à se taire. On regrette de vivre encore, quand on apprend de pareilles horreurs ; on rougit d'être femme, quand on en voit une capable de semblables
5   excès.

[...]

Si vous permettez à mon âge une réflexion qu'on ne fait guère au vôtre, c'est que, si on était éclairé sur son véritable bonheur, on ne le chercherait jamais hors des bornes pres-
10   crites par les Lois et la Religion.

Vous pouvez être sûr que je garderai fidèlement et volontiers le dépôt que vous m'avez confié ; mais je vous demande de m'autoriser à ne le remettre à personne, pas même à vous, Monsieur, à moins qu'il ne devienne nécessaire à votre
15   justification[1]. J'ose croire que vous ne vous refuserez pas à cette prière et que vous n'êtes plus à sentir qu'on gémit souvent de s'être livré même à la plus juste vengeance.

Je ne m'arrête pas dans mes demandes, persuadée que je suis de votre générosité et de votre délicatesse ; il serait bien
20   digne de toutes deux de remettre aussi entre mes mains les Lettres de Mlle de Volanges, qu'apparemment vous avez conservées, et qui sans doute ne vous intéressent plus. Je sais que cette jeune personne a de grands torts avec vous : mais je ne pense pas que vous songiez à l'en punir ; et ne fût-ce
25   que par respect pour vous-même, vous n'avilirez pas l'objet que vous avez tant aimé. Je n'ai donc pas besoin d'ajouter que les égards que la fille ne mérite pas sont au moins bien dus à la mère, à cette femme respectable, vis-à-vis de qui vous n'êtes pas sans avoir beaucoup à réparer [...].
30   [...]

J'ai l'honneur d'être, etc.

*Du Château de..., ce 15 décembre 17**.*

---

1. *justification* : défense.

LETTRE CLXXII

MADAME DE ROSEMONDE
À MADAME DE VOLANGES

Si j'avais été obligée, ma chère amie, de faire venir et d'attendre de Paris les éclaircissements que vous me demandez concernant Mme de Merteuil, il ne me serait pas possible de vous les donner encore ; et sans doute, je n'en
5   aurais reçu que de vagues et d'incertains : mais il m'en est venu que je n'attendais pas, que je n'avais pas lieu d'attendre ; et ceux-là n'ont que trop de certitude. Ô mon amie, combien cette femme vous a trompée !

Je répugne à entrer dans aucun détail sur cet amas d'hor-
10   reurs ; mais quelque chose qu'on en débite[1], assurez-vous qu'on est encore au-dessous de la vérité. J'espère, ma chère amie, que vous me connaissez assez pour me croire sur ma parole, et que vous n'exigerez de moi aucune preuve. Qu'il vous suffise de savoir qu'il en existe une foule, que j'ai dans
15   ce moment même entre les mains.

Ce n'est pas sans une peine extrême que je vous fais la même prière de ne pas m'obliger à motiver le conseil que vous me demandez, relativement à Mlle de Volanges. Je vous invite à ne pas vous opposer à la vocation qu'elle
20   montre. [...]
   [...]

Du Château de..., ce 15 décembre 17**.

LETTRE CLXXIII

MADAME DE VOLANGES
À MADAME DE ROSEMONDE

[...]
J'allais fermer ma Lettre, quand un homme de ma connaissance est venu me voir, et m'a raconté la cruelle scène que Mme de Merteuil a essuyée avant-hier. Comme je

---

1. *quelque chose qu'on en débite* : quoi qu'on raconte à son sujet.

5 n'ai vu personne tous ces jours derniers, je n'avais rien su de cette aventure ; en voilà le récit, tel que je le tiens d'un témoin oculaire.

Mme de Merteuil, en arrivant de la campagne, avant-hier Jeudi, s'est fait descendre[1] à la Comédie Italienne, où elle 10 avait sa loge ; elle y était seule et, ce qui dut lui paraître extraordinaire, aucun homme ne s'y présenta pendant tout le spectacle. À la sortie, elle entra, suivant son usage, au petit salon, qui était déjà rempli de monde ; sur-le-champ il s'éleva une rumeur, mais dont apparemment elle ne se crut 15 pas l'objet. Elle aperçut une place vide sur l'une des banquettes, et elle alla s'y asseoir ; mais aussitôt toutes les femmes qui y étaient déjà se levèrent comme de concert[2], et l'y laissèrent absolument seule. Ce mouvement marqué d'indignation générale fut applaudi de tous les hommes, et 20 fit redoubler les murmures, qui, dit-on, allèrent jusqu'aux huées.

Pour que rien ne manquât à son humiliation, son malheur voulut que M. de Prévan, qui ne s'était montré nulle part depuis son aventure, entrât dans le même moment 25 dans le petit salon. Dès qu'on l'aperçut, tout le monde, hommes et femmes, l'entoura et l'applaudit [...].

[...]

Adieu, ma chère et digne amie. Je vois bien dans tout cela les méchants punis ; mais je n'y trouve nulle consola-30 tion pour leurs malheureuses victimes.

Paris, ce 18 décembre 17**.

LETTRE CLXXIV

LE CHEVALIER• DANCENY
À MADAME DE ROSEMONDE

Vous avez raison, Madame, et sûrement je ne vous refuserai rien de ce qui dépendra de moi, et à quoi vous paraîtrez attacher quelque prix. Le paquet que j'ai l'honneur de

---

1. *descendre* : déposer.
2. *de concert* : dans un même mouvement.

vous adresser contient toutes les Lettres de Mlle de
5   Volanges. Si vous les lisez, vous ne verrez peut-être pas
sans étonnement qu'on puisse réunir tant d'ingénuité et
tant de perfidie[1]. C'est, au moins, ce qui m'a frappé le plus
dans la dernière lecture que je viens d'en faire.

Mais surtout, peut-on se défendre de la plus vive indigna-
10 tion contre Mme de Merteuil, quand on se rappelle avec
quel affreux plaisir elle a mis tous ses soins à abuser de tant
d'innocence et de candeur• ?

Non, je n'ai plus d'amour. Je ne conserve rien d'un sentiment si indignement trahi ; et ce n'est pas lui qui me fait
15 chercher à justifier Mlle de Volanges. Mais cependant, ce
cœur si simple, ce caractère si doux et si facile, ne se
seraient-ils pas portés au bien, plus aisément encore qu'ils
ne se sont laissés entraîner vers le mal ? [...] Vous me rendiez donc justice, Madame, en pensant que les torts de Mlle
20 de Volanges, que j'ai sentis bien vivement, ne m'inspirent
pourtant aucune idée de vengeance. C'est bien assez d'être
obligé de renoncer à l'aimer ! il m'en coûterait trop de la
haïr.

[...] mon parti est pris ; je pars pour Malte : j'irai y faire
25 avec plaisir, et y garder religieusement, des vœux qui me
sépareront d'un monde dont, si jeune encore, j'ai déjà eu
tant à me plaindre [...].

Je suis avec respect, Madame, votre très humble, etc.

Paris, ce 26 décembre 17**.

LETTRE CLXXV

MADAME DE VOLANGES
À MADAME DE ROSEMONDE

Le sort de Mme de Merteuil paraît enfin rempli, ma chère
et digne amie, et il est tel que ses plus grands ennemis sont
partagés entre l'indignation qu'elle mérite, et la pitié qu'elle

---

1. *perfidie* : déloyauté, trahison.

inspire. J'avais bien raison de dire que ce serait peut-être un bonheur pour elle de mourir de sa petite vérole. Elle en est revenue, il est vrai, mais affreusement défigurée ; et elle y a particulièrement perdu un œil. Vous jugez bien que je ne l'ai pas revue : mais on m'a dit qu'elle était vraiment hideuse.

Le Marquis• de ***, qui ne perd pas l'occasion de dire une méchanceté, disait hier, en parlant d'elle, que la maladie l'avait retournée, et qu'à présent son âme était sur sa figure. Malheureusement tout le monde trouva que l'expression était juste.

Un autre événement vient d'ajouter encore à ses disgrâces et à ses torts. Son procès a été jugé avant-hier, et elle l'a perdu tout d'une voix. Dépens, dommages et intérêts, restitution des fruits[1], tout a été adjugé aux mineurs : en sorte que le peu de sa fortune qui n'était pas compromis dans ce procès est absorbé, et au-delà, par les frais.

Aussitôt qu'elle a appris cette nouvelle, quoique malade encore, elle a fait ses arrangements, et est partie seule dans la nuit et en poste. Ses Gens• disent, aujourd'hui, qu'aucun d'eux n'a voulu la suivre. On croit qu'elle a pris la route de la Hollande.

Ce départ fait plus crier encore que tout le reste ; en ce qu'elle a emporté ses diamants, objet très considérable, et qui devait rentrer dans la succession de son mari ; son argenterie, ses bijoux ; enfin, tout ce qu'elle a pu ; et qu'elle laisse après elle pour près de 50 000 livres de dettes. C'est une véritable banqueroute[2].

La famille doit s'assembler demain pour voir à prendre des arrangements avec les créanciers. Quoique parente bien éloignée, j'ai offert d'y concourir : mais je ne me trouverai pas à cette assemblée, devant assister à une cérémonie plus triste encore. Ma fille prend demain l'habit de Postulante[3]. J'espère que vous n'oubliez pas, ma chère amie, que dans ce grand sacrifice que je fais, je n'ai d'autre motif,

---

1. *fruits* : revenus.
2. *banqueroute* : faillite.
3. *Postulante* : cf. lettre CLXX, note 1, p. 276.

pour m'y croire obligée, que le silence que vous avez gardé
40 vis-à-vis de moi.

M. Danceny a quitté Paris, il y a près de quinze jours. On
dit qu'il va passer à Malte, et qu'il a le projet de s'y fixer. Il
serait peut-être encore temps de le retenir?... Mon amie!...
ma fille est donc bien coupable?... Vous pardonnerez sans
45 doute à une mère de ne céder que difficilement à cette
affreuse certitude.

Quelle fatalité s'est donc répandue autour de moi depuis
quelque temps, et m'a frappée dans les objets les plus
chers! Ma fille, et mon amie!

50 Qui pourrait ne pas frémir en songeant aux malheurs que
peut causer une seule liaison• dangereuse! et quelles peines
ne s'éviterait-on point en y réfléchissant davantage! Quelle
femme ne fuirait pas au premier propos d'un séducteur?
Quelle mère pourrait, sans trembler, voir une autre per-
55 sonne qu'elle parler à sa fille? Mais ces réflexions tardives
n'arrivent jamais qu'après l'événement; et l'une des plus
importantes vérités, comme aussi peut-être des plus généralement reconnues, reste étouffée et sans usage dans le
tourbillon de nos mœurs inconséquentes.

60 Adieu, ma chère et digne amie; j'éprouve en ce moment
que notre raison, déjà si insuffisante pour prévenir nos malheurs, l'est encore davantage pour nous en consoler*.

*Paris, ce 14 janvier 17**.*

* Des raisons particulières et des considérations que nous nous ferons toujours un
devoir de respecter nous forcent de nous arrêter ici.

Nous ne pouvons, dans ce moment, ni donner au Lecteur la suite des aventures de
Mademoiselle de Volanges, ni lui faire connaître les sinistres événements qui ont
comblé les malheurs ou achevé la punition de Madame de Merteuil.

Peut-être quelque jour nous sera-t-il permis de compléter cet Ouvrage; mais nous
ne pouvons prendre aucun engagement à ce sujet: et quand nous le pourrions, nous
croirions encore devoir auparavant consulter le goût du Public, qui n'a pas les
mêmes raisons que nous de s'intéresser à cette lecture.

Bilan

L'action

• **Ce que nous savons**

La quatrième partie s'ouvre sur le récit de la chute de la Présidente* de Tourvel. Le ton s'aigrit aussitôt entre Valmont et la jalouse marquise* ; l'ironie* se fait grinçante, l'italique* venimeux. En apparence, les deux roués parlent encore de renouer, mais à des conditions incompatibles : Valmont, après avoir rendu Mme de Tourvel «heureuse, parfaitement heureuse» (lettre CXXXIII) ; Mme de Merteuil, après avoir détruit sa rivale. La scène où ils se retrouveraient «sur l'ottomane*» s'éloigne soudain ; le moment de s'aimer «comme autrefois» (lettre CXXV) ne reviendra pas. Bientôt, en effet, Valmont succombe au jeu de la coquetterie jalouse que lui joue Mme de Merteuil. Il adresse à la Présidente le billet de rupture, au refrain meurtrier : «Ce n'est pas ma faute», dont la marquise lui proposait le modèle. Par cette seule lettre, il sacrifie la Présidente, qu'il aimait peut-être, à Mme de Merteuil, qui se moque de lui. Dès lors, le duel entre les deux complices tourne à la «guerre» ouverte, avec son cortège de catastrophes : Valmont meurt, Cécile se retire au couvent, Danceny à Malte. Pour faire bonne mesure à la morale, Mme de Merteuil est huée au théâtre, ruinée, vérolée, exilée...

Les personnages

• **Ce que nous savons**

• **Le vicomte* de Valmont** se glorifie de la «pureté de méthode» dont il a usé pour faire succomber Mme de Tourvel. «Gens à principes», les libertins* de Laclos sont des «êtres de projet», qui ont réduit la séduction en «système».
Premier rôle dans la construction de l'intrigue – il est le seul à communiquer directement avec les trois amantes : Cécile, Mmes de Tourvel et de Merteuil –, Valmont s'avère incapable d'agir sur la marquise qui réussit fort bien à le faire sur lui. Dans cette guerre des mots qui forme toute l'action, Valmont a perdu la bataille et l'empire*.
En séduisant sa Présidente, ne s'est-il pas lui-même laissé séduire, abjurant ses «principes» au nom du «sentiment»? Cette question constitue le sujet même du roman. Émule de Rousseau, Laclos a voulu illustrer le conflit de la simple nature et le «système» des roués. Le vicomte a-t-il aimé Mme de Tourvel? Se repent-il

DATES	ÉVÉNEMENTS HISTORIQUES	ÉVÉNEMENTS CULTURELS
1743	Mort du cardinal de Fleury. Début du règne personnel de Louis XV.	
1748		Montesquieu, *De l'esprit des Lois*.
1751		Premier vol. de l'*Encyclopédie*.
1755		Rousseau, *Discours sur l'origine* [...] *de l'inégalité* [...].
1756	Début de la guerre de Sept Ans.	
1763	Traité de Paris : fin de la guerre de Sept Ans. Perte de l'Inde et du Canada : les officiers français doivent renoncer à la gloire.	
1774	Mort de Louis XV. Avènement de Louis XVI.	
1777	Aide française aux Insurgents d'Amérique ; corps expéditionnaire de La Fayette.	
1783	Traité de Versailles : naissance des États-Unis.	
1784		Beaumarchais, *Le Mariage de Figaro*.
1788	Convocation des États généraux.	
1791	Fuite du roi à Varennes.	Chateaubriand en Amérique.
1799	Coup d'État du 18 Brumaire : le général Bonaparte devient Premier Consul.	
1802	Bonaparte devient Consul à vie.	Chateaubriand, *Le Génie du christianisme*.

ÉVOLUTION DU ROMAN	VIE ET ŒUVRE DE LACLOS	DATES
Crébillon fils, *Le Sopha*.	Naissance de Pierre Choderlos de Laclos.	1741
Richardson, traduction de *Paméla*.		1742
Mme Riccoboni, *Lettres de Mistress Fanni Butler*.		1757
Rousseau, *Julie ou la Nouvelle Héloïse*.	Sous-lieutenant d'artillerie.	1761
Marquise de Saint-Aubin, *Le Danger des liaisons, ou les Mémoires de la baronne de Blémon*.	Lieutenant à Toul.	1763
Mme Riccoboni, *Ernestine*.	Laclos est reçu franc-maçon.	1765
Abbé Gérard, *Le Comte de Valmont ou les Égarements de la raison*.		1774
	Capitaine en second, Laclos publie l'*Épître à la Mort* et fait représenter *Ernestine*, opéra-comique tiré du roman de Mme Riccoboni. Échec retentissant.	1777
	Laclos travaille aux fortifications de l'île d'Aix. Il commence *Les Liaisons dangereuses* et demande un congé.	1779
	Publication des *Liaisons dangereuses*. Liaison avec Maris-Soulange Duperré.	1782
	Laclos entreprend de répondre à la question de l'académie de Châlons sur l'éducation des femmes.	1783
	Naissance d'un fils de Laclos et de Marie-Soulange Duperré.	1784
Sade, emprisonné à la Bastille, rédige *Les Cent Vingt Journées de Sodome*.		1785
Bernardin de Saint-Pierre, *Paul et Virginie*.	En congé, il devient secrétaire du duc d'Orléans.	1788
Sade, *Justine*.	Laclos propose, à la tribune des Jacobins, la régence du duc d'Orléans.	1791
	Réintégration dans l'armée comme général de brigade. Laclos appuie le coup d'État.	1799
Chateaubriand, *René*.	Inspecteur général d'artillerie.	1802
	Commandant de l'artillerie à Naples, Laclos meurt de la dysenterie à Tarente.	1803

L'HORIZON MENTAL ET AFFECTIF
DE LA FIN DES LUMIÈRES

L'époque des *Liaisons° dangereuses*, dans la France de 1782, est celle d'une crise des Lumières. Certes, jamais la foi dans la raison, héritée de l'âge classique, n'avait été plus répandue parmi les beaux esprits. Laclos est d'un temps où beaucoup ne doutent plus que la science puisse un jour traduire en langage intelligible tous les mystères de la nature. Émule sans doute du baron d'Holbach, Mme de Merteuil n'est pas loin de croire qu'on apprend la physique du cœur comme celle de la matière. Les sarcasmes des Philosophes sont sur le point d'ébranler les structures politiques de la vieille Europe léguées par le Moyen Âge. Nous sommes à la veille de la Révolution. Laclos y jouera un rôle de premier plan.

Cependant, sous les certitudes rationalistes, voire matérialistes, percent déjà des inquiétudes qui annoncent l'âge romantique. La leçon de Rousseau se fait entendre : si l'homme est un être de raison, il est aussi une créature sensible. Les incertitudes du cœur et les exigences de la sensibilité commencent à obscurcir la foi en la raison sous les brumes naissantes du sentiment.

La civilisation des Lumières reste une aube alors même qu'elle touche à son crépuscule.

En un sens, le siècle des Lumières représente la troisième vague de l'**humanisme**. Au XVIe siècle, la découverte de l'Amérique, ce continent qu'ignore la Bible, avait ébranlé pour la première fois l'autorité de la Révélation. Puis, vers 1640, Descartes avait démontré que, pour fonder la vérité, il suffisait de recourir aux **lumières naturelles** de la raison. Dorénavant, aux yeux des Modernes, l'individu, en tant que **sujet** pensant, serait appelé à se substituer de plus en plus au dogme et à la tradition comme source des valeurs.

Outre le cartésianisme* en France, le XVIIe siècle avait vu naître, en Angleterre, un autre courant de pensée majeur, l'empirisme* de John Locke, qui devait lui aussi se diffuser largement au siècle suivant. Certes, ces deux systèmes de pensée sont antagonistes. Descartes posait en principe que nos idées sont innées. Les empiristes, comme Condillac, voyaient au contraire dans l'expérience sensorielle l'unique source de nos connaissances. Pourtant, le courant des Lumières, qui se cristallise à l'horizon 1750 autour de l'*Encyclopédie*, est né au confluent de ces deux philosophies contraires. Ce mariage paradoxal s'explique : les Philosophes demandaient au rationalisme* de Descartes qu'il les affranchît de la tradition et du préjugé, tandis qu'ils cherchaient chez les empiristes un antidote au vieil innéisme* cartésien, entaché de l'esprit, tout scolastique* à leurs yeux, de la métaphysique.

Les contemporains de Laclos ne se sentent plus assignés à résidence dans une nature, un statut social et un destin qui leur auraient été fixés une fois pour toutes par la naissance et le dogme religieux. Leur but dans l'existence n'est plus le salut céleste mais le bonheur terrestre. Ils croient que l'individu peut y parvenir par l'expérience et l'éducation. Cette foi dans le progrès fait que le philosophe remplace désormais le prêtre comme instituteur de l'humanité, ce qui ne va pas sans un anticléricalisme certain.

En un sens, le *credo* personnel de Laclos s'identifie assez bien à l'optimisme des Lumières. Il est possible de voir dans *Les Liaisons• dangereuses* une sorte d'œuvre pédagogique renversée, qui enseignerait par l'exemple ce qu'il ne faut pas faire en matière d'éducation. N'oublions pas que tous les personnages sont, en effet, très jeunes, donc en âge d'apprendre. Tel est le cas, en particulier, de la petite Volanges ou de Mme de Tourvel. Les malheurs de Cécile Volanges illustrent les dangers d'une éducation abandonnée aux préjugés obscurantistes des couvents. Les tourments de la jeune Présidente• de Tourvel peignent les dangers d'une chasteté qui prétendrait ignorer que les êtres humains sont aussi des êtres de chair, des êtres sensibles.

Car les leçons de Rousseau conduisaient à douter que le progrès matériel dût s'accompagner nécessairement d'un progrès des mœurs et de la société. Les conquêtes de la raison, disait Rousseau, éloignent les hommes de la nature et ne concourent pas au bonheur, en tout cas pas à celui de tous. Le rationalisme* pouvait donc être un poison s'il ne servait que l'égoïsme des nantis. L'exemple des roués en offrait à Laclos la meilleure preuve. Certes, l'homme ne devient humain qu'en « s'arrachant » à sa naissance, aux traditions et aux préjugés par le continuel progrès des Lumières : tel avait été le message lumineux de Voltaire. Mais l'âge de Laclos découvre aussi, avec Rousseau, que cette foi comporte un revers obscur. Partant du postulat que l'individualisme n'a pas de limites qui lui soient prescrites par la nature ou par Dieu, les libertins• réduisent la raison au calcul, l'homme à la sensualité, la morale à la naïveté. Ils poussent les principes individualistes jusqu'à l'égoïsme le plus cynique. *Les Liaisons dangereuses* traduisent, à leur manière, cette crise de confiance qui ébranle les Lumières à la fin du siècle. Comme le remarque Robert Mauzi, « *le bel édifice* » est en ruine. « *Sade et Laclos sont, en morale, le double produit de la décomposition du rationalisme* » (*L'Idée de bonheur au XVIIIe siècle*, Armand Colin, Paris, 1960, p. 646).

LES CONTESTATIONS DES LUMIÈRES

Contestation aristocratique, le libertinage
•

Laclos n'est rien moins que libertin• : bon père, bon époux,
émule de Rousseau, cet officier loyal n'a point mené l'existence
de ses héros. Mais, quand il a voulu donner «*un ouvrage qui fît
du bruit sur la terre*», il y est parfaitement parvenu en choisissant d'éclairer l'univers des libertins d'un jour cru. Notant que
«Les Liaisons• dangereuses *sont un livre d'histoire*», Baudelaire
commentait son propos en ajoutant que «*la Révolution avait été
faite par des voluptueux*», et que «*les livres libertins com-
mentaient donc et expliquaient la Révolution*».
Au XVIIᵉ siècle, les **libertins** étaient surtout des esprits qui
inclinaient à une philosophie naturelle et rationaliste, et se
montraient critiques à l'égard de la tradition religieuse : Gas-
sendi, ou La Mothe Le Vayer, par exemple, avaient voulu
réhabiliter Épicure. Le plus typique d'entre eux était alors
Saint-Évremond qui, poursuivant la quête des humanistes de la
Renaissance, s'était demandé si, sans le secours de la grâce et
de la Révélation, l'on ne pourrait fonder une morale sur
l'homme seul. Mais le mot de «*libertins*» désignait également
de jeunes nobles débauchés, dont le Don Juan de Molière est
devenu *a posteriori* le portrait type.
Au XVIIIᵉ siècle, les deux acceptions – «*impie*» et «*débauché*» –
tendent à se confondre : contre la morale religieuse, qui prêche
la continence, les libertins proclament la souveraineté de la
nature et la primauté de l'instinct ; contre l'autorité de la
tradition, ils ne se veulent sujets que de la **raison**, ou de leurs
sens. Or la raison, comme les sens, suggère à l'homme de
suivre la nature, qui n'a d'autre aiguillon que le plaisir pour le
conduire à ses fins. Comme Beaumarchais le fait dire à
Suzanne, dans le vaudeville final du *Mariage de Figaro* : «*Ainsi
la nature sage/Nous conduit, dans nos désirs,/À son but par les
plaisirs.*» Le sensualisme*, le naturalisme*, l'empirisme*, cou-
rants majeurs de la philosophie des Lumières, se confondent
donc parfois avec les maximes du libertinage philosophique.

Contestation bourgeoise : la revendication du mérite
contre la naissance
•

Face à la morgue aristocratique, Beaumarchais, on le sait, lan-
cera l'apostrophe fameuse du monologue de Figaro, au cin-
quième acte du *Mariage* : «*Noblesse, fortune, un rang, des places,*

tout cela rend si fier ! Qu'avez-vous fait pour tant de biens ? Vous vous êtes donné la peine de naître, et rien de plus... tandis que moi, morbleu ! perdu dans la foule obscure, il m'a fallu déployer plus de science pour subsister seulement, qu'on en a mis depuis cent ans à gouverner toutes les Espagnes...» (V, 3). Déjà, dans *Le Barbier de Séville*, fusaient des *lazzis* célèbres contre la noblesse et ses privilèges : «*Aux vertus qu'on exige dans un domestique, votre Excellence connaît-elle beaucoup de maîtres qui fussent dignes d'être valets ?*» (I, 2). Il est permis de rapprocher l'attitude de la marquise•, et notamment sa révolte contre la domination des hommes, de cette contestation bourgeoise. Que reproche-t-elle au fond au vicomte• de Valmont, sinon que son seul mérite soit de s'être donné la peine de naître ? «*Et qu'avez-vous donc, fait, que je n'aie surpassé mille fois ? [...] où est là le mérite qui soit véritablement à vous ? Une belle figure, pur effet du hasard ; des grâces, que l'usage donne presque toujours ; de l'esprit à la vérité, mais auquel du jargon suppléerait au besoin ; une impudence assez louable, mais peut-être uniquement due à la facilité de vos premiers succès ; si je ne me trompe, voilà tous vos moyens [...]*» (lettre LXXXI).

Revendications féministes
•

Prenant le contre-pied des préjugés de son temps, Françoise de Graffigny (1695-1758) dénonce, dans des termes proches de ceux de la marquise de Merteuil ou de la Marceline du *Mariage de Figaro* (III, 16), une société où les préjugés et l'hypocrisie assujettissent les femmes aux caprices des hommes, toujours impunis.

Sensibilité et goût du bonheur
•

Le **bonheur** est ce que cherche tout le siècle, jusque dans sa frénésie de plaisirs. Saint-Just y verra «*une idée neuve en Europe*». Il est le grand objet des Philosophes. Voltaire le fait dépendre de l'effort collectif de «*civilisation*», qui propage les Lumières, multiplie les richesses et répand partout l'abondance. Rousseau le conçoit comme un «*accord secret de la conscience individuelle avec l'innocence et la simplicité de la nature*». Diderot en fait parfois une propriété proprement «*physiologique*», le but même de l'être vivant. Mais, pour tous, une chose est certaine : l'homme peut prétendre au bonheur sur terre. Pour cela, il lui faut suivre sa «*vocation naturelle*». Ce n'est donc pas un hasard si Laclos a fait du bonheur individuel l'enjeu même de la quête problématique de ses libertins•.

Qu'un officier tel que Laclos ait pu, en un seul chef-d'œuvre, se révéler soudainement un observateur si perspicace du cœur humain et un écrivain si maître de son art peut surprendre. S'en étonner serait pourtant oublier que son talent s'enracine dans une certaine société : culture de «l'honnêteté», études classiques approfondies, art de la conversation, aussitôt relayé par celui d'écrire des lettres dès qu'on est éloigné, caractérisent la civilisation des Lumières. Si Laclos, dès son coup d'essai, a pu réussir un coup de maître, c'est qu'il illustre, comme Racine ou La Fontaine, la fécondité de la doctrine classique de l'imitation : s'appuyer sur la tradition donne aux créateurs à la fois les moyens de la perfection esthétique et ceux de l'originalité véritable. Laclos a lu, plus encore que ses roués, pourtant fort savants, si l'on en juge par leurs citations : les sources des *Liaisons• dangereuses* sont donc multiples et complexes.

Comme le montrent les notes qu'il prenait en 1784, en lisant le roman de Miss Burnett, *Cécilia*, ou en 1804, en marge du *Fils naturel* de Lacretelle, alors qu'il projetait d'écrire un roman destiné à «*rendre populaire cette idée qu'il n'existe de bonheur que dans la famille*», Laclos part non d'un caractère ou d'une situation, mais d'une idée. L'idée génératrice des *Liaisons* est donnée dans la «*Préface*» : «*Deux vérités importantes*» seront démontrées, «*l'une, que toute femme qui consent à recevoir dans sa société un homme sans mœurs, finit par en devenir la victime ; l'autre, que toute mère est au moins imprudente, qui souffre• qu'un autre qu'elle ait la confiance de sa fille.*»

Il procède ensuite en remaniant une œuvre de fiction où il trouve cette idée déjà illustrée. Dans le cas des *Liaisons*, René Pomeau (*Laclos ou le Paradoxe*, Hachette, 1993) démontre que leur premier modèle littéraire se trouve probablement dans ce roman de Mme Riccoboni, *Ernestine*, que Laclos avait précédemment échoué à porter au théâtre. L'auteur appliqué obtient alors son épure géométrique. Il ne lui reste qu'à l'habiller de chair.

Puisant dans toute la tradition du roman libertin•, il concentre dans son œuvre les effets qu'il y trouve le plus à son goût, comme l'a magistralement étudié Laurent Versini (*Laclos et la tradition, essai sur les sources et la technique des «Liaisons dangereuses»*, Klincksieck, 1968).

Mais, dans le cas des *Liaisons*, le coup de génie fut de comprendre que la forme épistolaire s'imposait, étant consubstantielle à la matière romanesque elle-même. Laclos allait ainsi pouvoir donner libre essor à son imagination combinatrice. Il serait surtout conduit à écrire **avec** chacun de ses personnages. Sa réussite est d'avoir su peindre les caractères par les styles aussi divers qu'affirmés, qu'il prête à chacun. Revêtue d'un tour de phrase particulier, d'une couleur d'expression propre, l'idée qui avait engendré chaque personnage s'anime et devient vivante. Dès lors, la tradition est sublimée, l'imitation se fait «innutrition», et non plus esclavage.

L'INFLUENCE DES GRANDS GENRES ROMANESQUES

Cf. tableau récapitulatif, p. 6.

L'INFLUENCE DE TROIS ROMANCIERS

Outre l'influence des formes, Laclos avoue l'attraction majeure qu'ont exercée sur lui trois romanciers de premier plan : Richardson, Crébillon fils et Rousseau. À eux trois, ils constituent ce que Laurent Versini a pu nommer les «*affinités profondes*» de Laclos.

Richardson (1689-1761)
•

Richardson avait apporté au roman un type fondamental. Son Lovelace, séducteur sans scrupules, avait fourni à l'Europe la version romanesque de Don Juan. Clarisse Harlowe qui, entre autres épreuves, subit le rapt et le viol, avait offert de son côté l'archétype des infortunes de la vertu dans une société corrompue. L'univers romanesque de Richardson se veut très solidement ancré dans le réel. Le décor reproduit le foisonnement de la vie réelle ; les nombreux personnages ont une condition sociale, un état civil, un âge précis. Ils parlent une langue plus conforme à leur état et à leurs mœurs qu'au bon usage académique.

On retrouve en Valmont bien des traits de Lovelace, et en Mme de Tourvel bien des aspects de Clarisse. Mais Laclos ne retient que l'essence de ces caractères. La référence à la réalité extérieure s'allège jusqu'à l'abstraction, la diversité des conditions et des langages disparaît, le nombre des personnages diminue fortement. Stylisé à l'extrême, le réel se réduit à une épure, et la matière romanesque à l'alchimie des sentiments. *Les Liaisons*• *dangereuses* intériorisent entièrement l'univers grouillant et foisonnant de Richardson. Intégrant ce monde à une tradition bien française, Laclos n'a conservé de son modèle que l'analyse psychologique.

Crébillon fils (1707-1777)

•

Crébillon fils, quoi qu'en pensent certains, demeure l'un des grands maîtres du roman français d'analyse. Laclos, qui l'admire, tient de lui une manière, un style et un vocabulaire psychologique tout à fait efficaces. Il se souvient manifestement des équations pessimistes de cette *«arithmétique du cœur»* où excelle la virtuosité de son modèle ; il trouve dans son lexique un irremplaçable instrument d'analyse des mouvements secrets du désir ou de la passion.

Mais Laclos ne se borne pas à des emprunts de style. L'univers même des romans de Crébillon fils se retrouve dans *Les Liaisons*•. Comme *Les Liaisons*, *Les Égarements du cœur et de l'esprit* opposent les relations de passage à la permanence de la passion, avec son cortège d'égarements et de ravages. L'hypocrisie des boudoirs, la vanité des petits-maîtres, les analyses de la mauvaise foi qui invoque l'amour afin de déguiser le désir fournissent une matière de référence à l'un et l'autre auteur, et, comme Crébillon fils, Laclos méprise cette société étroite qu'il décrit. La vision morale qui se dégage des *Liaisons*, plutôt sombre à force de lucidité, est également assez proche de celle de l'auteur du *Sopha*. C'est chez lui que Laclos trouve cette doctrine pessimiste selon laquelle il n'est pas de femme qui ne soit à l'abri d'une surprise des sens, tout dépendant du **moment** et de l'**occasion**. Chez l'un comme chez l'autre, les libertins• jugent que la sensualité dégrade, tandis que l'amour vrai n'est, à leurs yeux, qu'une illusion. Il n'est pas jusqu'au caractère fondamental du libertin• qui ne soit construit de façon identique chez Laclos et son maître : chez l'un et l'autre romancier, le plaisir du libertin est tout d'intelligence et de domination. Pour cela, leurs roués, Versac ou Valmont, sacrifient l'être au paraître, se dénaturent au prix d'un effort continu, afin de se sentir différents et supérieurs à tous.

Pourtant, tout oppose le moralisme austère de Richardson et le libertinage de Crébillon. Il faut donc, pour qu'ils parviennent à faire bon ménage dans l'œuvre de Laclos, que celui-ci ait su les *« plier »* l'un et l'autre *« à son dessein »*, comme le souligne L. Versini. Valmont, doté d'une sensibilité inquiète qui bouscule son système de séduction calculée, est un être bien plus complexe que le brutal Lovelace, et bien plus vrai que le froid Versac des *Égarements*. Sur ce point encore, loin d'être un esclavage, l'imitation fournit à Laclos une matière première qu'il enrichit et sublime bien plus qu'il ne la reproduit.

Rousseau (1712-1778)

•

D'une certaine façon, la leçon fondamentale qui se dégage des *Liaisons*• provient de Rousseau : comme ce dernier, Laclos pense que la société corrompt l'homme irrémédiablement. C'est précisément ce qu'illustre le « danger des liaisons ». Toutefois, Laclos prend ses distances à l'égard de son maître. Il le surpasse même sur un point : Rousseau méprise l'ironie*, dont il est incapable ; or c'est l'ironie, constamment prodiguée par Laclos, qui donne aux *Liaisons* leur brio, leur esprit et leur efficacité critique. Et c'est avec ironie que Laclos se réfère à Rousseau : il laisse Valmont et Merteuil « profaner » Rousseau en le leur faisant citer sur un mode parodique. C'est encore par ironie qu'il « *redistribue au dérisoire Gercourt le rôle de Wolmar, partage entre le doucereux*• *Danceny et le dangereux Valmont les élans de Saint-Preux, entre Cécile et la Présidente*• *l'aventure de Julie, dont Mme de Merteuil n'est pas sans recueillir à son tour l'éloquence, prêcheuse quand il s'agit de plaider contre le mariage d'amour, sentimentale quand il s'agit d'accueillir Belleroche* » (L. Versini, *Laclos, Œuvres complètes,* « Bibliothèque de la Pléiade », Gallimard, 1979, p. 1149). Les rôles principaux de *La Nouvelle Héloïse* sont donc systématiquement distribués à des personnages sans relief ou de caractères opposés à celui de leurs illustres modèles.

Plus encore, on peut dire que, pour soutenir la même thèse de la société corruptrice, *Les Liaisons* adoptent le point de vue symétriquement opposé à celui de Rousseau : au contact de la nature, les personnages de Rousseau épuraient leurs passions et s'élevaient à la vertu ; plongés dans l'enfer des boudoirs et des cercles mondains, ceux de Laclos sombrent dans le mal et s'abîment dans une rage destructrice. Jean Rousset a même pu comparer *Les Liaisons* à « *une* Héloïse *renversée* ».

L'HISTOIRE NARRÉE

L'action
•

Si l'on met entre parenthèses les anecdotes (l'aventure des « *Inséparables* », l'aventure avec Prévan, le « *réchauffé*• *avec la vicomtesse*• *de...* »), qui sont là pour camper le décor libertin•, et les multiples péripéties, l'histoire racontée dans le roman peut se résumer ainsi : le vicomte de Valmont, libertin notoire, a naguère été l'amant de la marquise• de Merteuil. Depuis leur rupture, cette ancienne maîtresse est devenue pour le vicomte une confidente épistolaire, une complice en rouerie, mais aussi sa rivale en libertinage. Soit par désir, soit par jeu, Valmont cherche apparemment à renouer sa liaison• avec cette ancienne maîtresse (lettre XV). Par défi et pour se faire valoir, il entreprend une gageure : conquérir une jeune prude• dévote• et sage, mais sensible autant que belle, qui se trouve être l'épouse momentanément esseulée du Président• de Tourvel (lettres IV et VI).

Cependant, Mme de Merteuil a d'autres vues pour son complice. Dominatrice et impérieuse, cette femme supérieure ne veut qu'en faire l'instrument de la vengeance qu'elle médite contre un certain Gercourt, un ancien amant qui l'a jadis abandonnée (lettres II et XX). Elle exige de Valmont qu'il séduise avant ses noces la jeune Cécile Volanges, éprise du jeune Danceny, et que Gercourt doit épouser (lettre II). Piqué dans son amour-propre, Valmont refuse cet ordre (lettre IV), jusqu'à ce qu'il découvre que c'est précisément la mère de Cécile qui cherche à lui nuire dans l'esprit de la Présidente de Tourvel (lettre XLIV). Son désir de vengeance rejoignant alors celui de la marquise, il accepte de corrompre Cécile contre la promesse que lui a fait miroiter la marquise de lui accorder à nouveau ses faveurs (lettre XX). L'affaire réussie (lettres XCVI, C et CX), au lieu d'exiger de la marquise la récompense qu'elle lui a promise, il reprend ses manœuvres en direction de Mme de Tourvel.

Mme de Tourvel tombe éperdument amoureuse de Valmont, qu'elle s'ingénie pourtant à fuir (lettre C). Elle finit par se donner à lui dans un état de demi-conscience (lettre CXXV). Le libertin se hâte aussitôt de faire savoir son succès à Mme de Merteuil. Mais, violemment jalouse (lettres CXXXI et CXLI) de l'amour véritable qu'elle a depuis longtemps (lettre X) décelé chez Valmont pour la belle dévote, Mme de Merteuil promet ses faveurs au prix de l'envoi, à la Présidente, d'une impi- toyable lettre de rupture dont elle adresse le modèle au vicomte• (lettre CXLI). Le roué s'exécute, sacrifie sa conquête, qui en meurt, frappée de folie. Le séducteur exige alors sa récompense (lettre CXXVII), mais la marquise• se dérobe. Comme pour rendre à Valmont la monnaie de sa pièce, elle noue une nouvelle liaison avec le chevalier• Danceny, l'amant de cœur de Cécile (lettres CXVI, CXVIII et CXXI).

Dès lors, c'est « la guerre » (lettre CLIII) entre les deux anciens complices, devenus rivaux d'orgueil : Valmont révèle à Danceny la noirceur• de la marquise. Elle attendra en vain le jeune homme toute une nuit (lettres CLV à CLVIII). Furieuse, Mme de Merteuil révèle à son tour à Danceny que Valmont l'a trompé en séduisant sa chère Cécile. Danceny provoque Valmont en duel et le tue (lettre CLXII). Avant d'expirer, le vicomte parvient à remettre au jeune homme les lettres de la marquise (lettre CLXIII). Deux d'entre elles circulent au grand jour dans Paris et perdent de réputation la marquise. Bannie du monde, défigurée par la vérole, Mme de Merteuil s'exile en Hollande (lettres CLXXIII et CLXXV).

Le schéma de l'action se ramène donc à trois fils d'intrigue•, qui sont constitués par les trois entreprises de séduction que conduit parallèlement Valmont en direction de la marquise de Merteuil, de la Présidente• de Tourvel et de Cécile Volanges. L'intérêt est ainsi suspendu à trois questions :

• La marquise parviendra-t-elle à se venger de Gercourt, ce qui suppose la séduction de Cécile, donc l'obéissance de Valmont ?

• Valmont, de son côté, triomphera-t-il de la jeune et prude• Mme de Tourvel ?

• Parviendra-t-il cependant à séduire de nouveau la marquise et à se maintenir en bons termes avec cette personne si impérieuse ?

Les trois intrigues sont savamment enlacées par l'auteur, grâce à la formule même du roman par lettres à plusieurs voix. De plus, elles forment entre elles des contrastes à la fois esthétiques et moraux : à la tentative de séduire Merteuil, donc de séduire le vice, Laclos oppose les séductions antithétiques de la vertu avec Tourvel, et de l'innocence avec Cécile. Les deux victimes de Valmont, la prude sage et la jeune naïve – l'une se perdant par l'âme, l'autre par le corps –, offrent deux figures contrastées de la vulnérabilité des femmes. La forme épistolaire et la composition par intrigues entrelacées servent à la fois l'esthétique et la démonstration morale.

Ces deux intrigues, de plus, se subordonnent logiquement l'une à l'autre, le sacrifice de la Présidente et la dépravation de Cécile apparaissant comme des conditions de la reconquête des faveurs de Mme de Merteuil. Car l'intérêt est avant tout suspendu à cette question : Valmont et Mme de Merteuil renoueront-ils ? C'est de là que le roman tient son unité, en dépit de sa complexité.

Laclos, inspiré par les arts de la scène, compose son œuvre comme on règle un ballet. La liaison• finale entre Merteuil et Danceny fait écho à celle qui unit furtivement le vicomte• et Cécile, tout comme se répondent les anecdotes symétriques de Valmont avec la vicomtesse de... et de Merteuil avec Prévan. L'intrigue• que noue le vicomte avec Mme de Tourvel demeure significativement unique et sans parallèle. On dirait un pas-de-deux tragique apparaissant au centre d'un quadrille de comédie.

Mais cette présentation de l'action ne doit pas faire oublier que, schématiquement, l'enjeu dramatique principal reste la joute dans laquelle s'affrontent la marquise• et Valmont. L'instable complicité de ces deux rivaux en libertinage les conduit à se défier l'un l'autre par conquêtes interposées.

Le **plan** de l'œuvre peut dès lors se résumer ainsi :
• Première partie : Mise en place des intrigues.
• Deuxième partie : Merteuil séduit Prévan.
• Troisième partie : Valmont réplique en corrompant Cécile.
• Quatrième partie : Valmont séduit Tourvel, puis Merteuil lui rend la pareille avec Danceny.

Orgueilleux l'un et l'autre, jaloux de leur indépendance autant que de leur *«gloire»*, ces deux aristocrates ne séduisent que pour faire parade de leur virtuosité, de leurs conquêtes et de leur perfection de méthode. Mais ces nobles scélérats• sont réduits, par leur méchanceté même, à dissimuler au monde leurs forfaits. Ils sont ainsi nécessairement conduits à se prendre l'un l'autre pour témoin de leurs conquêtes par le biais de leur correspondance, car il faut bien à ces glorieux un spectateur au moins. De proche en proche, ils s'engagent dans une escalade de provocations. À chaque intrigue réussie par l'un doit répondre un succès galant de l'autre : Mme de Merteuil ayant séduit Prévan, Valmont force Cécile et lui enseigne un *«catéchisme de débauche»* ; à peine a-t-il triomphé de la vertu de la Présidente• que la marquise se donne à Danceny et s'en fait l'institutrice. Suivant une implacable progression géométrique, la rivalité des deux anciens amants se tend, du persiflage initial jusqu'à une *«guerre»* qui amène le dénouement par leur mutuelle destruction.

Les acteurs
•

• **Mme de Merteuil** : Valmont est le sujet des trois «quêtes» qui structurent l'intrigue. Il apparaît presque toujours en position de sujet, non d'objet de l'action. Du point de vue de la construction dramatique, Valmont est donc incontestablement le personnage principal.

Pourtant, le personnage dominant du roman n'est pas le séducteur, mais sa rivale féminine, Mme de Merteuil. Cette supériorité, la marquise• la doit autant à l'éclat maléfique de son caractère hors du commun qu'à sa position privilégiée au sein du réseau des correspondances échangées. Car, des trois protagonistes, si elle est celle qui écrit le moins (27 lettres), elle est en revanche celle à qui l'on écrit le plus. Placée au centre des intrigues•, dont, en outre, elle est le plus souvent l'inspiratrice, Mme de Merteuil est ainsi, de tous les personnages, celui qui en sait le plus sur les autres et sur l'ensemble des situations. C'est donc par son point de vue que le lecteur est le mieux informé, d'où sa place éminente dans le système des personnages.

Il s'agit d'abord d'une femme supérieurement intelligente et fort cultivée. Sa vivacité d'esprit se montre dans son talent de manœuvrière, dans l'éclat de son style, comme dans la lucidité de ses analyses psychologiques. Elle en remontre à Valmont en stratégie galante et décèle impitoyablement chez lui les symptômes de l'amour. Véritable caméléon littéraire, elle adapte merveilleusement son style et ses propos à chacun de ses différents interlocuteurs. Elle excelle à faire du langage, qu'elle manie avec la virtuosité d'un écrivain consommé, l'instrument même de sa domination sur les autres.

Sa culture, essentiellement théâtrale, est celle d'une mondaine, mais qui connaît admirablement son répertoire, comme le prouvent ses nombreuses allusions à la comédie ou à la tragédie du temps (cf. « *Zaïre, vous pleurez* », lettre LXXXV). Elle pratique le détournement des valeurs les plus consacrées avec un sens aigu de l'ironie* et de la provocation morale. Comme le montre son étonnante confession contenue dans la lettre LXXXI, Mme de Merteuil se définit avant tout par sa volonté de puissance. Elle se rebelle contre l'ordre naturel et se révolte contre la suprématie des hommes. Pour assouvir son goût de la domination, elle a compris qu'il lui fallait atteindre à une maîtrise parfaite de ses passions et de ses apparences, autrement dit de son corps. Elle s'est appliquée à ne se gouverner que par calcul et réflexion, à se défier de l'imagination comme de l'instinct. Cependant, elle refuse d'enfermer ses démarches dans un système. Réaliste et pragmatique, Mme de Merteuil se montre toujours attentive à observer les êtres pour tirer parti de l'occasion. Elle se moque du reste des « *gens à principes* » qui, comme Valmont, ne savent agir que par méthode et par *a priori*.

299

Cette femme, qui collectionne les amants, est cérébrale plus encore que sensuelle, féminine par le corps mais virile par la volonté. Ainsi l'éveil de la sexualité n'aura-t-il été pour elle qu'une occasion d'élargir le champ de son étude de la nature humaine (lettre LXXXI).

Mais, après le cynisme et la volonté de puissance, l'attribut essentiel de Mme de Merteuil, ce *«tartuffe femelle»*, comme l'appelle Baudelaire, demeure une hypocrisie consommée. Elle confesse qu'elle a étudié dès l'enfance l'art de dissimuler (lettre LXXXI). Le plus important, c'est que ce goût du mensonge et du masque la marquise le fonde philosophiquement sur un mépris profond pour tout ce qui procède de la simple nature. À ses yeux, être homme, c'est s'abstraire en tout de l'ordre animal de la nature, où tout est dépendance et nécessité, pour s'inscrire exclusivement dans l'ordre de la culture, qui est celui de l'arbitraire, de l'artifice et de la liberté. Elle, qui cite Rousseau, hait en Mme de Tourvel autant un archétype de la femme *«naturelle»* (lettre VI) qu'une simple rivale. En la naïve Cécile, elle ne voit qu'une *«machine à plaisir»*. Sa lettre autobiographique (lettre LXXXI) montre quels soins elle a déployés pour se composer un personnage tout d'artifice, où le calcul et l'intelligence dominent entièrement l'instinct et le sentiment spontané : *«Je puis dire*, clame-t-elle fièrement, *que je suis mon ouvrage.»*

Au total, cette joueuse d'échecs apparaît comme une Héloïse en négatif, l'exact opposé de Julie, cet idéal féminin de Rousseau. Calculatrice et insensible, cette femme toute cérébrale, proche du sensualisme* d'un Condillac, de l'utilitarisme* d'un Bentham, offre la figure d'un sage inversé. Merteuil a conservé l'hypertrophie de l'entendement qui caractérise ses modèles masculins. Mais elle a remplacé la nature par la vie mondaine, la philanthropie par le calcul, le goût du bien par celui de l'utile. Antiphilosophe femelle, se composant une âme non pas sensible mais cruelle, elle n'a pour morale que le cynisme le plus absolu.

• **Valmont** : dans la construction de l'intrigue, le couple des roués occupe la position centrale, avec une nette prééminence dramatique de Valmont. Malgré l'habileté de la marquise, Valmont reste un personnage conquérant et viril. Sur le terrain au moins, il a le privilège de l'initiative. Même si sa complice lui rappelle qu'elle est à l'origine du projet de corrompre Cécile, il reste le seul à communiquer directement avec les trois femmes : Cécile, Tourvel et Merteuil.

La polyphonie*, propre au roman épistolaire, nous permet de lire plusieurs portraits contradictoires et complémentaires de Valmont (lettres VIII, IX, LXXXI, CXIII, CXXXIV et CLXIII).

Causeur brillant, presque honnête homme, philosophe et serein, sous la plume de Mme de Tourvel (lettre VIII), Valmont apparaît dès la lettre suivante sous l'aspect du plus cynique séducteur. La lettre LXXXI le peint comme un homme à bonnes fortunes assez plat. Amoureux de Mme de Tourvel aux yeux de la marquise•, il compose une belle figure d'aristocrate sur son lit de mort. Cette rotation des points de vue concourt à la richesse du personnage mais aussi à son ambiguïté. Qui est-il vraiment ?

Ce cynique dénué de scrupules (qu'on songe aux moyens dont il use pour subtiliser une clé, forcer Cécile ou abuser le Père Anselme...) ne choisit jamais ses victimes féminines. Il a été choisi par Mme de Merteuil (lettre LXXXI : *« Séduite par votre réputation, il me semblait que vous manquiez à ma gloire ; je brûlais de vous combattre corps à corps »*). Émilie étant une fille de joie, il n'a pas eu à la séduire. Cécile lui est imposée par Mme de Merteuil et offerte par l'occasion. Avec Mme de Tourvel, la seule qu'il ait choisie, il s'écarte malgré lui du pur libertinage pour céder à un sentiment voisin de l'amour. Tout semble montrer, et en particulier les lettres LXXXI et LXXXV, que Valmont s'est composé ou plutôt s'est laissé imposer, par ses succès comme par sa faiblesse, le masque du roué, qu'il ne s'adonne au libertinage qu'avec une application contrainte (lettre LXXXV : *« Qu'il est commode d'avoir affaire à vous autres gens à principes ! [...] votre marche réglée se devine si facilement ! »*), et qu'il ne s'y maintient que par un orgueil et une vanité d'aristocrate dévoyé. En présence de Mme de Tourvel, il se laisse aller à un sentiment qu'il ne peut dominer (lettre IV : *« Je n'ai plus qu'une idée ; j'y pense le jour et j'y rêve la nuit. J'ai bien besoin d'avoir cette femme, pour me sauver du ridicule d'en être amoureux »*). Confronté au regard de la marquise, il sent aussitôt combien il s'écarte de l'attitude qu'il s'est composée peut-être par gageure. De ce fait, on devine qu'il est un enjeu que se disputent le sentiment naturel et le libertinage calculé. C'est du reste à chaque fois qu'il se rend compte que le sentiment risque de l'emporter qu'il se risque à une manœuvre libertine• : la lettre timbrée de Dijon, celle qu'il écrit sur le dos d'Émilie et la corruption de Cécile sont autant de gestes forcés par lesquels il espère sinon se guérir de l'amour, du moins convaincre la marquise de sa guérison. En proie à des déterminations contraires, Valmont n'en devient que plus mystérieux pour le lecteur.

De plus, avec une habileté consommée, Laclos nous cache jusqu'au bout les vrais sentiments de Valmont : la lettre CLIV fait allusion à une lettre de Valmont à la Présidente que le « Rédacteur » affirme avoir supprimée sous un prétexte bien léger. Y exprimait-il du remords ? Reniait-il sa conduite libertine•• ? N'a-t-il voulu que se rabattre sur une proie facile en voyant Mme de Merteuil lui échapper ? Nous ne le saurons jamais. Quant aux lettres de la marquise•, l'ironie* y est si constante, la jalousie et le parti pris si flagrants, qu'il est difficile de prendre pour argent comptant ce qu'elle déclare au sujet des sentiments amoureux de Valmont à l'égard de Tourvel. Le personnage échappe donc à toute analyse définitive, puisque le roman par lettres n'offre au lecteur aucun équivalent de ce point de vue omniscient* du narrateur impersonnel qui caractérisera les romans réalistes du siècle suivant. Le livre se referme en emportant le secret de Valmont dans la tombe. Ce qui est sûr, c'est que Valmont est pris dans le conflit des influences contraires qu'exercent sur lui deux femmes entièrement opposées. Mme de Tourvel incarne la femme naturelle, spontanée, rebelle aux artifices, incapable de duplicité ou de mensonge, tandis que Mme de Merteuil figure un monde opposé, tout entier dominé par l'artifice, le calcul froid et la tromperie méthodique. Pris entre ces deux tentations contraires, celle de la nature et de l'antinature, Valmont subit plus qu'il n'agit, et se trouve en fin de compte perdant et complètement défait. Avec sa défaite, c'est sans doute celle du système des libertins qu'a voulu peindre Laclos.

Au-delà de sa psychologie mécaniste ou sensualiste, Valmont entrevoit chez Mme de Tourvel un univers tout autre qui est celui de la sensibilité. Homme des Lumières, pensant en rationaliste, Valmont est incapable de comprendre cet autre monde qu'il aperçoit chez Tourvel et qui annonce déjà la passion romantique. Effrayé autant que fasciné, il recule devant ce qui serait un renoncement à ce qu'il prend pour son identité personnelle et qui n'est en réalité que pure facticité. Valmont s'est laissé pétrir par son époque, par ses relations, par sa naissance. Il meurt, à la veille de la Révolution, d'avoir pris l'orgueil hérité de sa caste pour de la liberté.

Le cadre spatio-temporel
•

• L'**espace** dans lequel se déploie l'action est fort étroit. Il s'agit de plus d'un monde clos : quelques lieux fermés de la sociabilité mondaine à Paris, le monde des salons, des salles de spectacle et des châteaux de la plus proche province, aux portes mêmes de la capitale. Non seulement ces lieux sont peu nombreux, mais ils sont fort peu décrits. D'abord, *Les Liaisons*• sont un roman d'analyse, centré sur les sentiments et la psychologie plus que sur l'action extérieure. Ensuite, les correspondants doivent sembler écrire les uns pour les autres et non pour un lecteur. Ils ne décrivent donc les lieux que s'ils sont inconnus de leur destinataire, et ce, dans la stricte mesure de ce qui est nécessaire à l'intelligence des actions rapportées. De surcroît, la forme du roman par lettres limite considérablement les possibilités descriptives : l'auteur ne saurait, sans tomber dans l'invraisemblance, attribuer à ses personnages des compétences et un rôle d'écrivains, dès lors qu'ils n'en sont pas. L'espace, dans *Les Liaisons*•, n'a guère de valeur évocatrice ou symbolique. Il est surtout le cadre abstrait dans lequel s'inscrit la séparation des personnages, nécessaire pour qu'ils soient amenés à correspondre.

• **Le temps** est fort concentré lui aussi : les personnages ne subissent aucune évolution ; point n'est besoin de les inscrire dans la longue durée, qui n'est nécessaire que lorsque doivent se produire des maturations et des transformations des caractères. Proche du théâtre, et de la tragédie en particulier, ce roman est avant tout l'histoire d'une crise que nous découvrons à la veille de son paroxysme, alors que le feu couve déjà : les libertins• au seuil de la catastrophe qui va les précipiter dans l'abîme. Si l'on excepte l'épilogue, la première lettre est du 3 août, la dernière du 14 janvier : en tout cinq mois et demi. Symboliquement, l'action commence l'été, à la campagne : c'est la naissance des amours, dans un cadre spatio-temporel qui évoque volontairement celui de l'idylle : ruisseaux, bosquets, et villageois sentimentaux. Elle s'achève en hiver et en ville, dans le sang, au milieu d'une atmosphère sombre de tragédie ou de drame.

LA NARRATION DE L'HISTOIRE : LES ENJEUX DE LA FORME ÉPISTOLAIRE

Nature et fonction des lettres
•

Les lettres qui composent le recueil sont de types différents selon les fonctions qu'elles remplissent.

• **Les «lettres-constat»**
– Simples «reportages» : tous les personnages sont amenés à transcrire des relations en événements auxquels ils ont pris part ou dont ils ont été les témoins. Il s'agit de récits en bonne et due forme, fort détaillés, mais sans rapport direct avec le vécu présent des personnages. Ces anecdotes, ou digressions narratives, sont conformes au goût du temps en matière de

roman : tels sont les récits du « *réchauffé*• avec la vicomtesse•
de... » (lettre LXXI) ou des aventures de Prévan (lettre LXXXV).
– « Bulletins• de campagne » : les relations les plus intéressantes sont celles qui nous comptent les progrès faits dans la
conquête de Mme de Tourvel ou de Cécile, et qu'on peut
appeler des « bulletins de campagne » (lettres XXI, XXIII et
XCVI, par exemple).

• Les « lettres-action »

Les lettres sont un substitut à la présence, un moyen terme
entre l'absence de contact et la présence charnelle. Elles
peuvent être acceptées quand le contact physique est refusé.
Relues dans le silence et la solitude (lettre XVI), elles excitent
l'imagination et font naître le désir. À ce titre, elles sont un
instrument matériel de la conquête, un moyen de l'action.
Valmont le maîtrise mieux que quiconque, lui qui sait qu'il
triomphera de la résistance de Tourvel en négociant son départ
du château de Mme de Rosemonde contre la permission de lui
pouvoir écrire à sa guise. « *C'est en répétant inlassablement les
mots d'amour, de passion, d'émotion, de volupté que Valmont finit
par imposer à la Présidente*• *la curiosité du bonheur* », rappelle
fort justement Laurent Versini (*op. cit.*, p. 157). C'est aussi ce
que souligne M. Delon : « *La séduction commence dès que s'établit un commerce épistolaire entre les roués et les naïfs, dans les
lettres XII et XIII entre Merteuil et Cécile, puis XXIV et XXVI entre
Tourvel et Valmont. L'échange épistolaire ne se distingue plus de la
relation érotique que par une différence de degrés et une question
de temps* » (*op. cit.*, p. 47).
Instrument d'action, les lettres le sont encore souvent quand
bien même elles ne se donnent que pour d'innocents « reportages ». En effet, plus que le contenu informatif, l'intention qu'a
le scripteur vis-à-vis de son destinataire est toujours le mobile
véritable d'une lettre. La dimension illocutoire* du message est
souvent plus importante que son contenu délocutoire*. Chaque
signataire, en écrivant, agit sur son destinataire, tantôt
inconsciemment, comme pour Cécile, tantôt de façon délibé-
rée, comme le font Merteuil ou Valmont. Car ce sont évidem-
ment les libertins• qui entendent surtout agir sur leurs correspondants. À cette fin, ils diffusent des nouvelles, vraies ou plus
souvent fausses, imposent un point de vue et insinuent une
interprétation des faits apparents, suggèrent une démarche ou
un comportement. Susciter la jalousie, piquer l'amour-propre
sont autant de moyens de faire agir et donc de manipuler
l'autre. Mme de Merteuil en use avec un art consommé aussi
bien avec Valmont qu'avec Cécile ou Danceny.

• Les « héroïdes* »

Les lettres peuvent enfin n'être que des chants d'amour inspirés par la souffrance de la séparation et l'absence de l'être aimé. C'est Danceny se plaignant de l'absence de Cécile (lettre LXV) ou Cécile, de celle de Danceny. Ce sont surtout les lettres admirables de Mme de Tourvel (lettres CII, CXXIV et CXXXV, par exemple) ou même de Valmont (lettre XXXVI). Elles se rattachent à un modèle pérennisé dans la tradition littéraire sous le nom d'«héroïdes».

Composition du recueil, position de lecture et rotation des points de vue : la polyscopie* narrative
•

Comme dans les dialogues de théâtre, les lettres des différents protagonistes se succèdent et alternent, telles des répliques à la scène. Le lecteur se voit interdire tout accès direct à la voix de l'auteur. Aucun narrateur implicite, extérieur aux personnages, n'assume la fonction de narrer l'histoire en s'exprimant à la troisième personne. Le narrateur explicite, c'est-à-dire le personnage dénommé le «Rédacteur», dont le «rôle» se réduit à quelques notes de bas de page d'une ironie* ambiguë, est condamné à un quasi-silence. Les personnages, ici, parlent seuls. *Les Liaisons dangereuses* sont un roman entièrement écrit au discours direct.

Laclos prive délibérément son lecteur de tout point de vue central de référence. Son roman épistolaire n'offre aucun foyer de conscience qui soit doué d'omniscience* et puisse être crédité d'objectivité et de bonne foi. Aucune perspective n'est ici plus sûre ou plus complète que les autres. Le lecteur, dont le regard ne peut passer que par celui des personnages, est condamné à ne découvrir de l'histoire et des sentiments véritables des acteurs que ce qu'en veulent bien dire les correspondants eux-mêmes. Son information sera donc toujours inférieure ou au plus égale à celle du personnage qui en sait le plus. L'intrigue, comme l'être véritable des personnages, ne lui apparaît qu'à l'état de puzzle encore dispersé en fragments. Le point de vue absolu, celui de Dieu, étant interdit par construction, le roman se limite à présenter un enchevêtrement de points de vue relatifs. Ces points de vue se succèdent, tous subjectifs, partiels et partiaux. Le lecteur reste seul à essayer de les assembler. Cette position de lecture est à la fois délicieuse et particulièrement forte, puisqu'elle place le lecteur dans la posture du «voyeur» : violant le secret d'une correspondance privée, il se trouve en mesure de sonder les reins et les cœurs.

Mais elle est aussi très fragile : l'absence de tout point de vue central rend l'interprétation toujours ambiguë et précaire. Si la morale du roman en devient plus qu'équivoque, les personnages, en revanche, y gagnent l'épaisseur mystérieuse et l'opacité relative des êtres que nous côtoyons dans la vie. L'effet de réel que procure cette écriture au présent est donc très fort. Dès lors, les traits essentiels de la composition du recueil apparaissent comme étant fondamentalement fonction de cette limitation des points de vue : les correspondants doivent être multiples, leurs lettres brèves, leurs groupements très étudiés et les points de vue hiérarchisés et emboîtés, certains étant dotés d'un pouvoir de compréhension bien supérieur à celui des autres.

D'abord, la polyphonie* épistolaire, qui naît de la forme même du roman par lettres à plusieurs voix, en multipliant les points de vue, donc les éclairages et les sources d'information sur un même événement ou un même personnage, permet au lecteur d'effectuer maints recoupements ; celui-ci compare les images que lui renvoient ces divers miroirs contraires que sont les consciences de chaque correspondant, sa vision devient « stéréoscopique* », et il peut ainsi deviner la véritable nature des personnages et juger par lui-même.

Ensuite, le groupement des lettres, par tout un jeu de parallélismes ou d'antithèses à propos d'un même objet, facilite pour sa part les rapprochements que le lecteur est invité à effectuer. La brièveté des missives permet, quant à elle, de laisser toujours apparentes la mosaïque des points de vue et les contradictions à résoudre entre eux. Prenant l'exemple de Mme de Tourvel, Jean-Luc Seylaz (*op. cit.*, p. 73) observe justement que « *la réalité de Mme de Tourvel se compose de ce qu'elle dit à ses correspondants, de la façon dont elle le dit, et aussi de ce qu'elle ne dit pas et que nous apprenons par ailleurs, de ce qu'elle fait et de ce que les autres disent d'elle ; et ces différents témoignages s'éclairent l'un l'autre, permettant au lecteur de déchiffrer l'un grâce à l'autre* ». C'est ici que la composition est d'un précieux secours : la polyphonie énonciative*, la brièveté des lettres et leur groupement placent les points de vue différents dans une proximité éloquente, qui canalise l'imagination lisante du lecteur dans son travail incertain de déchiffrement.

Mais l'aide la plus précieuse vient de la hiérarchie « pyramidale » des points de vue, la science des divers acteurs étant très inégale. Cette inégalité n'est possible que parce que des personnages manipulés sont opposés à d'autres qui les manipulent. Le contraste entre les couples Valmont/Merteuil et Danceny/Cécile n'a pas seulement pour but de peindre les caractères ou de dénoncer le libertinage. Il se révèle fondamental pour le fonctionnement même du roman. On ne pouvait tirer entièrement partie de la « forme-sens » du roman par lettres qu'en mettant en scène des intrigants cyniques et leurs naïves victimes. Les roués maîtrisent les situations puisqu'ils les créent par leurs intrigues•. De ce fait, ils en savent forcément plus que les naïfs qu'ils poussent à leur insu vers des fins connues d'eux seuls. Le lecteur est ainsi conduit à épouser le point de vue des meneurs de jeu, celui du couple des libertins•, parce qu'il surplombe tous les autres. Au sein même de ce couple, Mme de Merteuil, plus lucide, plus froide et plus volontaire, en sait plus encore que Valmont. Cette hiérarchie des degrés d'information et de la capacité des points de vue permet au lecteur de mesurer les plus étroits d'entre eux à l'aune des plus larges. Le contraste des voix et des styles de chaque épistolier*, la contiguïté de leurs points de vue diamétralement opposés révèlent mieux qu'une analyse la différence des caractères, tout en rendant manifestes l'inégalité d'information et par conséquent la réalité des rapports de force. L'intrigue ne se dessine que dans ce contraste violent, qui « *informe les lecteurs des illusions des uns et des mensonges des autres* » (M. Delon, *op. cit.*, p. 47).

La gestion de « l'entrelacs » épistolaire
•

Les reprises et les échos ne concernent pas seulement les **expressions** mais aussi les **contenus** référentiels*. Le roman épistolaire à plusieurs voix permet qu'un même personnage, un même événement soient vus sous plusieurs angles : la rotation des points de vue engendre une vision stéréoscopique* ou polyscopique* des mêmes objets, ce qui leur confère du relief. La pluralité des voix qui s'expriment fait conjointement entendre la diversité des âmes et des systèmes de valeurs propres à chaque épistolier. Ces reprises, qui expriment souvent l'ironie* du narrateur invisible à l'égard de ses personnages, se manifestent de plusieurs façons.

• Les procédés de « l'entrelacs »
– Antithèses dans les voix : naïveté de Cécile (lettre I) / rouerie de Mme de Merteuil (lettre II) ; entre l'attente et l'événement : Mme de Tourvel confie à Mme de Rosemonde ses pieuses résolutions (lettre CXXIV, fin de la troisième partie) / récit par Valmont de la chute de Tourvel (lettre CXXV, ouverture de la quatrième partie) / réponse vertueuse et satisfaite de Mme de Rosemonde (lettre CXXVI) / Tourvel avoue son adultère à Mme de Rosemonde (lettre CXXVIII).

– Parallélismes (ironiques ou pathétiques) : dégradation progressive de Cécile, parallèlement à la lente défaite de la Présidente•, dans les première et deuxième parties ; parallélisme et chassé-croisé des intrigues• galantes : à la corruption de Cécile par Valmont répond la séduction de Danceny par Merteuil (quatrième partie) ; parallélisme des sursauts de défense des deux victimes du séducteur, à la fin de la première partie ; parallélisme des anecdotes grivoises, destinées à piquer la jalousie du partenaire : Valmont et son *« réchauffé• avec la vicomtesse• de... »* / Merteuil avec la séduction de Prévan.
– Récits doubles d'un même événement ou doubles portraits d'un même personnage : récits de l'aumône au village par Valmont et Tourvel (lettres XXI, XXII et XXIII) ; récits, par Valmont et par Cécile, de la corruption de Cécile, s'adressant l'un et l'autre à Merteuil (lettres XCVI et XCVII) ; récits de l'affront à l'Opéra, par Tourvel et par Valmont, s'adressant une fois à Merteuil, une autre à Tourvel (lettres CXXXV, CXXXVII et CXXXVIII). Portraits de Valmont par Mme de Volanges (lettre IX), Mme Tourvel (lettres XI) et par Mme de Merteuil (lettre LXXXI) ; portaits de Mme de Tourvel par Merteuil (lettre V) et par Valmont (lettre VI).

• **Position et rythme de lecture**
La récurrence des mêmes voix se fait à des intervalles toujours variés et imprévisibles. Les correspondances intercalées entre un envoi et la réponse qui lui fait suite modifient pour le lecteur du roman la résonance des missives autant par rapport à l'intention première du signataire que par rapport à la lecture qu'est censé en avoir faite le destinataire. Le lecteur du roman tire ainsi avantage de sa position de voyeur et de l'ordre même des lettres : lui seul est en mesure de comprendre correctement les lettres, parce qu'il les lit toutes et selon l'ordre agencé par l'auteur. Ainsi donc, en ce texte roué, tout, même l'ordre de succession, c'est-à-dire les « blancs » entre les lettres, est porteur de sens ! Les lettres d'action (prières, ordres) alternent avec les lettres de relation des faits. Ces changements font varier aussi la succession ou l'alternance des tons, et donc le rythme de lecture. Le jeu des échos d'une lettre à l'autre oblige à d'incessants retours en arrière et va-et-vient chronologiques. Leur faible amplitude n'empêche pas de renouveler sans cesse le rythme des événements, tels que le lecteur du roman les perçoit.

• **La perversion des règles de l'échange**
Le genre épistolaire, parce qu'il s'apparente à l'autobiographie, exprime d'ordinaire la sincérité des correspondants qui se confient. Ici, au contraire, la mauvaise foi le dispute sans cesse

au mensonge et à l'hypocrisie. D'abord, les roués se cachent sous le masque de leurs différents styles, qu'ils adoptent en fonction de chacun de leurs correspondants. Plus gravement, les règles de l'échange sont souvent perverties par les libertins•. Valmont s'avère le champion de la fausse lettre : il falsifie le timbre de la poste de Dijon, surprend des lettres qui ne lui sont nullement destinées, communique à Merteuil celles qu'il reçoit de Tourvel, en dicte certaines à Cécile à l'insu de Danceny, leur destinataire. Certaines missives, telle la lettre XLVIII, s'adressent à plusieurs destinataires à la fois. Valmont ou Merteuil mentent, Mme de Volanges et la Présidente• elle-même se laissent abuser, l'une par la morale convenue, l'autre par la mauvaise foi de ses désirs inconscients.

Que ce soit mensonge ou mauvaise foi, chacun prend la pose en écrivant, suggère une image flattée de lui-même et, plutôt que de se confier, prétend plutôt produire un certain effet sur le destinataire. C'est ainsi, par exemple, que Valmont et Merteuil veulent à tout prix se faire applaudir l'un de l'autre, ou que Tourvel n'écrit à Valmont que pour lui répéter qu'elle ne veut plus correspondre avec lui... L'authenticité disparaît sous la duplicité fondamentale de l'écriture romanesque : le lecteur ne sait bien souvent plus discerner le vrai du faux. En fait, en ce roman, toute lettre vaut plus par son procès d'énonciation, par ses fonctions illocutoires* ou perlocutoires*, que par son contenu énoncé. Même les « lettres-rapports » deviennent, à ce compte, des lettres d'action.

• Le jeu des silences et des occultations

L'absence de lettres d'idée est remarquable : la religion de Mme de Tourvel, le passé des personnages, hormis une petite partie de celui de Mme de Merteuil, les références littéraires ou philosophiques des protagonistes nous sont cachés par l'auteur. C'est un moyen comme un autre d'accroître la vraisemblance en restant dans les limites d'une vraie correspondance, et d'accroître l'ambiguïté des personnages. Privé de tout accès à la philosophie des personnages, le lecteur ne peut s'en construire une image que par ce qu'ils font, ce qu'ils disent ou ce que l'on dit d'eux.

Bien des lettres, d'autre part, sont mentionnées mais «*occultées*», selon le mot d'Henri Coulet (*op. cit.*). Il en est ainsi des lettres de Sophie Carnay ou de la correspondance entre Merteuil et Valmont, non donnée au lecteur, mais qui constitue ce fameux «*compte ouvert*» dont il est question dans les lettres II et CLXIX : faute de connaître ce dossier, nous ignorerons toujours la «pré-histoire» des *Liaisons• dangereuses...* De même, encore, la suppression de la lettre qu'écrit

Valmont à la Présidente• après leur rupture (seulement mentionnée dans la lettre CLIV) nous prive-t-elle de connaître les sentiments véritables du séducteur à l'égard de sa victime et de lui-même. Sa vraie nature nous échappe donc définitivement. Henri Coulet observe avec justesse que *« parmi les lettres ainsi éliminées figurent toutes celles où un personnage aurait pu s'exprimer avec sincérité, dévoiler un fragment de la vérité enfermée dans l'œuvre »* (« Le Roman par lettres », in *Cahiers de l'Association internationale des Études françaises,* nᵒ 29, 1977).

• Le jeu des citations et des mentions : l'italique*

Le langage n'a pas pour seul rôle de relater les événements de l'histoire : il lui arrive de les engendrer, de les créer. Cela n'a rien d'étonnant : les roués usent du langage pour se masquer, tromper et séduire. L'italique dont ils usent constamment (cf., par exemple, dans la lettre IV : *« Tout <u>monstre</u> que vous dites que je suis »*) permet notamment de sentir les enjeux complexes du langage dans l'échange.

Doubles traits de « coupure », les guillemets respectent le texte cité : l'énonciateur s'efface purement et simplement devant le discours qu'il rapporte. L'italique, au contraire, est un indice de la subjectivité du citateur : équivalant à un geste de « soulignement », ce caractère typographique signale une implication du signataire par rapport au fragment cité. L'italique symbolise en quelque sorte une « surimpression » des discours citant et cité. Celui qui cite en italique souligne :

– qu'il n'est pas l'auteur du discours qu'il rapporte, même s'il s'en sert pour exprimer sa propre pensée ;

– qu'il tient à se distancier de l'origine énonciative* initiale du fragment rapporté, ainsi que des valeurs que véhicule le discours cité.

Recourir à l'italique, c'est donc non pas respecter celui qu'on cite, mais le parodier. L'italique, comme le discours indirect libre, est partial. À ce titre, il est l'un des instruments de l'ironie* dans *Les Liaisons•,* car il souligne aussi bien le fait même de la citation que le détournement du texte cité.

Au début du roman, les reprises en italique ne sont que du badinage (cf., dans la lettre II, *« Monstre que vous êtes »* repris, dans la lettre IV, par *« Tout <u>monstre</u> que vous dites que je suis »*). Mais, peu à peu, de citations parodiques en pastiches pleins d'ironie, les deux roués en viennent à une guerre sans merci du « décryptage », pour essayer d'imposer à l'autre la façon dont il doit parler. Ainsi, à partir de la lettre CX, Valmont ayant déclaré la jeune fille *« réellement séduisante »,* l'italique se fait-il de plus en plus venimeux sous la plume de Merteuil : *« Si une telle conquête vous paraît <u>séduisante,</u> [...] assurément vous êtes* *modeste et peu difficile*» (lettre CXIII). Il finira par devenir meurtrier : toute la lettre de rupture que Valmont envoie à la Présidente• pourrait être en italique*, Mme de Merteuil n'ayant fait que citer une lettre déjà connue. Dans ce roman, où dire c'est faire, celui qui maîtrise le langage l'impose à l'autre et maîtrise par là les situations. L'italique signale les escarmouches de cette guerre des mots. Il est donc un instrument de tension dramatique, et même un ressort actif de l'intrigue.

• **L'emboîtement de l'histoire racontée et de l'histoire racontante**

L'histoire que nous content *Les Liaisons• dangereuses* intègre comme son ultime événement l'histoire de sa propre narration : au moment de mourir, Valmont remet à Danceny le paquet des lettres qu'il a reçues de la marquise•, afin que le jeune homme se venge, et venge Valmont, en les publiant. Ainsi se constitue le premier noyau de ce qui, recueilli entre les mains de Mme de Rosemonde, puis de ses héritiers et enfin du «Rédacteur», va constituer la matière même des *Liaisons dangereuses*. Par un effet de circularité très étudié, un même événement, la mort de Valmont, constitue donc à la fois le dernier maillon de l'histoire contenue dans le roman et le premier acte de l'histoire du roman : comme dans *À la Recherche du Temps perdu*, l'énoncé se ferme en boucle sur son propre procès d'énonciation.

• **L'adéquation de la matière romanesque et de la forme épistolaire**

De façon encore plus subtile, le roman intègre la forme même que revêt son énonciation (celle d'un roman par lettres) à la trame de l'histoire racontée. Car cette histoire racontée présuppose, pour pouvoir exister, la forme même et les conditions d'une correspondance. Dès lors, tous les facteurs qui justifient l'existence de ces lettres vont servir à justifier tout autant celle du roman lui-même.

Pour qu'ils fussent contraints de s'écrire, il fallait des héros à la fois intimes et séparés, d'où cette histoire d'une ancienne liaison suivie d'une rupture partielle ; il fallait encore qu'ils fussent éloignés dans l'espace, d'où le choix du lieu et du moment où débute le roman : l'été, lors d'un séjour à la campagne, qui tient Valmont éloigné de la capitale ; il fallait surtout qu'un désir de «gloire», tout aristocratique, leur fît un besoin impérieux de se donner quelque spectateur pour applaudir à leurs «exploits», et que, cependant, leur «méchanceté», jointe à la prudence, les eût privés de tout confident possible au milieu même du monde, théâtre de leurs conquêtes. Il fallait donc poser comme principe même du

311

roman la rivalité périlleuse de deux aristocrates scélérats•, cherchant à forcer l'admiration l'un de l'autre. Tous ces facteurs réunis parviennent à rendre ainsi nécessaire l'existence – pourtant paradoxale – d'une correspondance entre ces libertins•, malgré leur rivalité d'orgueil et le danger d'écrire. Ils justifient également la condition de nobles et le caractère de roués des personnages.

Enfin, pour qu'il y eût un dénouement, il fallait que des pervers si redoutables fussent pourtant démasqués : cela ne pouvait s'obtenir qu'en leur prêtant la faiblesse d'écrire des lettres. « *Le roué parfait n'aurait pas dû avoir de confidents* [...]. *L'imperfection de ces personnages forts consiste, littéralement, à avoir rendu possible la création du roman* » (T. Todorov, *op. cit.*, p. 48). La psychologie des personnages et la situation où ils se trouvent, tout comme l'univers où ils se meuvent, celui des cercles libertins, impliquent ainsi la forme épistolaire du roman, et réciproquement. Par cette relation de solidarité logique entre la matière romanesque et la forme de son énonciation, Laclos, pour son coup d'essai, a réussi un coup de maître : il a porté le roman par lettres à son point de perfection absolu.

Mme de Merteuil (Glenn Close) et Valmont (John Malkovich), deux «êtres de projet» et d'intrigue.

CRITIQUES ET JUGEMENTS

L'histoire de la réception des *Liaisons* dangereuses offre sans doute le plus bel exemple qui soit de la variabilité des jugements littéraires. Condamné au moins quatre fois par les tribunaux, au XIXᵉ siècle, pour outrage aux bonnes mœurs, ce roman n'est devenu un classique que depuis la thèse d'État de Laurent Versini, en 1968. Chose qui n'eût pas manqué d'atterrer nombre de bons esprits du passé, cette œuvre, souvent imitée jadis, portée plusieurs fois à l'écran, est aujourd'hui consacrée par la critique universitaire elle-même.

AU XVIIIᵉ SIÈCLE

Dès la publication des *Liaisons*, en avril 1782, une correspondance s'établit entre Mme de Riccoboni, femme de lettres elle-même (cf. p. 6), et Laclos, qui lui avait adressé un exemplaire de son roman. Mme de Riccoboni atteste d'abord l'ampleur du succès que connurent *Les Liaisons* dès leur parution, et la nature de ce succès, un succès de scandale : « *Recevez mes sincères remerciements, Monsieur, de l'agréable présent que vous avez bien voulu me faire. Tout Paris s'empresse à vous lire, tout Paris s'entretient de vous.* »
Mais la correspondante de Laclos témoigne aussi du jugement que les « honnêtes gens » portèrent alors sur l'ouvrage : ses éloges vont au style ; la matière même du roman suscite de sa part une nette réprobation, tant esthétique (c'est le reproche de l'invraisemblance des caractères) que morale :

> Je ne suis pas surprise qu'un fils de M. de Choderlos écrive bien. L'esprit est héréditaire dans sa famille ; mais je ne puis le féliciter d'employer ses talents, sa facilité, les grâces de son style, à donner aux étrangers une idée si révoltante des mœurs de sa nation et du goût de ses compatriotes.
> C'est en ma qualité de femme, Monsieur, de Française, de patriote zélée pour l'honneur de ma nation, que j'ai senti mon cœur blessé du caractère de Mme de Merteuil. Si, comme vous me l'assurez, ce caractère affreux existe, je m'applaudis d'avoir passé mes jours dans un petit cercle et me plains ceux qui étendent assez leurs connaissances pour se rencontrer avec de pareils monstres.
> Oui sans doute, Monsieur, on a montré avant vous des monstres détestables, mais leur vice est puni par les lois. Tartuffe, que vous chargez à tort d'un désir incestueux, est un voleur adroit mis à la fin de la pièce entre les mains de la justice. [...] Votre second exemple, Lovelace, est un être de raison. [...] Malgré [...] toute votre adresse à justifier vos intentions, on vous reprochera toujours, Monsieur, de présenter à vos lecteurs une vile créature, appliquée dès sa première jeunesse à se former au vice, à se faire des

313

À PROPOS DE L'ŒUVRE

principes de noirceur*, à se composer un masque pour cacher à tous les regards le dessein d'adopter les mœurs d'une de ces malheureuses que la misère réduit à vivre de leur infamie. Tant de dépravation n'instruit pas. On s'écrie à chaque page : cela n'est point, cela ne saurait être !

Lettre de Mme de Riccoboni adressée à Laclos.

Mme de Riccoboni doute de la vraisemblance du dénouement et de son efficacité morale. La *Correspondance littéraire* de Grimm, alors rédigée par Meister, reprend le même grief : un dénouement, si brusquement amené, suffit-il à «*détruire le poison répandu pendant quatre volumes de séduction, où l'art de corrompre et de tromper se trouve développé avec tout le charme que peuvent lui prêter les grâces de l'esprit et de l'imagination, l'ivresse du plaisir et le jeu très entraînant d'une intrigue aussi facile qu'ingénieuse*»?

AU XIXe SIÈCLE

Tandis que Sade avait conservé des lecteurs dans la première moitié du XIXe siècle, Laclos semble avoir sombré dans l'oubli, à deux exceptions près, celles de Stendhal et de Baudelaire. Baudelaire, ce prince de la critique, à la veille d'être foudroyé par l'hémiplégie où va sombrer sa raison, eut encore le temps de jeter sur le papier quelques notes incisives sur le roman de Laclos, restées à l'état de fragments non rédigés. Ces intuitions, laconiques, fulgurantes, véritables «fusées», semblent tracer d'avance tous les chemins qu'empruntera la critique du XXe siècle lorsqu'elle se penchera enfin sur le cas de Laclos pour le réhabiliter. Baudelaire le premier, avant Roger Vailland, décèle dans le roman son caractère prérévolutionnaire :

Ce livre, s'il brûle, ne peut brûler qu'à la manière de la glace. Livre d'histoire. [...]
La Révolution a été faite par des voluptueux. [...]
Les livres libertins* commentent donc et expliquent la Révolution. [...]
La Présidente*. (Seule appartenant à la bourgeoisie. Observation importante.)

Baudelaire, *Notes sur «Les Liaisons dangereuses»*, 1866.

Mais, surtout, le poète interprète le roman en projetant sur lui sa propre philosophie du mal, son satanisme. L'homme n'est vraiment homme, à ses yeux, que lorsqu'il s'affirme comme le produit artificiel de sa liberté, comme antinature. Pour l'auteur des *Fleurs du Mal*, la nature, l'instinct, la sensualité ne sont en nous que l'empreinte de l'impureté, une marque de la souillure originelle et de la déchéance tragique d'une créature née pour l'idéal. Voyant dans l'amour la part de la nature, donc du péché, Baudelaire reproche au romantisme de l'avoir travesti en une «*adoration*» mystique. Pure illusion, qui dissimule l'«*ordure*» sous les «*jérémiades*». Convaincu que la femme, soumise à l'instinct et à la nature, est perverse par essence, il fait gloire à l'auteur des *Liaisons*• d'avoir montré tous les visages de cette perversité. D'où l'hommage qu'il rend à Laclos d'être un écrivain du Mal, mais du «*Mal se connaissant*, [...] *moins affreux*, note-t-il, *et plus près de la guérison que le Mal s'ignorant. G. Sand inférieure à de Sade*». Baudelaire est ainsi le premier à avoir compris que, chez Laclos, la peinture du mal, loin d'être pornographique, était en fait une illustration terrible,•racinienne, de la tragédie métaphysique de l'Humanité en proie au Mal.

> *Ici, comme dans la vie, la palme de la perversité reste à la femme.* [...] *Beaucoup de sensualité. Très peu d'amour, excepté chez Mme de Tourvel.* [...]
> [Merteuil, c'est] *fœmina simplex dans sa petite maison. La Merteuil, tartuffe femelle, tartuffe de mœurs, tartuffe du* XVIII*ᶜ siècle.*
> [Cécile, Belleroche ne sont que des] *manœuvres de l'Amour,* [des] *machines à plaisir.*[...] *Cécile, type parfait de la détestable jeune fille, niaise et sensuelle* [...] *tout près de l'ordure originelle. La Présidente*•. [...] *Type simple, grandiose, attendrissant. Admirable création. Une femme naturelle. Une Ève touchante. – La Merteuil, une Ève satanique.*
> *Valmont est surtout un vaniteux. Il est d'ailleurs généreux, toutes les fois qu'il ne s'agit pas des femmes et de sa gloire.* [...] *Valmont, ou la recherche du pouvoir par le Dandysme et la feinte de la dévotion. Don Juan.* [...]
>
> Baudelaire, *op. cit.*

À propos de cette phrase de Valmont : «*J'avouerai ma faiblesse, mes yeux se sont mouillés de larmes* [...]. *J'ai été étonné du plaisir qu'on éprouve en faisant le bien*» (lettre XXI), Baudelaire note :

> *Don Juan devenant tartuffe et charitable par intérêt. Cet aveu prouve à la fois l'hypocrisie de Valmont, sa haine de la vertu, et, en même temps, un reste de sensibilité par quoi il est inférieur à la Merteuil, chez qui tout ce qui est humain est calciné.*
> *Le dénouement. La petite vérole (grand châtiment). La Ruine. Caractère général sinistre. La détestable humanité se fait un enfer préparatoire.* [...] *La Merteuil a tué la Tourvel. Elle n'a plus rien à vouloir de Valmont. Valmont est dupe. Il dit à sa mort qu'il regrette la Tourvel, et de l'avoir sacrifiée. Il ne l'a sacrifiée qu'à son Dieu, à sa vanité, à sa gloire, et la Merteuil le lui dit même*

crûment, après avoir obtenu ce sacrifice. C'est la brouille de ces deux scélérats qui amène les dénouements.*

L'amour de la guerre et la guerre de l'amour. [...] L'amour du combat. La tactique, les règles, les méthodes. [...]

Puissance de l'analyse racinienne. Gradation. Transition. Progression. Talent rare aujourd'hui, excepté chez Stendhal, Sainte-Beuve et Balzac. Livre essentiellement français. [...]

Baudelaire, op. cit.

Dans un ouvrage qui faisait alors autorité en matière d'histoire littéraire, Petit de Julleville exprime parfaitement le sentiment qui domine encore à la Belle Époque à propos des *Liaisons* dangereuses.

On a hâte de fermer ce livre, malgré le talent de l'auteur, et de se consoler un peu en relisant Paul et Virginie, *et, pour une fois,* Estelle et Némorin.

Petit de Julleville, Histoire de la Littérature française,
Paris, 1898.

AU XXᵉ SIÈCLE

Jean Giraudoux reprend l'idée baudelairienne d'une influence décisive de Racine sur *Les Liaisons dangereuses* :

La science de leur père artilleur a donné à la stratégie [des personnages de Laclos] un côté un peu pédant, mais invincible. C'est Racine aidé par Vauban.

Giraudoux, Littérature, Grasset, 1941.

Raffinant sur l'intuition qu'avait eue Baudelaire d'un Laclos romancier du Mal, Giraudoux voit le vrai scandale et la vraie beauté du livre dans le remplacement du traditionnel héros libertin* par un couple complice où la femme se livre à ses passions avec autant de cynisme que l'homme :

L'originalité et le tragique de l'intrigue ne résident pas seulement dans le concours que se livrent Mme de Merteuil et Valmont, et dans la colère qu'éprouve la jeune veuve de voir que l'homme, malgré tous ses efforts, ne peut être aussi facile que la femme. Ils résident bien plutôt dans leur connivence. La beauté, le sujet et le scandale du livre, c'est le couple, le mariage du mal. Le libertinage n'est plus une occupation d'égoïste ou de solitaire, le mal n'est pas un Don Juan soutenu par un comparse ridicule et tremblant ; il est le couple parfait, celui que forment l'homme le plus beau et la femme la plus charmante et la plus fine. Couple qu'a scellé sur une ottomane, suivant les paroles de l'auteur, non l'amour mais l'accouplement. Couple qui a même échangé ses attributs, la femme se donnant aussitôt, au premier désir et à la première*

316

> *invite, l'homme se complaisant dans la résistance. C'est le spectacle de ce superbe assemblage lâché à la chasse au plaisir qui est nouveau, de l'égalité de la femme et de l'homme dans l'exercice de leurs passions.*

Giraudoux, op. cit.

Jean Rousset et Georges Poulet sont sensibles, chacun à sa manière, au rapport étroit et paradoxal que le plus accompli des romans libertins• entretient avec l'œuvre, les thèmes et la sensibilité de Rousseau :

> *Il faut tenir compte, pour interpréter correctement* Les Liaisons•, *de leur lien de filiation avec l'œuvre de Rousseau. Ce lien est indéniable pour quiconque a lu et pris au sérieux le traité de* L'Éducation des femmes, *qui s'inscrit en marge de* Julie *et du livre V de l'*Émile, *dans le prolongement des réflexions de Rousseau sur la femme naturelle et sa perversion dans la civilisation parisienne de son temps. Les Liaisons apparaissent alors comme une Héloïse renversée ; le mouvement ascendant vers l'ordre et l'harmonie autour de Julie s'inverse en un mouvement descendant vers le désordre et la discordance autour d'une figure féminine également dominatrice, la marquise• de Merteuil, image négative de Julie et de Mme de Tourvel, cette victime de l'homme qui est l'exact contre-pied de Saint-Preux : Valmont.*

Jean Rousset, Forme et Signification, Corti, 1962.

> *Ainsi s'introduit subrepticement, dans un roman qui est celui de la conquête préméditée d'une victime par un séducteur, un autre roman, inattendu, imprévisible, qui est celui de la conquête non préméditée du séducteur par la victime. Et pendant tout le cours des Liaisons dangereuses, ces deux romans hostiles ne cesseront de s'entrepénétrer et de se combattre. Duel subtil, qui n'est pas seulement celui de deux personnes, mais de deux espèces différentes de destins. Car, à mesure que le séducteur approche de son triomphe, il approche aussi de sa défaite. Et si son triomphe était prédéterminé, sa défaite au contraire est tout accidentelle.*

Georges Poulet, La Distance intérieure, Plon, 1952.

La critique universitaire contemporaine se montre avant tout sensible à la virtuosité formelle du romancier Laclos, dont les divers aspects sont mis en lumière par Jean Rousset, Laurent Versini ou Jean-Luc Seylaz (entre autres commentateurs).

> *Puisque le style de la lettre est un élément du portrait d'un personnage, il y aura, en principe, autant de styles que de personnages. [...] C'est une ressource que Laclos, en particulier, utilisera avec un art consommé ; qu'on regarde, c'est un exemple entre cent, dans les premières lettres du recueil, deux lettres féminines : d'abord une lettre puérile et naïve de Cécile à son amie de pension,*

À PROPOS DE L'ŒUVRE

317

ensuite, sans transition, la première de Mme de Merteuil à Valmont. Après l'ingénuité, la rouerie ; l'opposition est brutale, et
éloquente en elle-même ; la simple juxtaposition de deux tons
aussi différents devient un moyen d'expression, une manière de
dire sans qu'on ait besoin de rien formuler ; un blanc prend une
signification ; les parties muettes entrent, elles aussi, dans la
structure du livre. Et l'un des thèmes du roman est ainsi suggéré
dès l'ouverture : la rencontre de l'innocence et de la cérébralité, la
confrontation de la victime et du fauve.

Jean Rousset, *ibidem.*

L'originalité de Laclos ne réside pas plus dans la forme que dans le
titre de son roman, préparé par toute la réflexion d'un siècle sur le
danger des liaisons*, auquel expose la sociabilité ; devant l'une et
l'autre une tradition, l'alchimie de l'artiste confère à des habi-
tudes, à des modes ou à des lieux communs une nécessité interne et
des justifications esthétiques aussi fortes que l'art de Racine à la
forme familière et codifiée de la tragédie.

Laurent Versini, *Le Roman épistolaire*, P.U.F., 1979.

Il ne nous paraît pas arbitraire d'isoler dans le roman, sans perdre
de vue sa continuité, des groupes de lettres dans lesquels la
juxtaposition est particulièrement significative. Nous avons déjà
fait allusion précédemment à l'un de ces groupes (lettres 88 à 96)
[...]. Et nous l'avions donné comme exemple de travail « par la
bande » [...]. En fait, celui-ci souligne encore une autre forme de
duplicité. En effet, à l'intérieur de ce groupe, les lettres 90 et 91
sont échangées entre Valmont et la Présidente. Ainsi la duplicité de
Valmont s'attaquant à Cécile grâce à Danceny se double d'une
autre duplicité : celle du personnage s'attaquant à la fois à la
Présidente et à Cécile. [...] De tels groupes, et leur disposition, nous
paraissent très importants : le lecteur trouve dans la succession des
lettres comme le signe matériel de la duplicité ; et celle-ci en
acquiert une réalité peu commune. [...] la composition crée dans le
livre une espèce de géométrie sensible, géométrie qui a l'avantage
de ne pas être trop « appuyée », puisqu'un tel découpage est normal
dans un roman par lettres [...]. Géométrie sensible à l'intelligence
surtout, donc au lecteur attentif, mais aussi au sentiment du
lecteur ordinaire. Car même si ce dernier ne dirige pas son
attention sur la composition, celle-ci lui impose un mouvement, la
lecture crée en lui comme une conscience agile. Elle le fait
passer, non seulement d'un personnage à l'autre, mais d'une
tonalité à l'autre, d'un monde à l'autre. [...] Or, ce sont précisément cette géométrie et ce rythme qui manquent aux romans par
lettres qui passent pour les modèles de Laclos.

Jean-Luc Seylaz, *« Les Liaisons dangereuses »* et
la création romanesque chez Laclos, Droz, 1965.

> *« Conquérir est notre destin. »*
> (Lettre IV, de Valmont à Mme de Merteuil.)

Le *Dictionnaire français* de Richelet (1680) définissait ainsi le libertin• : « *Un homme qui hait la contrainte, qui suit sa pente naturelle sans s'écarter de l'honnêteté.* » Se surajoutait cependant à ce sens celui de libre penseur, comme le soulignait le *Dictionnaire de Trévoux* (1704), pour qui un libertin était quelqu'un « *qui ne saurait s'assujettir aux lois de la religion, soit pour la croyance, soit pour la pratique* ». Au XVIIIᵉ siècle, le mot de « *libertin* » glisse progressivement du sens d'«*impie*» à celui de «*débauché*», ainsi qu'en fait foi le dictionnaire de l'Académie, donnant, en 1760, le libertin pour un homme « *qui aime trop sa liberté et l'indépendance, qui se dispense aisément de ses devoirs* ». Le libertin devient bientôt un type littéraire, celui du «*scélérat• méthodique*». Laclos le caractérise par sa «*pureté de méthode*», Sade par son «*regard froid*». Roger Vailland comparera son art de la provocation et de la séduction calculée aux règles savantes et complexes de la «*tauromachie*» (*Laclos par lui-même,* Seuil, 1953).

UN MODE DE VIE

Depuis la Régence (1715-1723), plus qu'une attitude de libres penseurs, le libertinage est, en effet, devenu un mode de vie assez répandu à la Cour, que le Duc d'Orléans a transférée de Versailles au Palais-Royal, et parmi tous ceux qui avaient des prétentions au «bel esprit» et au «bel air». C'est que le libertinage, pour ce qui est des mœurs, s'inscrit en parallèle à la contestation de l'autorité, à laquelle les Philosophes se livraient au nom de la Nature et de la Raison, ces deux mots clés des Lumières. En effet, le libertinage de mœurs trouve ses justifications intellectuelles autant du côté d'un rationalisme* dévoyé que du côté du naturalisme* sensualiste, tel que l'interprètent un Diderot, un Helvétius ou un d'Holbach. Tout au long du siècle des Lumières, le libertinage fournit donc aux belles-lettres une matière à la mode. Les auteurs l'exploitent à l'envi dans une floraison de petits poèmes licencieux comme au théâtre et plus encore dans le roman. *Les Liaisons• dangereuses* apparaissent comme l'aboutissement littéraire le plus accompli du roman libertin. Cette veine a donné au XVIIIᵉ siècle une abondance de chefs-d'œuvre, sous la plume de Crébillon fils, de Duclos ou de Nerciat, par exemple. On peut également rattacher au libertinage, mais poussé à son paroxysme, c'est-à-dire à une déshumanisation totale, les romans de Sade.

DE L'IMPORTANCE DES INTERDITS

Pour que ce genre pût atteindre à sa perfection, il fallait une société semblable à celle du XVIIIe siècle finissant, où se rencontraient à la fois des élites oisives, un relâchement extrême des mœurs, mais aussi un sentiment encore aigu des interdits légués par la domination spirituelle de l'Église et l'idéal moral du classicisme. Sans ces interdits, la licence dont témoigne le roman libertin• n'aurait eu aucun sel. Aujourd'hui, où les interdits s'estompent, surtout en matière de morale sexuelle, le libertinage a sans doute cessé de pouvoir constituer une matière littéraire. Encore faut-il voir que cet affaissement de la conscience morale est très récent : jusque dans les années 1960, les thèmes et les motifs de la littérature libertine ont continué à faire scandale, comme en témoignent les péripéties qui ont entouré la sortie du film de Vadim (avec Jeanne Moreau et Gérard Philipe), ou l'apparition de nouveaux héritiers de Don Juan ou de Valmont, tels que ce « Marat » que le romancier Roger Vailland campait dans *Drôle de jeu*, en 1945.

LES INCARNATIONS LITTÉRAIRES ET HISTORIQUES DU LIBERTIN

Don Juan chez Molière
•

Le Don Juan de Molière, « *grand seigneur méchant homme* », est la première incarnation littéraire du type de libertin (*Dom Juan ou le Festin de pierre* date de 1665). Sganarelle évoque son irréligion avec une truculente gaucherie• : « [...] *tu vois en Don Juan, mon maître, [...] un enragé, un chien, un diable, un Turc, un hérétique, qui ne croit ni Ciel, ni Enfer, ni loup-garou [...]* » (I, 1). Exaspéré, Don Juan donne au pauvre un louis. Il lui dit, remplaçant le mot de « *Dieu* » par un autre, qu'il le fait « *pour l'amour de l'humanité* » (III, 2). Cette réplique fameuse révèle ce que signifiait d'abord le mot de « libertinage » : la libre pensée, c'est-à-dire le fait de substituer la religion de l'humanité à la religion révélée, comme le faisaient certains humanistes rationalistes. Mais, assurément, Don Juan n'est pas seulement libertin de pensée ; il l'est aussi de mœurs. Sganarelle le dit « *épouseur à toutes mains* » (I, 1).

Le Régent chez Saint-Simon et Chamfort

•

Louis XIV meurt en 1715. Sous le Régent, la Cour prend de nouvelles mœurs. Le mot de *« libertinage »* change de sens. Le Régent ne pouvait se passer de l'abbé Dubois, débauché notoire, mais remarquablement intelligent, très politique, futur cardinal et bientôt ministre. Le duc de Saint-Simon (1675-1755) fait allusion à l'abbé Dubois :

> *Plus son éducation avait été jusque-là resserrée, plus [le Régent, Philippe d'Orléans] chercha à s'en dédommager. Il tomba alors dans la débauche ; il préféra les plus débordés pour ses parties ; sa grandeur et sa jeunesse lui firent voir tout permis, et il se figura de réparer aux yeux du monde ce qu'il crut y avoir perdu par son mariage, en méprisant son épouse et en se piquant de vivre avec et comme les plus effrénés. De là le désir de l'irréligion et l'extravagante vanité d'en faire une profession ouverte ; de là un ennui extrême de toute autre chose que débauche éclatante, des plaisirs ordinaires et raisonnables, insipides.*
>
> Saint-Simon, *Mémoires*, 1694-1725 (publiés en 1829-1830).

Nicolas Sébastien Roch, dit Chamfort (1740-1794), fait aussi allusion à la débauche du Régent :

> *Le Régent voulait aller au bal, et n'y être pas reconnu : « J'en sais un moyen », dit l'Abbé Dubois ; et, dans le bal, il lui donna des coups de pied dans le derrière. Le Régent, qui les trouva trop forts, lui dit : « L'Abbé, tu me déguises trop. »*
>
> Chamfort, *Caractères et Anecdotes*, 1803 (posthume).

Le libertin• chez Crébillon fils

•

Avec Jolyot de Crébillon (1707-1777), le fils du grand poète tragique, tombent les masques pudiques que conservaient encore les romans d'analyse. Le roman ne se cherche plus d'alibi moralisateur, et le romancier adopte un ton de franchise qui va parfois jusqu'à l'indécence. Crébillon fils tourne en ridicule les prudes• et les dévots•. Ses personnages invoquent Dieu sous le nom de *« Grand Singe »* (in *L'Écumoire*). La plupart sont corrompus, vaniteux, sensuels, cyniques, joueurs, mais aussi lucides et, avant tout, impitoyables pour les faiblesses du cœur humain. Pour Crébillon fils, la morale n'est que le masque hypocrite de nos désirs les plus crus, quand elle n'est pas simple illusion de naïfs. Ses héros n'ont qu'une vertu, l'intelligence, qui fait d'eux des manipulateurs et des intrigants redoutables. Il n'est donc pas surprenant que

Laclos fasse du *Sopha* de Crébillon fils l'une des lectures favorites de Mme de Merteuil. On mesurera toutefois combien Laclos a su dépasser la sécheresse de cette «*arithmétique du cœur*» où excelle la virtuosité d'analyste de son modèle.

> *Ce qu'alors les deux sexes nommaient amour, était une sorte de commerce où l'on s'engageait, souvent même sans goût, où la commodité était toujours préférée à la sympathie, l'intérêt au plaisir et le vice au sentiment.*
>
> *On disait trois fois à une femme qu'elle était jolie, car il n'en fallait pas plus : dès la première assurément elle vous croyait, vous remerciait à la seconde, et assez communément vous en récompensait à la troisième. [...]*
>
> *Un homme, pour plaire, n'avait pas besoin d'être amoureux : dans des cas pressés, on le dispensait même d'être aimable.*
>
> *La première vue décidait d'une affaire, mais, en même temps, il était rare que le lendemain la vît subsister ; encore, en se quittant avec cette promptitude, ne prévenait-on pas toujours le dégoût. Pour rendre la société plus douce, on était convenu d'en retrancher les façons : on ne la trouva pas encore assez aisée ; on en supprima les bienséances.*
>
> *Si nous en croyons d'anciens Mémoires, les femmes étaient autrefois plus flattées d'inspirer le respect que le désir [...].*
>
> *Celles de mon temps pensaient d'abord qu'il n'était pas possible qu'elles se défendissent, et succombaient par ce préjugé, dans l'instant même qu'on les attaquait.*
>
> *Il ne faut cependant pas inférer de ce que je viens de dire qu'elles offrissent toutes la même facilité. J'en ai vu qui, après quinze jours de soins rendus, étaient encore indécises, et dont le mois tout entier n'achevait pas la défaite. Je conviens que ce sont des exemples rares, et qui semblent ne devoir pas tirer à conséquence pour le reste ; même, si je me trompe, les femmes sévères à ce point-là passaient pour être un peu prudes°. [...]*
>
> *Quel parti me restait-il donc à prendre ?*
>
> Crébillon fils, *Les Égarements du cœur et de l'esprit*, 1736-1738.

Le libertin° chez Duclos
•

On chercherait en vain chez Duclos (1704-1772) cette profondeur de pessimisme, ce génie de l'analyse, ou cette perfection d'écriture qui font la puissance et le génie de Crébillon fils. *Les Confessions du comte° de**** (1741) sont, comme *Les Égarements du cœur et de l'esprit*, un roman écrit à la première personne, sous la forme d'une pseudo-autobiographie. On n'y trouve que la succession assez lâchement composée des bonnes fortunes et des aventures galantes d'un homme à femmes. Soucieux de conserver au récit des allures honnêtes, Duclos tempère toujours l'audace des scènes ou des mots par un moralisme de circonstance, des plus tartuffes. Le succès de son œuvre tient surtout au fait que les contemporains ne cessèrent d'y chercher des «clés» et d'y reconnaître des figures du temps. C'est ainsi, par exemple, que beaucoup crurent reconnaître Mme de Tencin dans le personnage de Mme de Tonins.

> *Aussitôt que je me fus rendu à la société, mon goût pour les femmes se réveilla; mais je fus d'abord assez embarrassé de ma personne. Je retrouvai heureusement quelques-unes de mes anciennes maîtresses assez complaisantes pour moi. Je vis bien qu'on peut compter sur la constance des femmes, quand on n'en exige pas même l'apparence de la fidélité. Cependant une conquête nouvelle m'était nécessaire; et je me trouvais dans un assez grand embarras. Après un an d'absence, c'était une espèce de début; on était attentif au choix que j'allais faire : de ce choix seul pouvaient dépendre tous mes succès à venir. Mme de Limeuil me parut d'abord la seule femme digne de mes soins; mais la réflexion sut réprimer ce premier transport•. Elle était jeune, elle passait pour sage, et il fallait qu'elle le fût, car on n'avait point encore parlé d'elle. L'attaquer et ne pas réussir, c'était me perdre; un homme à la mode ne doit jamais entreprendre que des conquêtes sûres.*
> Duclos, *Confessions du comte• de****, 1741.

Le comte Almaviva chez Beaumarchais
•

Le Mariage de Figaro (1784) est une pièce libertine•. L'intérêt s'y trouve suspendu à l'éventuelle séance du «droit du seigneur»; l'enjeu de l'action n'est autre pour chacun que la quête de son plaisir. Figaro le dit : «*Une jolie femme et de la fortune* [...] » (V, 19). Quant au comte, Bartholo le définit «*libertin par ennui, jaloux par vanité*» (I, 4). Et Almaviva lui-même désigne Chérubin comme «*un petit libertin qu'il a surpris encore hier avec la fille du jardinier*» (I, 9). Les traits les plus typiques du libertinage masculin se retrouvent en grand nombre dans la pièce. Le comte campe le personnage du grand seigneur libertin. Il en a l'honneur affecté, le cynisme et la morgue, trois aspects essentiels de la quête libertine du plaisir, où une élégance tout aristocratique doit toujours masquer la brutalité du désir. C'est ce que soulignent plusieurs mots célèbres de la pièce :

• L'honneur faux : «*Un Espagnol peut vouloir conquérir la beauté par des soins; mais en exiger le premier le plus doux emploi, comme une servile redevance, ah! c'est la tyrannie d'un Vandale, et non le droit avoué d'un noble Castillan*» (I, 10).

• Le cynisme : « [La comtesse•] *Quoi, Suzon, il voulait te séduire ?* / [Suzanne] *Oh ! que non ! Monseigneur n'y met pas tant de façons avec sa servante ; il voulait m'acheter* » (II, 1).
• La morgue : « *Des libertés chez mes vassaux, qu'importe à gens de cette étoffe ? Mais la comtesse ! Si quelque insolent attentait* [...] » (III, 4).
« *Libertin•* par ennui », le comte désire posséder Suzanne par jeu plus que par passion, par défi aristocratique plus que par sentiment (III, 4), par libertinage donc, puisqu'il n'éprouve pour elle nulle « tendresse » : « *L'amour... n'est que le roman du cœur ; c'est le plaisir qui en est l'histoire ; il m'amène à tes genoux* » (V, 7). Figaro (II, 2) et Chérubin (V, 6) se montrent à l'occasion les émules désinvoltes de leur seigneur et maître, le comte Almaviva.

Le libertin• chez Sade
•

Dans sa vie comme dans ses œuvres de fiction, Sade (1740-1814) pousse à l'extrême les audaces du libertinage, jusqu'à l'apologie du crime et du Mal sous toutes leurs formes. Il porte à son paroxysme l'esthétique du plaisir que constitue le libertinage. Envers sombre du siècle des Lumières, censurée et partiellement détruite, son œuvre n'a quitté l'enfer des bibliothèques qu'avec l'engouement dont se prirent pour elle les « décadents » de la fin du XIXᵉ siècle, qui, avant les surréalistes, y virent le symbole de l'avant-gardisme et d'une libération totale. Sade met à nu les conséquences poussées jusqu'à l'extrême d'un état où la volonté de l'individu sans Dieu, se pensant affranchi de toute limitation naturelle ou divine, croit devoir tout se permettre.

> *On appelle conscience, ma chère Juliette, cette espèce de voix intérieure qui s'élève en nous à l'infraction d'une chose défendue, de quelque nature qu'elle puisse être : définition bien simple, et qui fait voir du premier coup d'œil que cette conscience n'est que l'ouvrage• du préjugé reçu par l'éducation, tellement que tout ce qu'on interdit à l'enfant lui cause des remords dès qu'il l'enfreint, et qu'il conserve ses remords jusqu'à ce que le préjugé vaincu lui ait démontré qu'il n'y avait aucun mal réel dans la chose défendue.*
> *N'éprouvons-nous pas ce que je te dis dans tous les prétendus crimes où la volonté préside ? Parce que le libertinage devient très promptement une habitude. Il en pourrait être de même de tous les autres égarements ; tous peuvent, comme la lubricité, se changer aisément en coutume, et tous peuvent, comme la luxure, exciter dans le fluide nerval [le système nerveux] un chatouillement, qui,*

ressemblant beaucoup à cette passion, peut devenir aussi délicieux qu'elle, et par conséquent, comme elle, se métamorphoser en besoin.

Ô Juliette, si tu veux, comme moi, vivre heureuse dans le crime... et j'en commets beaucoup, ma chère... si tu veux, dis-je, y trouver le même bonheur que moi, tâche de t'en faire, avec le temps, une si douce habitude, qu'il te devienne comme impossible de pouvoir exister sans le commettre.

Sade, Les Prospérités du vice, 1797.

Marat chez Roger Vailland
•

Roger Vailland (1907-1965), licencié en philosophie, résistant puis journaliste, prix Goncourt en 1957, se voulait semblable à Laclos ou Stendhal, qu'il admirait. Comme ceux de Stendhal, ses héros sont une projection du moi idéal de leur auteur. Bourgeois, distingués, cultivés et froids, ces personnages soignent leur image aristocratique d'« hommes de qualité » tout en recherchant la solidarité dans le communisme. Sur fond de matérialisme*, ils conjuguent tranquillement le modèle du conquérant libertin• et celui du militant engagé.

Dans son roman *Drôle de jeu*, deux résistants, l'un plus âgé (Marat), un grand bourgeois, l'autre d'humble origine (Rodrigue), et de plusieurs années son cadet, s'entretiennent des états d'âme d'un troisième camarade, le jeune Frédéric, amoureux fou d'une certaine Annie. De même que, dans *Les Liaisons*•, Valmont fait l'éducation libertine de Danceny, Marat en profite pour faire celle du jeune homme. Malgré sa froideur cynique, Marat ajoute au libertinage le rêve violent de l'amour fou. C'est ce mélange qui fait l'originalité des héros de Vailland.

Rodrigue parle, Marat lui coupe la parole :

– [...] Je n'avais pas encore compris que l'amour pût rendre fou...
– Comme toutes les idées fixes, ni plus ni moins. Un collection-neur de timbres qui a laissé échapper un timbre convoité depuis longtemps est tout aussi capable de maintes extravagances. [...]
– Tu ne crois pas à l'amour...
– Je t'ai déjà dit que je ne croyais qu'à l'amour. Mais je ne nomme pas amour l'obsession que provoquent, chez certains hommes, des femmes qu'ils n'ont jamais possédées. Cette sorte d'amour, bien qu'il puisse avoir à sa toute première origine un vif mouvement de désir, ne met finalement en branle que le cerveau et ce qu'on appelle le cœur, c'est-à-dire l'ensemble des émotions qui se manifestent, comme tu l'as si bien remarqué, au niveau du

plexus solaire. C'est même le cerveau qui finit par tenir toute la scène – chez ceux qui ont l'habitude de s'en servir. Tout ce que Stendhal dit de la «cristallisation» s'y applique fort bien : c'est l'amour-idée fixe ; il relève de la psychologie des passions et dans les cas extrêmes de la pathologie mentale.

Ce n'est pas à mon sens le véritable amour. Celui-ci implique le corps à corps. C'est une grande aventure à laquelle participe l'homme tout entier : tête, cœur et ventre. Il n'est rien de soi-même qui n'y soit engagé.

Il n'y a que les chrétiens pour avoir imaginé l'amour platonique. C'est que le christianisme a divisé l'homme, opposant l'âme noble au corps vil. [...]

Pour la plupart des romanciers, l'aventure est terminée lorsque les deux antagonistes parviennent à coucher ensemble. [...] Pour moi, c'est à ce moment-là qu'elle commence. L'épreuve de vérité du nu à nue est nécessaire pour distinguer l'amour vrai des extravagances de l'imagination. [...]

Stendhal, que j'aime tellement par ailleurs, est un romancier de la conquête plus que de l'amour. [...] Pour moi, l'amour commence une fois la conquête achevée. Si l'un des deux se refuse à l'aventure, l'amour ne se produit pas – par définition. L'amour est ce qui se passe entre deux êtres qui s'aiment : comme ils s'approchent, se fuient, se rapprochent, se déchirent, se brûlent, parviennent ou échouent à faire un couple, et ce qu'il advient de ce couple. Cet amour-là atteint les régions les plus profondes de l'être, celles où se déroulent les cataclysmes physiologiques, le royaume souterrain des grandes maladies et des profondes extases. Ce qui s'apparente le plus à cette grande aventure organique, ce n'est pas l'amour-idée fixe, l'amour-passion de Fabrice pour Clélia, de Frédéric pour Annie, ce serait plutôt la brève étreinte avec une prostituée, avec une «fille» : le corps à corps purement érotique, étroitement limité au temps du plaisir, n'admet pas non plus les tricheries ; il ne connaît pas non plus d'intermédiaire entre la réussite et l'échec ; ses réussites, toutes brèves qu'elles soient, sont complètes, pleinement satisfaisantes, glorieuses. La fille peinte et parée comme une idole qui accomplit rituellement les gestes de l'amour, la fille experte et froide, précautionneuse comme une infirmière, indifférente comme la mer... Les hommes qui aiment profondément les filles sont les plus capables de réussir les grandes amours.

Roger Vailland, *Drôle de jeu*, Buchet-Chastel, 1945.

> *« Conviens que nous voilà bien savantes ! »*
> (Lettre I, de Cécile Volanges à Sophie Carnay.)

> *« Quelle jeune personne, sortant de même du couvent, sans expérience et presque sans idées, et ne portant dans le monde, comme il arrive presque toujours alors, qu'une égale ignorance du bien et du mal ; quelle jeune personne, dis-je, aurait pu résister davantage à de si coupables artifices ? »*
> (Lettre CLXXIV, de Danceny à Mme de Rosemonde.)

LE POINT DE VUE « RÉVOLUTIONNAIRE » DE LACLOS

Le triomphe des *Liaisons*• invite Laclos à poursuivre sa carrière littéraire. Ce n'est cependant pas vers un roman qu'il s'oriente. Moraliste et philosophe plus que romancier, il se propose, dès 1783, de répondre à la question que l'académie de Châlons vient de mettre au concours : *« Quels seraient les meilleurs moyens de perfectionner l'éducation des femmes ? »* Sujet à la mode, comme le souligne René Pomeau, après Laurent Versini : *« La traditionnelle apologie de la femme connaît, après 1770, un regain de faveur, en réponse à une satire antiféministe non moins traditionnelle »* (*Laclos ou la Paradoxe*, Hachette, 1993). Laclos s'inscrit ainsi dans une lignée de moralistes qui va de Fénelon à un certain Riballier, en passant par Mmes de Lambert ou d'Épinay.

Or ce sujet représente l'une des thématiques majeures qu'abordent *Les Liaisons dangereuses* : dès les premières pages, le problème de l'éducation des femmes y affleure, avec la correspondance que Cécile échange avec sa compagne restée au couvent. Laclos condamne l'éducation conventuelle* et cloîtrée, inapte à préparer au monde et à ses pièges redoutables : Cécile ne sait que broder et jouer de la harpe ; Mme de Tourvel, mieux instruite de ses obligations mondaines, ignore cependant tout de l'amour et de la passion. Comment l'une et l'autre résisteraient-elles aux entreprises d'un séducteur tel que Valmont ? *Les Liaisons* évoquent encore l'inégalité des femmes et des hommes dans l'amour (lettre CXXX) ou l'aliénation des mariages arrangés (lettre XCVIII).

Paradoxalement, la seule femme qui ne soit pas victime, Mme de Merteuil, est aussi la seule qui n'ait pas subi l'éducation des couvents, et elle ne réussit que par le Mal (lettre LXXXI). Mais, parce que son roman par lettres se refusait les facilités de la dissertation, Laclos n'avait pu y développer à loisir toutes ces questions. La forme de l'essai devait mieux convenir à ce dessein.

Le passage qui suit est de ceux qui permettent de rapprocher le *Discours* et *Les Liaisons* dangereuses : Mme de Merteuil n'a-t-elle pas dû se former elle-même afin de pallier les carences de l'éducation que recevaient les femmes en son temps ? Comme le souligne Laurent Versini, elle s'est ainsi donné « *les moyens de dominer par le Mal une société qui réduit son sexe à la servitude* » (*Laclos, Œuvres complètes*, « Bibliothèque de la Pléiade », Gallimard, 1979, p. 1419). Pratiquant le paradoxe, à la manière de Rousseau, Laclos répond en ces termes à l'académie de Châlons :

> *Le premier devoir que [le souci du vrai] m'impose est de remplacer par une vérité sévère une erreur séduisante : il n'est aucun moyen de perfectionner l'éducation des femmes. Cette assertion paraîtra téméraire et déjà j'entends autour de moi crier au paradoxe. Mais souvent le paradoxe est un commencement de vérité. Celui-ci en deviendra une si je parviens à prouver que l'éducation prétendue, donnée aux femmes jusqu'à ce jour, ne mérite pas en effet le nom d'éducation, que nos lois et nos mœurs s'opposent également à ce qu'on puisse leur en donner une meilleure et que si, malgré ces obstacles, quelques femmes parvenaient à se la procurer, ce serait un malheur de plus pour elles ou pour nous. [...] La question est donc de savoir si l'éducation qu'on donne aux femmes développe ou tend au moins à développer leurs facultés et à en diriger l'emploi selon l'intérêt de la société, si nos lois ne s'opposent pas à ce développement et nos mœurs à cette direction, enfin si dans l'état actuel de la société une femme telle qu'on peut la concevoir formée par une bonne éducation ne serait pas très malheureuse en se tenant à sa place et très dangereuse si elle tentait d'en sortir.*
>
> Laclos, *Discours sur la question proposée par l'Académie de Châlons-sur-Marne*, « Quels seraient les meilleurs moyens de perfectionner l'éducation des femmes ? ».

Laclos résume son argumentation sous la forme d'un syllogisme abrupt :

> *Partout où il y a esclavage, il ne peut y avoir éducation ; dans toute société, les femmes sont esclaves ; donc la femme sociale n'est pas susceptible d'éducation.*
>
> Laclos, *ibid.*

Cette formule, pour abrupte qu'elle soit, a du moins le mérite de dévoiler le lien qui unit *Les Liaisons dangereuses*, le *Discours*, l'influence de Rousseau, le sentiment d'aliénation des gens de moyenne condition sous Louis XVI, et les convictions révolutionnaires de Laclos, qui poursuit son exorde* en ces termes :

> *Ô femmes ! approchez et venez m'entendre. Que votre curiosité, dirigée une fois sur des objets utiles, contemple les avantages que*

vous avait donnés la nature et que la société vous a ravis. Venez apprendre comment, nées compagnes de l'homme, vous êtes devenues son esclave. [...] Si ce tableau fidèlement tracé vous laisse de sang-froid, si vous pouvez le considérer sans émotion, retournez à vos occupations futiles. Le mal est sans remède : les vices se sont changés en mœurs. Mais si, au récit de vos malheurs et de vos pertes, vous rougissez de honte et de colère, [...] ne vous laissez plus abuser par de trompeuses promesses, n'attendez point les secours des hommes auteurs de vos maux : ils n'ont ni la volonté, ni la puissance de les finir [...]. Apprenez qu'on ne sort de l'esclavage que par une grande révolution. Cette révolution est-elle possible ? C'est à vous seules à le dire, puisqu'elle dépend de votre courage.

Laclos, *ibid.*

RAPPROCHEMENTS LITTÉRAIRES

Mme de Lambert (1647-1733)
•

Mme de Lambert était une de ces femmes éclairées qui tenaient salon à Paris. Elle recevait à ses mardis Fontenelle, La Motte, Mme de Staal-Delaunay, Mme Dacier, et bien d'autres, qui comptaient dans le Paris littéraire et savant de l'époque. Les deux traités qu'elle écrivit, *Avis d'une mère à sa fille* et *Avis d'une mère à son fils*, sont encore très proches des idées pédagogiques de Fénelon, mais on y sent déjà poindre un changement certain regardant l'éducation des femmes.

On a dans tous les temps négligé l'éducation des filles ; l'on n'a d'attention que pour les hommes, et comme si les femmes étaient une espèce à part, on les abandonne à elles-mêmes sans secours, sans penser qu'elles composent la moitié du monde ; qu'on est unis à elles nécessairement par les alliances ; qu'elles font le bonheur ou le malheur des hommes, qui toujours sentent le besoin de les avoir raisonnables ; que c'est par elles que les maisons s'élèvent ou se détruisent ; que l'éducation des enfants leur est confiée dans la première jeunesse, temps où les impressions se font plus vives et plus profondes. [...] Rien n'est donc si mal entendu que l'éducation qu'on donne aux jeunes personnes ; on les destine à plaire ; on ne leur donne des leçons que pour les agréments ; on fortifie leur amour-propre ; on les livre à la mollesse, au monde et aux fausses opinions ; on ne leur donne jamais de leçons de vertu ni de force ; il y a une injustice, ou plutôt une folie à croire qu'une pareille éducation ne tourne pas contre elles. [...]
Une des choses qui nous rendent plus malheureuses, c'est que nous

329

comptons trop sur les hommes; c'est aussi la source de nos injustices : nous leur faisons des querelles non sur ce qu'ils nous doivent, ni sur ce qu'ils nous ont promis, mais sur ce que nous avons espéré d'eux : nous nous faisons un droit de nos espérances, qui nous fournissent bien des mécomptes.

Mme de Lambert, *Avis d'une mère à sa fille*, 1728.

Diderot (1713-1784)

Le drame bourgeois, dont Diderot s'était fait le théoricien, prétendait illustrer sur scène les sentiments raisonnables et les idées morales des Philosophes. Dans *Le Père de famille*, la question de l'éducation des femmes est incidemment abordée. Au nom de l'utilité sociale, le père réprouve aussi bien l'état religieux que celui de célibataire. Le mariage seul permet d'accomplir ce que la nature et la société attendent d'une jeune fille... La réprobation du couvent est un des lieux communs du discours philosophique au XVIIIᵉ siècle.

LE PÈRE DE FAMILLE. – *Quel est celui [l'état] que vous préféreriez?... Vous hésitez... Parlez, ma fille.*

CÉCILE. - *Je préférerais la retraite.*

LE PÈRE DE FAMILLE. – *Que voulez-vous dire? Un couvent?*

CÉCILE. – *Oui, mon père. Je ne vois que cet asile• contre les peines que je crains.*

LE PÈRE DE FAMILLE. – *Vous craignez des peines, et vous ne pensez pas à celles que vous me causeriez? Vous m'abandonneriez? Vous quitteriez la maison de votre père pour un cloître? La société de votre oncle, de votre frère et la mienne, pour la servitude? Non, ma fille, cela ne sera point. Je respecte la vocation religieuse; mais ce n'est pas la vôtre. La nature, en vous accordant les qualités sociales, ne vous destina point à l'inutilité... Cécile, vous soupirez... Ah! Si ce dessein te venait de quelque cause secrète, tu ne sais pas le sort que tu te préparerais. Tu n'as pas entendu les gémissements des infortunées dont tu irais augmenter le nombre. Ils percent la nuit et le silence de leurs prisons. C'est alors, mon enfant, que les larmes coulent amères et sans témoin, et que les couches solitaires en sont arrosées... Mademoiselle, ne me parlez jamais de couvent... Je n'aurai point donné la vie à un enfant; je ne l'aurai point élevé; je n'aurai point travaillé sans relâche à assurer son bonheur, pour le laisser descendre tout vif dans un tombeau; et avec lui, mes espérances et celles de la société trompées... Et qui le repeuplera de citoyens vertueux, si les femmes les plus dignes d'être les mères de famille s'y refusent?*

Diderot, *Le Père de famille*, scène 2, 1758.

Mme de Graffigny (1695-1758)
•

La critique du couvent comme institution pédagogique pour les jeunes filles se retrouve chez Mme de Graffigny, auteur d'un roman par lettres célèbre en son temps, les *Lettres d'une Péruvienne* (1747) :

> *Je ne sais quelles sont les suites de l'éducation qu'un père donne à son fils : je n'en suis pas informée. Mais je sais que du moment que les filles commencent à être capables de recevoir des instructions, on les enferme dans une maison religieuse, pour leur apprendre à vivre dans le monde ; que l'on confie le soin d'éclairer leur esprit à des personnes auxquelles on ferait peut-être un crime d'en avoir, et qui sont incapables de leur former le cœur qu'elles ne connaissent pas.*
>
> *Les principes de la religion, si propres à servir de germes à toutes les vertus, ne sont appris que superficiellement et par mémoire. Les devoirs à l'égard de la divinité ne sont pas inspirés avec plus de méthode. Ils consistent dans de petites cérémonies d'un culte extérieur, exigées avec tant de sévérité, pratiquées avec tant d'ennui, que c'est le premier joug dont on se défait en entrant dans le monde.* [...]
>
> *D'ailleurs rien ne remplace les premiers fondements d'une éducation mal dirigée.* [...]
>
> *Et en effet, mon cher Aza, comment ne seraient-elles pas révoltées contre l'injustice des lois qui tolèrent l'impunité des hommes, poussée au même excès que leur autorité ? Un mari, sans craindre aucune punition, peut avoir pour sa femme les manières les plus rebutantes* [...]. *Il est autorisé à punir rigoureusement l'apparence d'une légère infidélité, en se livrant sans honte à toutes celles que le libertinage lui suggère.* [...]
>
> Mme de Graffigny, *Lettres d'une Péruvienne*
> (lettre XXXIV), 1747.

PARCOURS THÉMATIQUE

> *« Cette sensibilité si active est, sans doute, une qualité louable ;*
> *mais combien tout ce qu'on voit chaque jour*
> *nous apprend à la craindre ! »*
> (Lettre CLXV, de Mme de Volanges à Mme de Rosemonde.)

Avec *La Nouvelle Héloïse* (1761), Rousseau (1712-1778) était
devenu l'un des romanciers les plus lus de son temps. La
pensée du philosophe rencontrait un écho de plus en plus large
dans la sensibilité de ses contemporains. Laclos, qui veut
réussir par l'éclat d'un seul livre, l'ignore d'autant moins qu'il
compte lui-même parmi les fervents lecteurs de Jean-Jacques
Rousseau. Son traité *Des femmes et de leur éducation* illustre au
féminin les idées pédagogiques que Rousseau avait défendues
dans l'*Émile* (1762) ; sa correspondance est nourrie d'allusions
flatteuses aux idées du citoyen de Genève. Aussi n'est-il guère
étonnant de voir partout affleurer dans *Les Liaisons*• *dangereuses* citations, emprunts ou réminiscences tirés du grand
roman par lettres de Rousseau. Il peut sembler paradoxal en
revanche qu'un professeur de vertu ait pu être à la source d'une
œuvre longtemps jugée licencieuse. Certes, l'ironie de Laclos
prend bien des libertés à l'égard de son modèle, et il n'est déjà
pas sans intérêt d'examiner lesquelles. Est-ce à dire cependant
que Laclos profanerait les leçons de son maître ? Peut-être.
Encore faudrait-il savoir en quoi et pourquoi. N'aurait-on pas
plutôt mal lu Laclos ? Plus probablement. En ce cas, rapprocher *Les Liaisons* de Rousseau est sans doute ce qui permet le
mieux d'apprécier le projet moral si ambigu de leur auteur.

L'INFLUENCE LITTÉRAIRE

On rapprochera tout d'abord les « seuils » du texte : l'épigraphe, l'« *Avertissement* » et la « *Préface* » des *Liaisons*, de la
« *Préface* » de *La Nouvelle Héloïse* :

> Il faut des spectacles dans les grandes villes, et des romans aux
> peuples corrompus. J'ai vu les mœurs de mon temps, et j'ai publié
> ces lettres. Que n'ai-je vécu dans un siècle où je dusse les jeter au
> feu !
> Quoique je ne porte ici que le titre d'éditeur, j'ai travaillé moi-
> même à ce livre, et je ne m'en cache pas. Ai-je fait le tout, et la
> correspondance entière est-elle une fiction ? Gens du monde, que
> vous importe ? C'est sûrement une fiction pour vous. [...]
> Rousseau, *La Nouvelle Héloïse*,
> début de la « *Préface* », 1761, « G.-F. », p. 3.

Le caractère des personnages, dans un roman par lettres, se
reflète avant tout dans leur vocabulaire. Celui de la Présidente•
de Tourvel, son style, à la fois austère et lyrique, son ton

moralisateur, ressemblent fort à ceux de Julie, l'héroïne de Rousseau. Au reste, Mme de Tourvel hérite de Julie sa grandeur d'âme et sa générosité, mais aussi certains détails, à commencer par cette appellation de *« jolie prêcheuse »* que Valmont lui décerne ironiquement, dans la lettre XXIII pour la première fois[1] : *« Je me doute bien [...] comme eux jetés au vent »* (I, lettre XLIV, p. 79). *« Veuille donc, ma charmante prêcheuse [...] les habitants d'une grande ville »* (II, lettre XVI, p. 172).

Le portrait que brosse Valmont de la chaste Présidente• se livrant aux joies simples d'une âme pure (lettre VI) fait écho à celui que peint Saint-Preux de l'innocence de Julie : *« Que vous êtes changée [...] tranquille en peu de temps ! »* (I, lettre VIII, pp. 21-22).

Les accents de Julie en proie au remords semblent inspirer directement l'ultime lettre de la Présidente, sur le point de sombrer dans l'aliénation (lettre CLXI) : même sentiment d'avoir été dégradée par la possession physique, mêmes remords éternels, même refus enfin d'être consolée : *« Voilà, mon ami, [...] je ne suis plus rien »* (I, lettre XXXII, p. 64).

Le plus étrange, dans les emprunts que fait Laclos à Rousseau, c'est de voir comment il a redistribué entre plusieurs de ses personnages les traits de tel ou tel des protagonistes de *La Nouvelle Héloïse*. Si différente qu'elle soit de Mme de Tourvel, Cécile Volanges hérite pour sa part, non des traits, mais de certaines des aventures de Julie, comme lorsque celle-ci annonce, par exemple, que les lettres de Saint-Preux ont été *« surprises »*. On rapprochera cette péripétie de celle que raconte Cécile à Sophie Carnay dans la lettre LXI : *« Tout est perdu ! tout est découvert ! [...] Comment soutenir ses regards ? »* (II, lettre XXVIII, pp. 220-221).

Si Cécile hérite de Julie, elle n'est pas la seule. La Merteuil elle-même recueille son talent d'éloquence, voire certains de ses arguments. On comparera la lettre CIV, qu'elle écrit à Mme de Volanges pour la mettre en garde contre le mariage d'amour, avec la thèse que développe Julie : *« Ce qui m'a longtemps abusée, [...] bien élever ses enfants »* (III, lettre XX, pp. 274-275).

---

1. Faute de place, nous ne reproduisons pas l'intégralité des passages de *La Nouvelle Héloïse*, mais nous en indiquons, pour chacun, le début et la fin, avec les références d'une édition de poche que tous les lecteurs pourront aisément se procurer, celle de la collection « G.-F. », n° 148 (Garnier-Flammarion, Paris, 1967).

L'agréable surprise que la marquise• ménage à Belleroche dans sa *« petite maison »* (lettre X) n'est pas sans rappeler, comme l'a indiqué Laurent Versini, celle que Julie ménage à Saint-Preux, dans un bosquet : *« En approchant du bosquet, [...] et tomber en défaillance »* (I, lettre XIV, p. 34).

Célébrant sa victoire sur la peu farouche Cécile, Valmont parodie les mots que l'aveu de la chaste Julie avait inspirés à Saint-Preux transporté : « Puissances du Ciel ; j'avais une âme pour la douleur ; donnez-m'en une pour la félicité ! *C'est, je crois, le tendre Saint-Preux qui s'exprime ainsi. Mieux partagé que lui, je possède à la fois les deux existences. Oui, mon amie, je suis, en même temps, très heureux et très malheureux [...] »* (lettre CX). Voici l'original : *« Puissances du Ciel ! j'avais une âme pour la douleur, donnez-m'en une pour la félicité. Amour, vie de l'âme, viens soutenir la mienne prête à défaillir. Charme inexprimable de la vertu, force invincible de la voix de ce qu'on aime, bonheur, plaisirs, transports•, que vos traits sont poignants ! qui peut en soutenir l'atteinte ? »* (I, lettre V, p. 16).

Danceny recueille bien quelque chose des élans sentimentaux de Saint-Preux. Mais, chez cet amant doucereux•, les beaux accents que la passion inspirait à l'amant de Julie dégénèrent en un sentimentalisme convenu, que du reste le personnage tire précisément de la lecture qu'il fait du roman de Rousseau... M. de Tourvel et le comte• de Gercourt héritent tous deux du rôle que tient dans *La Nouvelle Héloïse* l'admirable M. de Wolmar, le mari de Julie. Mais Gercourt, mari de Cécile en puissance, n'est chez Laclos qu'un cocu présomptif. Il n'est en outre, tout comme le Président•, qu'un absent éternellement muet... L'auteur des *Liaisons•* s'amuse de même à partager l'intelligence de M. de Wolmar entre Valmont et Merteuil. Or l'énergie de ces deux roués, leur sens de l'intrigue•, leur cynisme libertin•, tout les oppose tant au sage mari de Julie qu'aux fantoches dérisoires que sont Gercourt ou M. de Tourvel. Par ces redistributions à contre-emploi des traits empruntés aux personnages de Rousseau, Laclos affirme autant sa dette que ses distances à l'égard de son maître. Le narrateur, dans un roman épistolaire, n'a nulle place pour faire entendre son point de vue. Cette ironie* dans le maniement des références à Rousseau constitue l'une des intrusions les plus constantes du romancier dans *Les Liaisons*. Comment ne pas voir qu'elle vise les personnages mêmes qu'anime le romancier, et non Jean-Jacques Rousseau, qu'il admire ? Le dénouement éclaire donc bien les intentions morales de Laclos : les personnages qu'il a mis en scène, il les voue tous à une fin terrible, la folie, l'exil, la ruine, la défiguration, le couvent ou la mort! Rien n'est épargné, ni aux roués, malgré leur intelligence, ni aux naïfs, malgré leur jeunesse, ni à la pieuse victime que représente Mme de Tourvel, malgré sa belle figure. Cet immense et général gâchis prouve mieux qu'un prêche que tous ces personnages se sont donc tragiquement abusés sur eux-mêmes. Laclos ne pouvait mieux montrer que la puissance du Mal est aussi terrifiante que vaine : le Mal peut tout détruire, pourtant il ne saurait vaincre! Paraphrasant le *Sermon sur la mort* de Bossuet, le romancier eût pu commenter son dénouement en disant : «*Mal, où est donc ta victoire?*»

L'INFLUENCE PHILOSOPHIQUE

Ces analogies dans les détails romanesques renvoient à l'influence philosophique de Rousseau sur son disciple. Le traité que Laclos intitule *Des femmes et de leur éducation* repose sur la même anthropologie que celle que développe Rousseau dans ses deux *Discours,* sur les sciences et les arts, et sur l'inégalité. Comme son maître, Laclos veut que l'homme à l'état de nature vive aussi solitaire que possible. Il se plaît à l'imaginer étranger à toute forme de lien social, fût-il le plus élémentaire ; il tient que les rapports entre hommes et femmes primitifs se réduisent à de furtives rencontres, qu'ils ne nouent entre eux aucun lien durable, ne formant ni couples ni familles, ce qui serait déjà l'ébauche d'une société. René Pomeau dégage ce rapport profond entre la pensée de Rousseau et celle du romancier des *Liaisons* dangereuses :

> La vie naturelle, selon Laclos, ignore toute compétition darwinienne pour la survie. La jungle où l'individu s'expose à mille agressions, c'est au contraire l'état social. C'est dans la vie civile que «l'homme est un loup pour l'homme». Mais Laclos n'avait-il pas déjà dans son roman mis en scène une jungle civilisée? L'univers des Liaisons apparaît comme celui d'une guerre sans loi. Les libertins prennent et perdent les femmes; entre eux ils s'affrontent dans des combats sans merci ; les femmes entre elles se déchirent férocement. [...] Les Liaisons dangereuses participent de ce rousseauisme qui fait commencer le malheur de l'homme en même temps que son existence collective. Dans la société, toute «liaison» devient «dangereuse» : un moindre mal, sinon le bonheur, ne se rencontre que dans cette forme relative de la solitude qu'est la retraite. Mme de Rosemonde aurait terminé sa vie dans une torpeur placide, à l'écart, si l'agitation du monde n'était venue la troubler jusqu'en son château. Dans ce roman, où la religion est si peu ménagée, le couvent constitue un recours indispensable. Mme de Tourvel y va chercher un peu de paix pour

335

mourir ; *Cécile, Danceny tenteront d'y guérir leurs blessures. Après le réquisitoire contre les dangereuses liaisons*• *de l'état social,* [l'essai sur les femmes et leur éducation] *dessine la chimère complémentaire du vrai bonheur par la solitude « naturelle » du primitif.*

René Pomeau, *Laclos ou le Paradoxe,* Hachette, 1993.

Jean-Jacques Rousseau peint par Maurice Quentin de La Tour,
Musée de Saint-Quentin.

AMOUR / DÉSIR
•

> « [...] est-il vrai, vicomte•, que vous vous faites illusion sur
> le sentiment qui vous attache à Mme de Tourvel ? C'est de
> l'amour, ou il n'en exista jamais : vous le niez bien de cent
> façons ; mais vous le prouvez de mille. »
> (Lettre CXXXIV, de Mme de Merteuil à Valmont.)

• **Dans *Les Liaisons• dangereuses*** : l'intrigue des *Liaisons*
repose sur l'affrontement qu'éprouve Valmont entre le « système » et la passion, entre la tendresse naturelle et le libertinage calculé, et le roman est au fond l'histoire de la défaite du
système par le sentiment. Face à Valmont qui sent s'éveiller en
lui les émois inconnus de la sensibilité, le sensualisme* de
Mme de Merteuil la porte à réduire le sentiment à une comédie
hypocrite, destinée à dissimuler la brutalité du désir : « [...] *le
plaisir, qui est bien en effet l'unique mobile de la réunion des deux
sexes, ne suffit pourtant pas pour former une liaison entre eux [...]
s'il est précédé du désir qui rapproche, il n'est pas moins suivi du
dégoût qui repousse [...]. C'est une loi de la nature, que l'amour
seul peut changer* » (lettre CXXXI, de Mme de Merteuil à Valmont). Sa nuit de noce n'est pour la marquise• qu'une « *occasion d'expérience* » (lettre LXXXI) : « [...] *douleur et plaisir*, écrit-
elle, *j'observais tout exactement, et ne voyais dans ces diverses
sensations, que des faits à recueillir et à méditer* » (*ibidem*). Une
des maximes de l'action de Mme de Merteuil est la dissociation
du plaisir et de l'amour, dans laquelle Malraux voyait le comble
même de la débauche : « *L'amour, qu'on nous vante comme la
cause de nos plaisirs, n'en est tout au plus que le prétexte* » (lettre
LXXXI). À côté de Cécile, simple « *machine à plaisir* » (« *C'était
plus fort que moi* », lettre XVIII ; « *Je n'ai pas pu m'en empêcher* »,
lettre XXVIII), Mme de Tourvel figure l'une des grandes
héroïnes tragiques de l'amour dans la tradition française du
roman d'analyse : « *Valmont... Valmont ne m'aime plus. Il ne m'a
jamais aimée. L'amour ne s'en va pas ainsi* » (lettre CXXXV, de
Mme de Tourvel à Mme de Rosemonde).
• **Rapprochements** : l'opposition du désir et de la tendresse a
été l'un des sujets les plus constants du roman libertin•. *Manon
Lescaut* de l'abbé Prévost met en scène le conflit de ces deux
sortes d'amour. Le théâtre de Marivaux l'illustre par la théorie
des « *deux amours* », l'amour vrai résultant de la « *réunion* » de
ces deux sentiments, la « *tendresse* » et le désir, que Marivaux
nomme « *amour* ». Si les personnages de Marivaux ne sont rien
moins que libertins, sans être vertueux, ils ne sont pas de bois.
On ne saurait oublier que le théâtre de Marivaux est celui d'un
romancier, réaliste à sa manière. Marivaux accorde donc dans

son œuvre une place de choix au trouble des sens (*La Surprise de l'amour*, *La Seconde Surprise de l'amour*, *La Réunion des amours*, *Les Fausses Confidences*).

<h2 style="text-align:center">CYNISME</h2>

•

> « J'ai été étonné du plaisir qu'on éprouve en faisant le bien ; et je serais tenté de croire que ce que nous appelons les gens vertueux, n'ont pas tant de mérite qu'on se plaît à nous le dire. »
>
> (Lettre XXI, de Valmont à Mme de Merteuil.)

• **Dans *Les Liaisons• dangereuses*** : le mépris que professent Merteuil et Valmont pour les valeurs morales, leur hypocrisie méthodique illustrent une posture cynique, au sens ordinaire du terme. Ce cynisme est inhérent au libertinage, qui est une sorte de machiavélisme transposé de la sphère de la politique dans celle des relations privées.
• **Rapprochements** : fondée par Antisthène (444-365 av. J.-C.), cette doctrine fut illustrée par Diogène (413-327 av. J.-C.). Le cynisme antique était un relativisme moral poussé à l'extrême, doublé d'un ascétisme personnel ; il consistait dans le mépris des valeurs convenues sur lesquelles se fondent la civilisation et l'ordre social. Le machiavélisme en est une application politique.
Montaigne fait la critique du cynisme dans l'action politique (*Essais*, III, 1, « *De l'utile et de l'honnête* »). Le personnage de Cléopâtre dans la *Rodogune* de Corneille, le Don Juan de Molière, l'ambition et l'hypocrisie sans scrupules de Julien Sorel chez Stendhal, *La Comédie humaine* de Balzac (*Le Père Goriot*, *Illusions perdues*, *Splendeurs et Misères des courtisanes*) offrent des peintures saisissantes de cette attitude sceptique et nihiliste, souvent considérée par les moralistes comme une constante des relations sociales, dissimulée sous le masque de l'honnêteté mondaine.

<h2 style="text-align:center">DÉVOTE• / PRUDE•</h2>

> « Je dis plus ; n'en espérez aucun plaisir. En est-il avec les prudes ? [...] réservées au sein même du plaisir, elles ne vous offrent que des demi-jouissances. [...] Ici c'est bien pis encore ; votre prude est dévote, et de cette dévotion de bonne femme qui condamne à une éternelle enfance. »
>
> (Lettre V, de Mme de Merteuil à Valmont.)

• **Dans *Les Liaisons dangereuses*** : Mme de Tourvel est le type même de le jeune dévote, belle, mais prude et austère•.

338

Personnage du répertoire, la prude• figure souvent dans la comédie et le roman.

• **Rapprochements** : chez Molière, les dévots• sont incarnés, dans *Le Tartuffe,* par Mme Pernelle, Orgon et Tartuffe, auxquels il convient d'ajouter Orante, *« prude à son corps défendant ».* Nous ne connaissons ce personnage invisible, prototype de l'Arsinoé du *Misanthrope,* que par le portrait que Dorine brosse d'elle (I, 1, v. 121 à 140).

– Prudes : chez Molière, *L'Étourdi* (III, 2, v. 959-978 – Célie), *La Critique de «l'École des femmes»,* Arsinoé dans *Le Misanthrope,* « la Nuit » dans le prologue d'*Amphitryon* (v. 120 à 147) et Cléanthis (I, 4) dans la même pièce.

– Dévotion : *Dom Juan* (V, 2) et *Les Fourberies de Scapin* (II, 5) de Molière ; *Le Rouge et le Noir* de Stendhal ; les *Lettres persanes* de Montesquieu ; *Candide* et les *Lettres philosophiques* de Voltaire, entre autres – car Voltaire n'a cessé de poursuivre de son ironie* acerbe les bigots et les fanatiques de tout poil tout au long de son œuvre (*« Écrasons l'Infâme ! »*).

HYPOCRISIE / MASQUE / MENSONGE / COQUETTERIE
•

> *« [...] je cherchai même dans les moralistes les plus sévères ce qu'ils exigeaient de nous, et je m'assurai ainsi de ce qu'on pouvait faire, de ce qu'on devait penser, et de ce qu'il fallait paraître. »*
> (Lettre LXXXI, de Mme de Merteuil à Valmont.)

• **Dans *Les Liaisons• dangereuses*** : l'hypocrisie est la suprême ressource des deux roués. Mme de Merteuil se pare, aux yeux du monde, du masque de la vertu la plus austère• pour protéger son libertinage (cf. la citation placée ci-dessus en exergue). Pour ses amants, le masque change et devient celui de la coquetterie. Correspondre est à ses yeux un moyen non de s'exprimer, mais de se dissimuler tout en manipulant son correspondant : *« Quand vous écrivez à quelqu'un, c'est pour lui et non pas pour vous : vous devez donc moins chercher à lui dire ce que vous pensez, que ce qui lui plaît davantage »* (lettre CV, de Mme de Merteuil à Cécile Volanges).

• **Rapprochements** : parmi les masques que les hommes portent ordinairement, Molière, comme tous les moralistes de son siècle, a ménagé une place de choix aux mondains. Son idéal est celui de l'honnêteté mondaine (Elvire, Cléante) et du « naturel » (cf. *Le Misanthrope,* I, 2, v. 373 à 415), mais il dénonce ceux pour qui le monde, loin d'être le lieu naturel de la sociabilité, se réduit à la comédie, vaine, hypocrite et cruelle, du paraître : si la volonté du misanthrope de rompre avec le monde est condamnée, l'hypocrisie des coquettes et des précieuses ne l'est pas moins.

– Coquettes : *L'École des femmes* (III, 2, v. 719-720), *Le Mariage forcé,* notamment le rôle de Dorimène, *Le Misanthrope,* notamment le rôle de Célimène.

– Imposture et artifices : ce sont les imposteurs, les faux dévots• principalement, mais aussi les médecins, que Molière dénonce avec le plus de virulence : *Dom Juan, Le Tartuffe, Le Misanthrope* (I, 1, v. 123 à 140 ; V, 1), *L'Avare* (V, 5), *Le Bourgeois gentilhomme* (III, 16 ; IV), *Les Fourberies de Scapin* (II, 7 ; III, 2), *Les Femmes savantes,* notamment le rôle de Trissotin.

– Calomnies : *L'École des femmes* (I, 1, v. 15 à 20 ; I, 4, v. 306 à 308 ; II, 5, v. 467-468), *Le Misanthrope* (II, 4 ; III, 4 ; V, 4, v. 1681-1682), *L'Avare* (III, 1 ; V, 2), *Les Femmes savantes* (IV, 4).

La comédie du monde se montre partout à travers le nombre infini des coquettes : chez Beaumarchais, la comtesse• du *Mariage de Figaro* aime se donner à elle-même le spectacle de l'amour qu'elle inspire à Chérubin (II, 3 à 9). Citons encore la plupart des héroïnes de Marivaux : Silvia dans *Le Jeu de l'amour et du hasard,* Araminte dans *Les Fausses Confidences,* par exemple. Coquette, mais perverse, la Marianne de Musset *(Les Caprices de Marianne).* Sans oublier Hélène, dans *La Guerre de Troie n'aura pas lieu* de Giraudoux.

Parmi la littérature romanesque, citons, dans *Illusions perdues* de Balzac, Madame de Bargeton ; chez Stendhal, Mathilde de La Mole *(Le Rouge et le Noir)* ; chez Proust, Odette de Crécy *(Un amour de Swann* in *À la Recherche du Temps perdu)* ; Diane de Nettencourt, dans *Les Cloches de Bâle* d'Aragon.

JALOUSIE
•

> «*Voyons ; de quoi s'agit-il tant ? Vous avez trouvé Danceny chez moi, et cela vous a déplu ? [...] Mais vous êtes jaloux, et la jalousie ne raisonne pas. Hé bien ! je vais raisonner pour vous.*»
> (Lettre CLII, de Mme de Merteuil à Valmont.)

• **Dans *Les Liaisons• dangereuses*** : fortement influencé par l'art du théâtre, et par l'œuvre de Racine en particulier, Laclos n'a eu garde d'omettre ce ressort si puissant qu'est la jalousie : la rivalité, en partie amoureuse, de Merteuil et Valmont constitue l'argument du roman. La jalousie de la marquise• à l'égard de Mme de Tourvel, celle de Valmont à l'égard de Danceny amènent le dénouement en suscitant des vengeances fatales•.

• **Rapprochements** : dans le registre de la tragédie, il faut penser à la peinture féroce que fait Racine de la jalousie féminine, et aux effets dramaturgiques d'une puissance étonnante qu'il en tire : Hermione, dans *Andromaque* (IV, 5 : « *Perfide, je le vois, / Tu comptes les moments que tu perds avec moi !* »), Roxane, dans *Bajazet* (V, 4 : le terrible « *Sortez* » de Roxane), Ériphile, dans *Iphigénie* (IV, 1), et, bien sûr, Phèdre : « *Ils s'aiment ! par quel charme ont-ils trompé mes yeux ?* » (IV, 6). Pensons aussi à la jalousie fatale d'Orosmane (V, 8 et 9), le sultan de Jérusalem, dans la *Zaïre* de Voltaire, inspirée, sous son masque oriental, du drame de Shakespeare, *Othello* (dont la jalousie crédule s'apparente à celle d'Almaviva).

Dans le roman, on n'oubliera ni la jalousie fatale de Monsieur de Clèves, dans *La Princesse de Clèves* de Madame de Lafayette (quatrième partie), ni celle de Madame de Rênal, dans *Le Rouge et le Noir* de Stendhal (chap. 9). On fera une place de choix à la jalousie de Marcel, le narrateur d'*À la Recherche du Temps perdu*, vis-à-vis d'Albertine, ou à celle de Swann, causée par Odette de Crécy.

La comédie excelle à peindre la jalousie, ou le « dépit amoureux », dont elle tire des ressorts inépuisables. La jalousie y est le plus souvent une passion ridicule, traditionnellement attribuée aux « barbons », c'est-à-dire aux vieillards amoureux, comme le Bartholo du *Barbier de Séville*, ou l'Arnolphe de *L'École des femmes*. Dans les comédies de Marivaux, les « surprises de l'amour » sont un motif central et répétitif. Les personnages ignorent eux-mêmes qu'ils s'aiment, refusent de se l'avouer par amour-propre, quand soudain la morsure de la jalousie leur révèle ce que déjà leur cœur savait inconsciemment : ils aiment, et il est trop tard pour se rendre maître d'une passion qu'on n'a pas sentie naître (*Le Jeu de l'amour et du hasard*) !

MAL
•

> « [...] *au fait, quand j'y aurais mis un peu de malice, il faut bien s'amuser : Les sots sont ici-bas pour nos menus plaisirs.* »
> (Lettre LXIII, de Mme de Merteuil à Valmont.)

• **Dans *Les Liaisons* dangereuses** : ce qu'il y a de scandaleux dans *Les Liaisons*, c'est l'emploi délibéré d'une haute intelligence au seul service du Mal, et du Mal commis à plaisir : cf. la citation placée ci-dessus en exergue. Deux lectures antagonistes ont été proposées du roman de Laclos. René Pomeau ou Laurent Versini, privilégiant la filiation historique de l'œuvre avec la pensée de Rousseau, lisent *Les Liaisons*• comme l'illustration des méfaits d'une société corrompue, raffinée et urbaine, tout occupée d'artifices et coupée de la nature. À l'opposé, Baudelaire a projeté sur le roman sa propre métaphysique du Mal. Pour lui, ce roman peint non seulement le Mal, mais *« le Mal se connaissant »* qui, selon lui, est *« moins affreux et plus près de la guérison que le Mal s'ignorant »*. Ce prince de la critique devait faire école : après lui, les décadents, les surréalistes, ou la critique marxiste ont voulu voir dans l'ouvrage, comme dans ceux de Sade, une apologie de la *« libération totale »* et comme une préfiguration du satanisme. Avec bien plus de finesse, J.-L. Seylaz note que *« jamais livre n'avait offert, dans l'exercice du Mal, des personnages plus susceptibles de flatter en tout homme le vieux rêve d'un pouvoir infaillible de l'esprit : en d'autres termes, une si séduisante mythologie de l'intelligence »* (*« Les Liaisons dangereuses » et la Création romanesque chez Laclos*, Droz, 1965).

• **Rapprochements** : les écrivains marqués par le jansénisme se sont attachés à peindre la condition tragique de l'homme en proie au Mal, les souffrances des justes pécheurs (Pascal, *Pensées* ; Racine, *Phèdre* ; Mauriac, *Thérèse Desqueyroux*). Camus a opposé, dans *La Peste*, les deux attitudes possibles face au Mal : la révolte de Rieux, la résignation de Paneloup à la volonté divine. L'œuvre de Baudelaire procède essentiellement d'une conscience aiguë du Mal comme ferment de spiritualité. Les personnages libertins• conduisent à poser le problème de la fatalité du Mal : *Dom Juan* de Molière, *Manon Lescaut* de l'abbé Prévost.

MÉRITE (contre NAISSANCE)
•

« Et qu'avez-vous donc fait que je n'aie surpassé mille fois ? [...] où est là le mérite qui soit véritablement à vous ? »
(Lettre LXXXI, de Mme de Merteuil à Valmont.)

• **Dans *Les Liaisons dangereuses*** : Mme de Merteuil reproche à Valmont de ne s'être donné que la peine de naître : *« Et qu'avez-vous donc fait que je n'aie surpassé mille fois ? [...] où est là le mérite qui soit véritablement à vous ? Une belle figure, pur effet du hasard ; des grâces, que l'usage donne presque toujours ; de l'esprit à la vérité, mais auquel du jargon suppléerait au besoin ; une impudence assez louable, mais peut-être uniquement due à la facilité de vos premiers succès ; si je ne me trompe, voilà tous vos moyens [...] »* (lettre LXXXI).

• **Rapprochements** : de même, la fronde de Figaro consistera à opposer aux privilèges de la «naissance» les prérogatives de «l'individu» et la supériorité des «talents» : «*Non, Monsieur le comte*•, *vous ne l'aurez pas... Vous ne l'aurez pas... Parce que vous êtes un grand seigneur, vous vous croyez un grand génie!... Noblesse, fortune, un rang, des places, tout cela rend si fier! Qu'avez-vous fait pour tant de biens? Vous vous êtes donné la peine de naître, et rien de plus : du reste, homme assez ordinaire! tandis que moi, morbleu! [...]*» (V, 3).

La contestation des privilèges nobiliaires s'étend bien en amont et en aval du siècle des Lumières. Déjà, en 1688, les *Caractères* de La Bruyère proclamaient la suprématie des talents et des mérites sur la naissance – et la fortune (La Bruyère, *Caractères*, IX, «Des Grands», § 25, 5ᵉ édition, 1690).

Le thème est si profondément inscrit dans notre modernité qu'il subit le sort des idées qui ont triomphé dans l'histoire : il ne semble plus faire problème. Pourtant, il inspire à Claudel sa trilogie : *L'Otage* (1908), *Le Pain dur* (1909) et *Le Père humilié* (1916), qui commence aux lendemains de la Révolution française. Dans *L'Otage*, le préfet d'Empire Turelure se trouve confronté à une aristocrate, Sygne. Leur duel oppose les valeurs de l'Ancien Régime à celles des Temps Modernes. Les revendications du mérite et du talent contre les privilèges abusifs de la naissance sont aussi anciennes que la philosophie stoïcienne* et que le christianisme. Déjà, au XIIIᵉ siècle, elles nourrissaient les réflexions amères du poète Jean Chopinel, dit Jean de Meung (1240-1305). Ce clerc, roturier et philosophe, est l'un des deux auteurs du *Roman de la Rose*. Sa philosophie de la nature, devant laquelle tous sont égaux, préfigure Rabelais et les grandes voix de la Renaissance. Déjà, suivant sa pente pour l'allégorie, celui qu'on est allé jusqu'à nommer le «*Voltaire du Moyen Âge*», faisait parler «Nature» avec des accents qui seront ceux de Figaro ou de Mme de Merteuil.

PETITS-MAÎTRES / PETITES-MAÎTRESSES / ROUÉS
•

> «*Les hommes et les femmes dépravés auront intérêt à décrier un Ouvrage qui peut leur nuire* [...]. *Les prétendus esprits forts ne s'intéresseront point à une femme dévote*•, *que par cela même ils regarderont comme une femmelette* [...].»
> (Préface du rédacteur.)

• **Dans *Les Liaisons*• *dangereuses*** : Danceny et Prévan sont deux variantes d'un type littéraire commun dans le roman libertin• du XVIIIᵉ siècle : le «petit-maître».

• **Rapprochements** : chez Villon, au xve siècle, « petit-maître » désigne déjà un « mignon », c'est-à-dire un homme aux mœurs sexuelles ambiguës (*Le Testament*, v. 750 : « *Toutefois, je n'y pense mal / Pour lui, et pour son lieutenant, / Ainsi pour son official* [juge ecclésiastique] */ Qui est plaisant et avenant ; / Que faire n'ai du remenant* [reste], */ Mais du petit-maître Robert : / Je les aime tout d'un seul tenant / Ainsi que Dieu fait le Lombard* »). On évoque, vers 1643, les « mignons » de Condé. Par la suite, les seigneurs homosexuels de l'entourage de Philippe d'Orléans, le futur Régent, se nomment eux-mêmes « petits-maîtres ». En 1688, La Bruyère, qui les dépeint « *durs, féroces, sans mœurs ni politesse* », insinue qu'ils « *se trouvent affranchis* (tel est le sens étymologique de libertinus) *de la passion des femmes dans un âge où l'on commence ailleurs à la sentir* » (*Caractères*, VIII, 74, 1688).

Bientôt on appellera « petit-maître » tout jeune homme de bonne famille turbulent, frondeur et un peu trop ami des plaisirs, des femmes et du jeu. Passé de mode, ce terme revient sous la plume des écrivains de la Régence. Chez Lesage ou Marivaux, il désigne les débauchés, à quelque genre de débauche qu'ils s'adonnent. Le terme reçoit alors le féminin de « petite-maîtresse » pour désigner les jeunes femmes faciles de la bonne société, par exemple chez Crébillon fils. Popularisé par la littérature licencieuse, le personnage du « petit-maître » est un type essentiel du roman libertin• au xviiie siècle.

Le terme de « roués » (c'est-à-dire « dignes du supplice de la roue ») désignait, quant à lui, les gens de l'entourage de Philippe d'Orléans, une fois qu'il fût devenu Régent. Hommes ou femmes, il s'agissait de compagnons d'orgies, qui secouaient par leur débauche le joug du rigorisme moral et religieux des dernières années du règne de Louis XIV.

Sous l'influence de la philosophie des Lumières, apparaît le « talon-rouge », qui n'est autre que le « petit-maître philosophe » : aux vices de ses prédécesseurs, il ajoute l'affectation de se montrer indifférent et railleur à l'égard de la religion. La marquise• en est un exemplaire féminin.

REVENDICATIONS FÉMINISTES

•

« Pour vous autres hommes, les défaites ne sont que des succès de moins. Dans cette partie si inégale, notre fortune est de ne pas perdre, et votre malheur de ne pas gagner. »
(Lettre LXXXI, de Mme de Merteuil à Valmont.)

• Dans *Les Liaisons• dangereuses* : la marquise•, comme le montre la lettre LXXXI, se livre à une véritable guerre des sexes, désireuse qu'elle est de faire subir aux hommes qu'elle séduit ce qu'eux-mêmes font subir aux femmes dont ils font leurs victimes.

• **Rapprochements** : prenant le contre-pied des préjugés de son temps, Françoise de Graffigny (1695-1758) dénonce, dans des termes proches (cf. *supra*, p. 331) de ceux de la marquise ou de la Marceline du *Mariage de Figaro* (III, 16), une société où les préjugés et l'hypocrisie assujettissent les femmes aux caprices des hommes, toujours impunis.

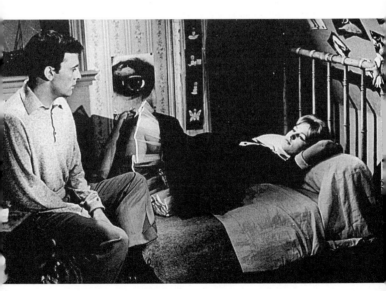

Jean-Louis Trintignant (Danceny) et Jeanne Valérie (Cécile Volanges) dans l'adaptation moderne de Roger Vadim.

PARCOURS THÉMATIQUE

à : beaucoup de verbes aujourd'hui transitifs directs étaient, au XVIIIᵉ s., transitifs indirects et construits avec la préposition *à*.

adorable : digne d'être adoré(e), à qui l'on peut rendre un culte divin.

adorer : rendre un culte divin à ; aimer comme une divinité.

affliction : chagrin profond.

aise : heureux, ravi.

asile : lieu à l'abri.

austère : se dit d'une personne à la morale sévère, grave et sèche ; se dit d'une chose sans ornement, ni agrément.

balancer : considérer mûrement ; hésiter.

bulletin : compte rendu.

cajoler : amadouer, flatter (intr. bavarder agréablement).

cajolerie : action de cajoler•.

candeur : naïveté, ingénuité ; franchise, sincérité.

céleste : digne des dieux ; qui charme par sa douceur, sa pureté.

cercle : assemblée de personnes ayant un lien entre elles.

Chasseur : domestique en habit (livrée), s'occupant des courses.

Chevalier : noble dont le titre est inférieur à celui de baron.

chimérique : imaginaire, vain, illusoire.

Commandant : grade le plus bas dans la hiérarchie des officiers supérieurs.

compassion : apitoiement, pitié, souffrance partagée.

Comte(esse) : titre de noblesse, entre marquis(e)• et vicomte(esse)•.

concevoir : comprendre.

confesseur : prêtre à qui l'on avoue ses fautes ; personne à qui l'on peut tout dire.

courroux : vive colère.

créance : crédibilité ; foi religieuse.

de : beaucoup de verbes aujourd'hui transitifs directs étaient, au XVIIIᵉ s.,

transitifs indirects et construits avec la préposition *de*.

déjeuner : repas du matin.

dénouement : action de rompre, de démêler.

dépraver : pervertir, débaucher.

déraisonnement : raisonnement contraire à la raison.

dessein : projet, intention.

dévot(e) : personne pieuse.

dévotion : piété ; fidélité.

dîner : repas du midi.

doucereux : doux avec affectation.

empire : autorité morale, influence.

ému : troublé, porté à agir.

enorgueillir : rendre orgueilleux.

entendre : comprendre.

entretenir (s') : converser.

épître : lettre (assez longue ou solennelle).

fatal : voulu par le destin.

folâtre : espiègle, enjoué et plaisant.

gaucherie : gêne, maladresse.

gens : domestiques.

grand théâtre : le grand théâtre du monde, de la «bonne» société.

humeur : disposition d'esprit (bonne ou mauvaise) à l'irritation, la colère.

insipide : sans agrément, sans intérêt, sans saveur.

instruire : informer, prévenir.

Intendante : supérieure de certains couvents de femmes.

intrigue : art de comploter et de manœuvrer.

langoureux : affaibli.

langueur : abattement physique ou moral.

languir : s'affaiblir, se morfondre.

liaison(s) : relation(s) sociale(s), et non liaison(s) amoureuse(s).

libertin(e) : libre penseur, affranchi des croyances et devoirs religieux ; qui s'adonne aux plaisirs charnels.

lieue : ancienne mesure linéaire de valeur variable (env. 4 km).

lui : ce pronom est très souvent placé avant le verbe qu'il complète.

mander : demander de venir ; faire savoir par une lettre.

Maréchale : femme d'un maréchal, officier supérieur et fonctionnaire royal (sommet de la hiérarchie militaire).

Marquis(e) : titre de noblesse, inférieur à duc (duchesse) et supérieur à comte• (comtesse).

Mère perpétue : supérieure honoraire d'un couvent.

modestie jouée : fausse modestie.

noirceur : méchanceté de caractère ; action méchante.

ottomane : lit de repos de forme allongée et ovale, à long dossier enveloppant.

ouvrage : travail, résultat d'une action.

pathétique : émouvant.

petite Maison : discrète maison de plaisance que les libertins• réservaient à leurs soirées de débauche.

point du jour : moment où le soleil commence à paraître.

prêcher : sermonner.

Présidente : épouse d'un président (magistrat qui préside une des chambres d'un tribunal ou une cour).

prévention : action de devancer ou d'anticiper.

probité : honnêteté, droiture.

profane : étranger à la religion, impie.

projet : projet de conquête.

prude : vertueuse, parfois à l'excès.

pruderie : rigueur morale.

pupille : orpheline mineure ; protégée.

querelle : lutte d'idées ; cause, intérêts de quelqu'un.

raccommodement : réconciliation.

raccommoder : réconcilier.

radotage : rabâchage, répétition des mêmes propos.

réchauffé : renouvellement, reprise de liaison.

réitérer : répéter, recommencer.

sans doute : sans aucun doute.

scélérat : personne ayant des intentions perfides ou criminelles.

scrupule : doute, hésitation.

sermon : remontrance (longue et ennuyeuse).

souffrir : permettre, tolérer, accorder.

souper : repas du soir.

transport : sentiment vif, violent.

usagé : rompu aux usages de la galanterie et du monde.

vanité : prétention excessive, amour-propre.

vas : vais.

veuvage : état d'une personne qui a perdu son conjoint.

Vicomte (esse) : titre de noblesse immédiatement inférieur à celui de comte (comtesse).

zèle : ardeur, dévouement ; ferveur religieuse.

LEXIQUE LITTÉRAIRE

anticatastase, **antiphrase** : voir *ironie*.

cartésianisme : philosophie de Descartes et de ses disciples. N'admettre en sciences que la raison, telle est l'exigence de Descartes rompant avec la scolastique*. Il formula une méthode d'inspiration mathématique : conduire par ordre ses pensées pour atteindre la vérité grâce à l'intuition évidente et à la déduction nécessaire. Le «doute méthodique» (remettre en question ses «*préjugés de sens et de l'enfance*») l'amena à affirmer le «*Je pense, je suis*», première vérité de son système dont découlent, par la théorie des idées innées, toutes les autres : distinction de l'âme et du corps, existence de Dieu...

champ lexical : regroupement de termes se rapportant à un même thème, à une même idée.

conventuelle : relatif au couvent.

délocutoire / illocutoire / perlocutoire : pour le philosophe du langage Austin, dire, ce n'est pas seulement dire, c'est aussi accomplir un acte au moyen de la parole. Dans sa terminologie, le sens d'une phrase comprend plusieurs composantes distinctes :
• une composante «*locutoire*» ou «*délocutoire*» : c'est le contenu sémantique, le sens «brut» de la phrase. Il reste le même, quels que soient les coénonciateurs et le contexte de l'énonciation ;
• une composante «*illocutoire*», qui tient à l'engagement personnel de l'énonciateur dans son acte de dire : en disant « Je promets », « J'ordonne », je ne fais pas que «dire», j'accomplis aussi un acte où je m'engage. Cet engagement représente la valeur «*illocutoire*» de ma parole en tant qu'acte. Il tient tout entier à la personne même de l'énonciateur (dire : « Je te baptise au nom du Père et du Fils et du Saint-Esprit » n'a pas la même valeur dans la bouche d'un prêtre qui célèbre le sacrement du

baptême et pour moi, qui ne fais que citer à titre d'exemple cette phrase du rituel ecclésiastique) ;
• une composante «*perlocutoire*», qui consiste dans les modifications de fait de la situation concrète dans laquelle se trouvent l'énonciateur et son ou ses destinataires à la suite de l'acte d'énonciation. Interroger quelqu'un peut, consciemment ou non, l'embarrasser, l'aider, lui témoigner de l'intérêt, etc. C'est, par exemple, le cas de la question : «Tu m'aimes ?», si souvent posée entre amoureux...
Ces composantes «pragmatiques» de l'acte même de dire sont particulièrement importantes dans l'échange épistolaire et dans *Les Liaisons* en particulier.

empirisme : théorie selon laquelle toutes nos connaissances sont acquises avec l'expérience.

énonciation : il y a lieu de distinguer le contenu d'un propos, ou énoncé, des traces que laisse dans leur discours la présence même des interlocuteurs. L'énoncé est le contenu, l'énonciation la trace de l'action de dire. On reconnaît la plupart des marques de l'énonciation en transposant au discours indirect : tout ce que l'on doit modifier est marque de l'énonciation. Par exemple : Saurons-nous ce que tu fais ici ? → Il se demanda s'ils sauraient ce qu'il faisait à cet endroit. Les marques énonciatives de la phrase au discours direct étaient : les 1re et 2e personnes, le futur et le présent, l'adverbe «ici», la modalité interrogative. Toutes disparaissent au discours indirect, la situation d'énonciation ayant changé ; liées à cette situation, ces marques en sont donc les indices énonciatifs.

épistolier : personne écrivant des lettres.

exorde : première partie d'un discours dans la rhétorique ancienne.

héroïdes : dans la poésie latine, épîtres amoureuses en vers. De

ton et de facture élégiaques, les
«héroïdes» chantent avec les
accents de la plainte lyrique la douleur de l'exil ou de l'absence, les
souffrances de la séparation d'avec
l'être aimé, telles que celles qu'on lit
dans les *Tristes* ou les *Pontiques*
d'Ovide. Dans un roman épistolaire,
on peut donner ce nom aux lettres
où un personnage épanche sa passion et sa souffrance d'être loin de
l'aimé(e). C'est notamment le cas
des plus belles épîtres• de Julie ou
de Saint-Preux dans *La Nouvelle
Héloïse* de Rousseau, ou de certaines
de celles de Mme de Tourvel dans
Les Liaisons•, qui sont de véritables
élégies en prose.

innéisme : doctrine philosophique
fondée sur la croyance aux idées
innées.

ironie : l'ironie est l'expression
d'une âme éprise de justice qui s'indigne de voir la réalité inverser un
rapport qu'elle juge normal. Afin de
stigmatiser cette inversion, l'ironie
renverse à son tour le sens des mots.
Toute ironie repose donc sur la mise
en opposition des **mots** et des
choses. L'effet peut s'obtenir de
deux manières. 1) On peut inverser
les **mots**, en remplaçant ceux auxquels on pense par leur exact
contraire, et c'est l'**antiphrase** (ex.
une mère à son enfant crotté :
«Comme tu es propre!»); 2) On
peut aussi inverser les **choses**, en
décrivant une **situation** idéale
absente au lieu de la **situation** réelle,
et c'est l'**anticatastase** (ex. au cœur
d'une nuit noire : «On y voit
comme en plein jour!»). Rétablisse-
ment vengeur du monde renversé,
l'ironie, qui est toujours une action
de la justice comique, s'exprime surtout au moyen de figures d'opposition (antiphrases, anticatastases,
antithèses) ou de figures d'exagération, soit par excès (hyperboles :
s'agissant du nez de Cyrano, «*C'est
un cap*! [...] *une péninsule*!») soit par
défaut (litotes : La Fontaine dans

l'une de ses *Fables*, «*ce n'est rien :
c'est une femme qui se noie*»). Dirigée
contre soi-même, l'ironie devient
l'humour.

italique : ce caractère typographique
fut inventé au XVIe siècle par les
humanistes et les imprimeurs italiens, qui souhaitaient distinguer sur
la page le texte ancien de son com-
mentaire. Dès l'origine, l'italique
signale donc une insertion du discours de «l'autre». Les écrivains du
XVIIIe s'en servent pour se distancier
de certaines façons de dire marquées par le préjugé, ce qui est un
moyen de le dénoncer. Par convention, l'italique de l'imprimeur cor-
respond au geste du soulignement
en écriture manuscrite. Dans *Les
Liaisons*, Laclos en fait un usage particulier et très important.

marqué : qui porte un caractère particulier (par opposition à un terme
neutre, non marqué).

matérialisme : doctrine qui consi-
dère la matière comme existant
indépendamment de l'homme pensant et qui fait de la pensée un
simple phénomène matériel comme
les autres.

monodie : monologue (dans la tragédie grecque).

naturalisme : doctrine selon laquelle
rien n'existe en dehors de la nature,
qui exclut donc le surnaturel.

omniscience (adj. *omniscient*) :
connaissance, science de toutes
choses, y compris les pensées
secrètes d'autrui, ou des personnages. Faculté divine ou point de
vue narratif souvent adopté dans le
roman à partir du XIXe s. (Balzac).

philosophie stoïcienne (ou *stoï-
cisme*) : doctrine de Zénon et ses
disciples, selon laquelle le bonheur
se trouve dans la vertu, et qui pro-
fesse l'indifférence devant ce qui
affecte la sensibilité.

polyphonie : combinaison de plusieurs voix, de plusieurs parties dans
une composition. En stylistique,

caractère d'un texte qui multiplie les sources énonciatives et, par le jeu du discours rapporté, de l'italique, ou des citations, semble écrit «à plusieurs voix».

polyscopie (adj. *polyscopique*) : superposition de plusieurs points de vue.

rationalisme : a) doctrine selon laquelle tout ce qui existe a sa raison d'être et peut donc être considéré comme intelligible ; b) doctrine selon laquelle toute connaissance certaine vient de la raison (cf. Descartes, Hegel) ; c) croyance et confiance dans la raison, dans la connaissance naturelle (le rationalisme du XVIIIe siècle).

référentiel : (adj.) qui renvoie à ce dont le texte parle, à ce qu'il désigne ; (nom) système de référence, ensemble d'éléments jouant un tel rôle.

scolastique : (adj.) relatif ou propre à l'École ; (nom) enseignement de la philosophie et de la théologie donné dans les universités du Moyen Âge.

sensualisme : doctrine selon laquelle toute connaissance dérive des sensations (ex. Condillac).

stéréoscopie (adj. *stéréoscopique*) : procédé permettant d'obtenir l'impression de profondeur et de relief.

topos : motif thématique ou formel récurrent dans la littérature ; «cliché», lieu commun.

utilitarisme : doctrine selon laquelle l'utile est le principe de toutes les valeurs (ex. Bentham).

Portrait présumé du comte de Tilly,
Bibliothèque Nationale de France.

ANNEXES

ŒUVRES DE LACLOS

Œuvres complètes, édition de Laurent Versini, « Bibliothèque de la Pléiade », Gallimard, 1979.

VIE ET ŒUVRE DE LACLOS

Michel Delon, *P.-A. Choderlos de Laclos, Les Liaisons dangereuses,* coll. « Études littéraires », P.U.F., 1986.
René Pomeau, *Laclos ou le Paradoxe,* Hachette, 1993.
Laurent Versini, *Laclos et la tradition, essai sur les sources et la technique des « Liaisons dangereuses »,* Klincksieck, 1968.

POINTS DE VUE CÉLÈBRES
SUR *LES LIAISONS DANGEREUSES*

Charles Baudelaire, *Notes sur « Les Liaisons dangereuses »,* in *Œuvres complètes,* t. 2, édition de C. Pichois, « Bibliothèque de la Pléiade », Gallimard, 1976.
Michel Butor, *« Sur "Les Liaisons dangereuses" »,* in *Répertoire II,* Minuit, 1964.
André Gide, « Les dix romans que je préfère », in *Incidences,* Gallimard, 1924.
Jean Giraudoux, *Littérature,* Grasset, 1941.
André Malraux, « Laclos », in *Tableau de la littérature française de Corneille à Chénier,* Gallimard, 1939.
Roger Vailland, *Laclos par lui-même,* Seuil, 1953.

CONTEXTE CULTUREL

Robert Mauzi, *L'Idée de bonheur dans la littérature et la pensée françaises au XVIIIᵉ siècle,* Armand Colin, 1960.
Jean Starobinski, *L'Invention de la liberté, 1700-1789,* Skira, 1964.

HISTOIRE DES FORMES LITTÉRAIRES

Henri Coulet, *Le Roman jusqu'à la Révolution,* coll. « U », Armand Colin, 1967.
Jean Rousset, « Une forme littéraire : le roman par lettres », in *Formes et Signification,* José Corti, 1962.
Jean-Luc Seylaz, *« Les Liaisons dangereuses » et la Création romanesque,* Droz, 1958.
Laurent Versini, *Le Roman épistolaire,* coll. « Littératures modernes », P.U.F., 1979.

FILMOGRAPHIE

Les Liaisons dangereuses de Roger Vadim, France, 1959. Avec
Gérard Philipe dans le rôle de Valmont et Jeanne Moreau dans
celui de Mme de Merteuil (scénario coécrit avec Roger Vail-
land).
Les Liaisons dangereuses de Stephen Frears (réalisateur britan-
nique), États-Unis, 1988. Avec John Malkovich dans le rôle de
Valmont et Glenn Close dans celui de Mme de Merteuil.
Valmont, de Milos Forman (réalisateur tchèque), France, 1989.
Avec Colin Firth dans le rôle de Valmont et Annette Bening
dans celui de Mme de Merteuil.

Choderlos de Laclos,
pastel de Louis-Léopold Boilly,
Musée historique de Versailles.

Imprimé en France, - Imprimerie Hérissey, Évreux (Eure) - N° 95314
Dépôt légal n° 37685-08/2003 - Collection n° 10 - Édition n° 04
16/6343/4